GIOCHI CON LE CARTE

♥ ♠ ♦ ♣

Benito Carobene

GIOCHI CON LE CARTE

DVE ITALIA S.P.A. – MILANO

Nonostante la massima cura posta nella redazione di quest'opera, né l'editore né l'autore possono assumersi alcuna responsabilità per le informazioni fornite nel testo. Si consiglia, in caso di problemi specifici – spesso unici – di ogni singolo lettore, di consultarsi con persona qualificata per ottenere le informazioni più complete, più precise e più aggiornate possibili.

Progetto grafico della copertina: Design Simona Peloggio – Bergamo

---

Se desiderate ricevere il nostro catalogo ed essere informati sulle nostre nuove pubblicazioni scriveteci al seguente indirizzo:

DVE ITALIA S.p.A.
20124 Milano – Via Vittor Pisani, 16

PREFAZIONE

♥ ♠ ♦ ♣

"FORTUNATO IN AMOR NON GIOCHI A CARTE"

Lo dice un vecchio proverbio, ed è assolutamente falso. Questo libro ve lo dimostrerà: il successo dipende (quasi) unicamente da voi.
Il curatore della rubrica di bridge, in un noto settimanale, commentava recentemente il risultato di un torneo nazionale, più o meno così: "... l'incontro si è concluso con il successo della squadra X, che ha giocato senza commettere un errore..." Il vinto, dunque, commette errori, il vincitore no.
Si vuole forse dissacrare il mito secondo cui il gioco, senza distinzioni, d'azzardo o no, è affidato, più che a regole fondamentali, al caso, alla fatalità, alla "fortuna"?
Se in quest'ultima è bello credere e sperare, sarebbe eccessivo e semplicistico renderla responsabile di ogni successo o insuccesso, anche nel gioco. Al tavolo dell'osteria o a quello verde dei tornei internazionali si vince solo se si è baciati in fronte dalla dea bendata? No, non si tratta solo di buona sorte, e nemmeno soltanto di esperienza, di intuito, di astuzia, ovviamente importanti, ma soprattutto di conoscenza e possesso della tecnica del gioco, delle sue svariate situazioni, possibilità e soluzioni. Anche per giocare, dunque, è necessario documentarsi, se si vuole uscire dalla mediocrità.
"Aiutati che il ciel ti aiuta": il vecchio, pratico adagio è sempre e comunque valido. Questo libro presenta i più noti giochi di carte: da quelli popolari come la briscola e la scopa, a quelli di società come il ramino, la scala quaranta, la canasta, senza trascurare solitari, giochi per ragazzi, giochi d'azzardo. In questo panorama veramente completo, ampio spazio è riservato al bridge, il gioco forse più diffuso e appassionante. L'autore, noto esperto e competente in materia, oltre a descrivere le mosse nei minimi particolari, ne ha illustrate molte, per darne una visione esauriente e pratica. Fate quindi il vostro gioco, anche se in amore va tutto a gonfie vele: ma fatelo dopo aver letto questo libro, che non insegna soltanto a giocare, insegna a vincere!

LE CARTE DA GIOCO

♥ ♠ ♦ ♣

STORIA DELLE CARTE DA GIOCO

Anche le carte da gioco hanno una loro storia. Anzi, come vedremo, si tratta di una storia secolare e nobile le cui origini si perdono nella notte dei tempi. Con esattezza non si sa neppure quale sia il paese in cui le carte da gioco furono inventate. A questo proposito anzi sono state formulate moltissime teorie che si basano tutte su antichi documenti in cui si parla di questi simpaticissimi passatempi. Ognuna di tali teorie presenta aspetti positivi in quanto si riferisce ad un documento sicuramente originale; d'altra parte però la stessa teoria ha il difetto di fondarsi soltanto su quel documento trascurando tutti gli altri.
Anche se molti autori hanno sostenuto l'origine italiana delle carte da gioco, soprattutto basandosi su un atto fiorentino del 1376 che definisce "novello" il gioco delle carte, sembra che non ci debbano essere dubbi sul fatto che tale popolarissimo mezzo di divertimento sia arrivato all'Europa dall'Oriente. A questo punto la discussione è aperta sulla nazione che per prima "esportò" le carte da gioco. Chi parla della Cina (lo afferma un dizionario cinese del 1678 dove si troverebbero esempi di carte di questo tipo sin dagli inizi del dodicesimo secolo) e chi parla dell'India (dove le carte sarebbero nate come immediata derivazione degli scacchi). Ciò che sembra accettato da tutti è il fatto che le carte siano state introdotte in Europa dagli arabi alla fine del quattordicesimo secolo. Una prova abbastanza convincente risiede nel fatto che, anche nel nostro pae-

se, all'inizio le carte da gioco presero il nome di "naibi" termine di sicura derivazione araba.
Ignota è anche la vera causa che diede luogo al nascere delle prime carte da gioco: non si sa se esse siano state "inventate" per servire a scopi divinatori o se immediatamente siano state usate per puro divertimento. I primi naibi, comunque, sembra che fossero usati per far giocare i bambini. Ciò che è certo è che, a partire dal quattrocento, le carte da gioco si diffusero in tutta Europa. Esse trassero le loro caratteristiche da tre tipi fondamentali usati, rispettivamente, in Italia, Francia e Germania. Tuttora, nelle carte da noi usate, possiamo trovare "semi" diversi che sono gli eredi diretti di quelli che tanti secoli or sono furono adoperati nelle tre suddette nazioni.

LE CARTE PIÙ COMUNI

Le carte più comuni, almeno nel nostro paese, sono di due tipi, che vengono solitamente denominate "italiane" e "francesi". Sul termine di "carte italiane" ci sarebbero veramente da fare alcune precisazioni, in quanto più esattamente si dovrebbe parlare di carte "regionali". Infatti è possibile rintracciare nel nostro paese differenti tipi di carte che hanno semi diversi (almeno in parte) e strutture nettamente distinte fra di loro.
Le carte più comunemente usate (quelle, tanto per intenderci, che vengono generalmente adoperate da chi gioca a scopa) vengono chiamate, anche se il termine è decisamente improprio, "napoletane". Esse hanno quattro semi che sono: coppe, denari od ori, bastoni e spade. Per ogni seme vi sono dieci carte: dall'asso al sette e quindi le tre figure, fante, cavallo e re. In questo grande gruppo si possono avere differenze nell'aspetto delle figure (a una o a due teste), nella presenza o meno di motti e nel fatto che siano o no presenti i numeri.
Carte dello stesso tipo, ma con forme abbastanza caratteristiche per i bastoni (simili a randelli) e per le spade, sono quelle di sicura derivazione spagnola. A questo proposito diremo che le vere carte "napoletane" (che dovrebbero sempre avere i bastoni con una decorazione trasversale di colore giallo e raffi-

gurante una foglia di quercia) appartengono proprio a questo gruppo.
L'altra grande famiglia di carte usate anche nel nostro paese sono quelle di derivazione francese (tanto per fare un esempio ricorderemo che sono quelle che comunemente si usano per giocare a poker o a bridge). I semi, sempre in numero di quattro, sono: fiori, quadri, cuori, picche. Per ogni seme vi sono poi tredici carte: quelle numerate dall'uno al dieci e poi le tre figure, fante, donna e re. Generalmente le figure hanno anche una loro caratteristica lettera (derivata dall'inglese) che viene adoperata per dare il nome alla carta stessa. Il fante porta la lettera J (iniziale di *Jack*), la donna la lettera Q (iniziale di *Queen*) e il re la lettera K (iniziale di *King*). Talvolta però queste lettere possono essere sostituite da altre che sono iniziali delle corrispondenti parole in altre lingue. Così in Francia potremo trovare queste lettere: V (*Valet*) per il fante, D (*Dame*) per la donna e R (*Roi*) per il re; in Germania: B (*Bube*), D (*Dame*) e K (*Koenig*).
Altre carte, peraltro poco usate in Italia, sono quelle di origine tedesca. I semi caratteristici di queste carte sono: i cuori, i campanelli (prendono il posto dei quadri), le foglie (al posto dei fiori) e le ghiande che sostituiscono le carte picche.

I TAROCCHI

Mazzi di carte caratteristici, che si trovano diffusi un po' in tutte le nazioni e quindi anche nella nostra, sono i tarocchi. Se la discussione è aperta in generale su tutte le carte, in particolare sui tarocchi essa è ancora più accesa. Addirittura qualcuno attribuisce a queste carte una origine tanto lontana nei tempi da giungere fino alla civiltà egiziana. I tarocchi sono caratterizzati dal fatto che oltre ai quattro semi vi sono anche delle carte speciali che non appartengono ad alcun seme (sono i veri e propri tarocchi) e che riproducono o personaggi particolari o speciali allegorie.
Anche di tali carte esistono, nelle diverse regioni, svariatissimi tipi. Comunque sull'argomento ritorneremo più avanti quando parleremo, in particolare e per esteso, del gioco dei tarocchi.

LA CARTAGIOCOFILIA

La fantasia dei fabbricanti di carte si è sbizzarrita cercando di offrire prodotti sempre nuovi e divertenti. La prova di ciò è data dal fatto che si sta diffondendo, in questi anni, nel nostro come in altri paesi, la cosiddetta "cartagiocofilia". Si tratta del collezionismo delle carte da gioco che non vengono più considerate come strumento per passare il tempo ma come oggetti fini a se stessi che meritano di essere raccolti e accuratamente conservati. Indubbiamente in questo settore esistono anche esempi classici di mazzi (o parti di mazzo) che sono stati prodotti da insigni artisti dei secoli passati e che oramai vanno considerati come oggetti degni di figurare in un museo. Ma anche limitandosi ai mazzi più recenti, anche solo a quelli preparati ai giorni nostri, è possibile mettere insieme collezioni veramente divertenti. Infatti è sufficiente che sulla carta da gioco sia indicato il valore e il seme, per il resto tutto lo spazio può essere riempito da qualsiasi illustrazione. Ecco quindi che diventa possibile con le carte da gioco raccontare una storia, divertire, insegnare qualcosa, fare della satira politica, pubblicizzare prodotti commerciali e così via. Su questo argomento è inutile dilungarsi anche perché in effetti esso esula abbastanza dai nostri compiti, comunque desideriamo invitare i nostri lettori a visitare un qualsiasi negozio di carte ben fornito. Sicuramente essi scopriranno un mondo nuovo e divertente del quale, probabilmente, non avrebbero sospettato l'esistenza.

ALTRI TIPI DI CARTE DA GIOCO

Fino ad ora abbiamo parlato di quelli che potrebbero essere considerati i tipi classici di carte da gioco. Esistono in commercio, però, anche svariatissimi altri tipi di carte che sono realizzati per servire in particolare ad uno specifico gioco. Per esempio, come si vedrà più avanti, nel gioco della canasta i quattro semi non hanno alcuna importanza. Tutt'al più ciò che interessa è il colore: rosso e nero. Ecco allora che, specialmente nel periodo in cui quel gioco era particolarmente in auge, vennero commerciati mazzi di carte praticamente senza semi. I motivi usati erano semplicemente dei cerchietti o rossi o neri. Situazioni analoghe si trovano per giochi che possono anche essere fatti con normali carte, ma che, in effetti, avrebbero bisogno di specifici disegni. Caso tipico, a questo proposito, è quello del "mercante in fiera". Molto ricca è anche la gamma delle carte per bambini. Basti un esempio: il gioco del "quartetto" diventa più facile se viene eseguito con speciali carte in cui al posto dei soliti semi o delle solite figure (che magari un bambino molto piccolo fa fatica a riconoscere) vi siano oggetti o animali più familiari.

I GIOCHI CON LE CARTE

In questo volume descriveremo alcuni fra i più noti giochi con le carte. Sarà bene, però, tenere presente che soprattutto per i giochi più conosciuti e più diffusi, esistono infinite possibilità di variazioni. Potrà quindi capitare molto spesso che chi è solito giocare in un certo modo trovi qualcosa di nuovo. In questi casi invitiamo il lettore a non credere che la nostra scelta equivalga ad una affermazione di superiorità del nostro sistema rispetto al suo. Il fatto che noi abbiamo deciso di descrivere quella variante, di indicare che il conteggio va fatto in un certo modo, che il numero di carte da distribuire è quello e così via vuol dire semplicemente che noi siamo soliti eseguire quel gioco in quel modo o che ci sembra che la maggior parte dei giocatori lo esegua applicando quelle regole. È chiaro però che chi è solito a giocare in un certo modo deve continuare a farlo nel futuro così come è stato abituato, ignorando completamente quanto noi abbiamo scritto. Il nostro libro dovrebbe invece servire soprattutto a far conoscere qualche gioco nuovo, ad allargare cioè la gamma di passatempi a disposizione.
Per finire ci piace ricordare che, a parer nostro, i giochi con le carte dovrebbero essere sempre dei giochi. Ciò vuol dire che essi dovrebbero servire soprattutto a rilassare il proprio sistema nervoso che ha già subito violenti attacchi nel corso delle ore lavorative. Andarsi a scegliere un tipo di gioco o una compagnia di amici che

invitano alle vere e proprie litigate vuol dire ottenere il risultato opposto. Esistono giochi di carte che più facilmente provocano discussioni. Intendiamoci: anche questo aspetto può essere divertente e piacevole. Indubbiamente una serena (anche se accesa) discussione su una mano di bridge può far passare del tempo in modo interessante. Però ciò che riteniamo sbagliato è trasformare la discussione in litigio. Per chi è abituato a concludere le sue serate togliendo il saluto a tutti coloro che sedevano al suo stesso tavolo, diamo, se non altro, un consiglio di carattere linguistico: invece di usare l'espressione di "gioco con le carte" usi quella di "scontro con le carte".

I GIOCHI TRADIZIONALI

♥ ♠ ♦ ♣

LA SCOPA

Fra tutti i giochi tradizionali del nostro paese, la scopa, molto probabilmente, è il più noto e il più praticato.
Le ragioni sono molteplici: si tratta di un gioco che ha regole semplici e che quindi, come tale, può essere appreso da chiunque (anche dai bambini più piccoli). D'altra parte però è anche un gioco che, in alcune sue varianti, come nel cosiddetto "scopone scientifico", si presta a complicatissime considerazioni e può dar luogo a problemi che non hanno nulla da invidiare, per esempio, a quelli del bridge.
La scopa, che molto probabilmente ha oltre sei secoli di vita, si gioca con un mazzo di quaranta carte. Generalmente vengono usate quelle napoletane o lombarde, oppure le francesi dalle quali siano stati preventivamente tolti gli otto, i nove e i dieci (queste carte vengono definite, in milanese, "bertole" cioè carte ingombranti e inutili). In pratica, quindi, la scopa viene giocata con quaranta carte suddivise in quattro semi. In ognuno di tali semi le carte sono: 1-2-3-4-5-6-7 e le tre figure, che possono essere, nell'ordine fante, cavallo e re (se si gioca con quelle francesi). La prima figura (il fante) vale otto, la seconda (cavallo o donna) vale nove e la terza (il re) vale dieci.
Il gioco della scopa consiste principalmente nell'impossessarsi delle carte che si trovano, scoperte, sul tavolo. Per fare ciò occorre avere una carta che abbia lo stesso valore di quella che si vuol prendere, oppure una carta il cui valore sia eguale alla somma delle due o più carte che si intendono prendere.

Supponiamo che sul tavolo vi siano, scoperte, le seguenti carte:

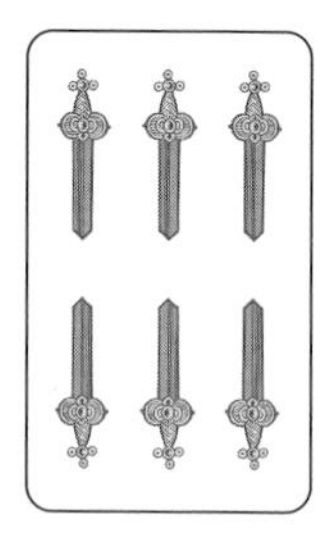 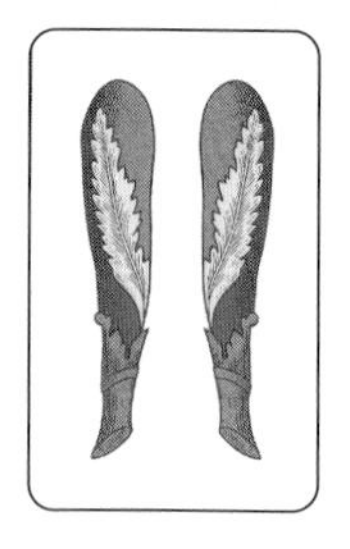  

Chi deve giocare, avendo in mano un due, può prendere con il due quello che c'è in tavola. Analogamente, se avesse un tre o un quattro, potrebbe prendere con il suo tre (o quattro) la corrispondente carta che c'è in tavola. Se il giocante avesse in mano un cinque potrebbe prendere dal tavolo, contemporaneamente, il due e il tre. Infatti 2 + 3 = 5 e quindi, siccome il valore della carta che si ha in mano eguaglia la somma dei valori di due carte che ci sono in tavola, si può effettuare la presa. Cioè, lo ripetiamo, con un 5 si possono prendere assieme il due e il tre:

 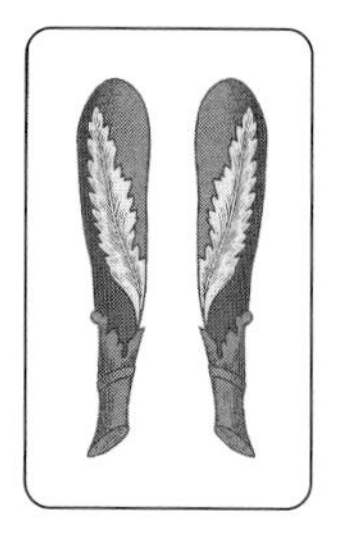 

Analogamente con un sette si prendono il 3 e il 4 (infatti 3 + 4 = 7):

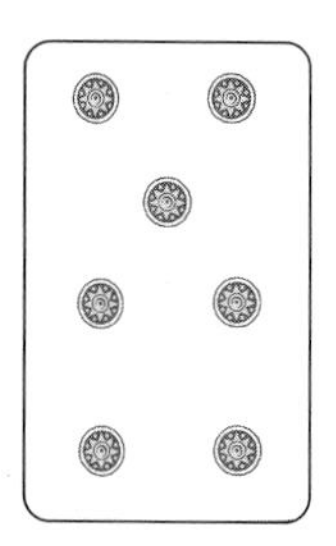 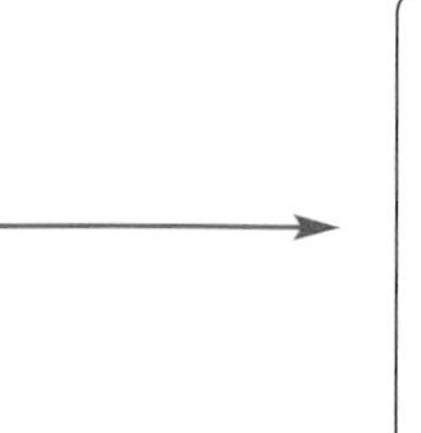  

Se si gioca con le carte francesi con un fante (che vale otto) si possono prendere il 6 e il due (infatti 8 = 6 + 2):

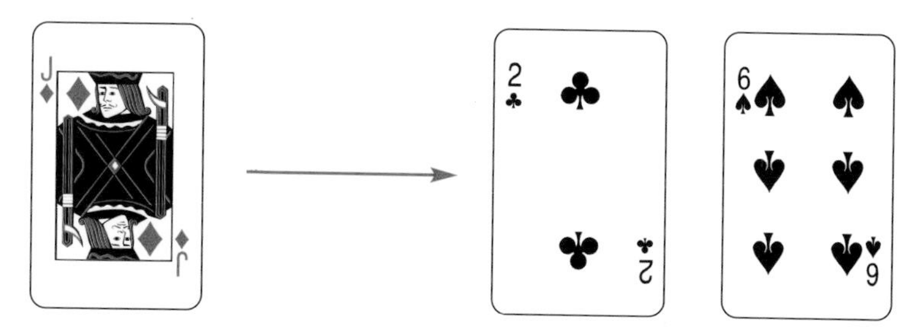

Se si gioca con le carte napoletane con un cavallo (che vale nove) si possono prendere il 6 e il 3 (infatti 9 = 6 + 3):

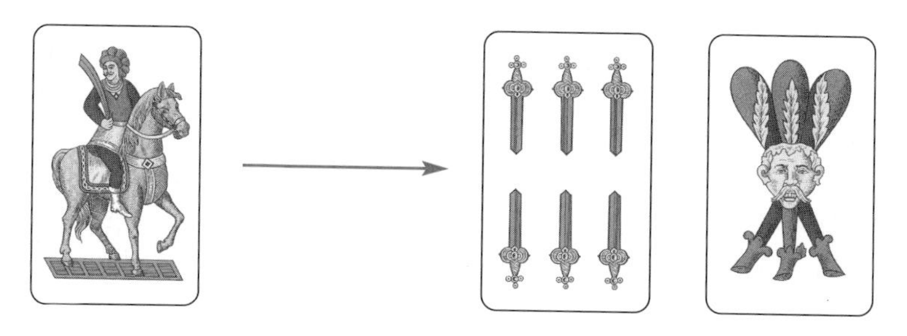

Ovviamente la presa può essere effettuata anche quando la carta che si ha in mano sia uguale alla somma dei valori di più carte. Per esempio, ci sono due tre ed un asso allora si può effettuare la presa con un sette in quanto 7 = 3 + 3 + 1:

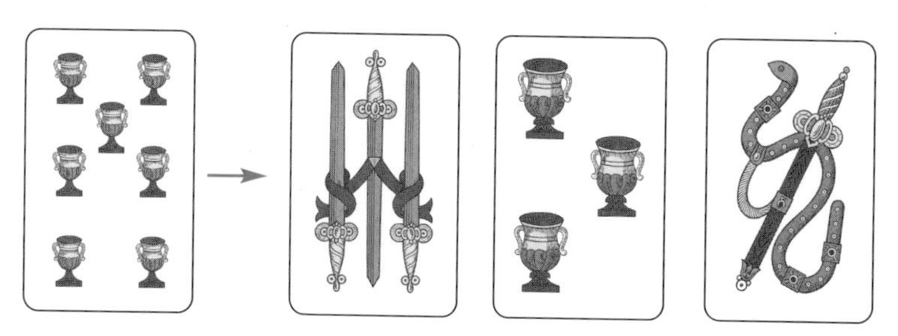

Una sola carta può prendere due o più carte soltanto nel caso in cui non vi sia in tavola una carta avente lo stesso valore. Tornando al caso precedente, quello in cui in tavola erano state scoperti un 6, un 2, un 3 e un 4, il giocatore che avesse avuto in mano un sei non avrebbe potuto prendere il 4 e il 2, anche se 6 = 4 + 2, in quanto sarebbe stato costretto a prendere proprio il sei:

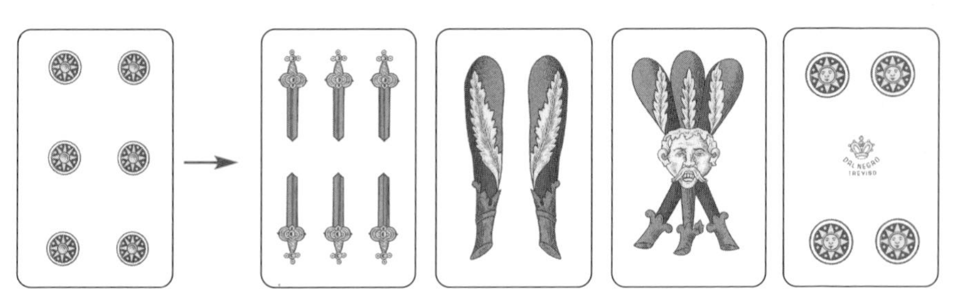

Ovviamente il contendente al quale tocchi giocare la carta e che non abbia nulla da prendere dovrà scoprire una sua carta senza prendere nulla. Per esempio nel caso in cui le carte scoperte in tavola siano le seguenti:

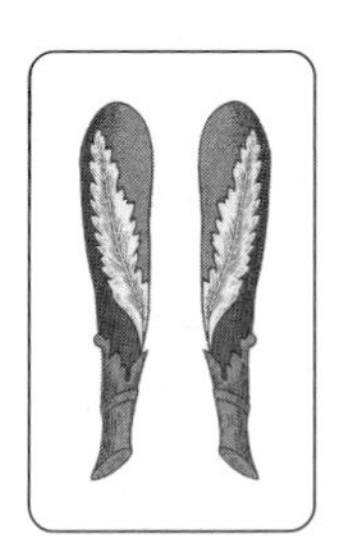

Il giocatore che gioca un tre non può prendere niente: egli deve scoprire il suo tre che resta sul tavolo insieme alle altre carte.
Una situazione caratteristica è quella in cui, effettuando la presa, si conquistano tutte le carte che erano, in precedenza, scoperte sul tavolo. In questo caso si fa "scopa", cioè è come se si "scopasse", si "ripulisse" tutto il tavolo lasciandolo senza niente. Tale operazione è molto importante in quanto permette di conquistare un punto. Affinché i contendenti si ricordino che è stata effettuata la scopa il gio-

catore metterà la carta che gli ha permesso di effettuare la scopa, scoperta, davanti al mazzo delle carte già conquistate. Cioè, se ho in mano un sei e sul tavolo è rimasto soltanto un altro sei, allora faccio scopa e metto il sei scoperto nel seguente modo:

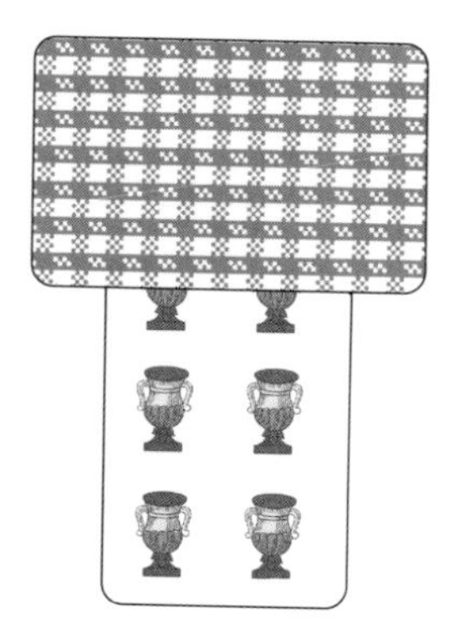

Analogamente, se giocando con carte napoletane ho in mano un cavallo e sul tavolo sono rimasti un sette e un due, allora posso fare la scopa (infatti il cavallo vale 9 e 9 = 7 + 2) e disporrò le carte scoprendo il cavallo:

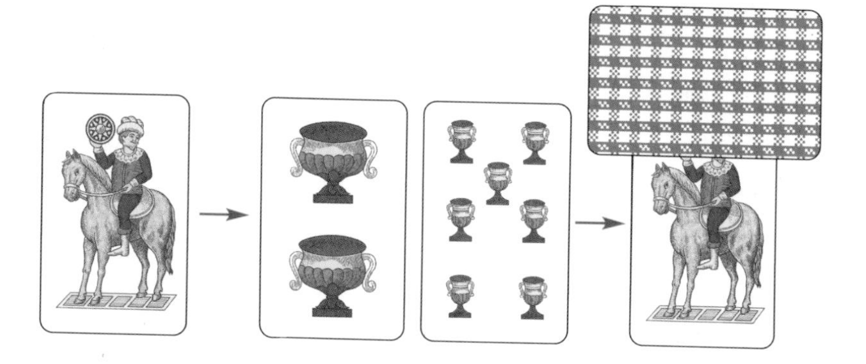

Il gioco si svolge o fra due o fra quattro concorrenti. Nel caso in cui si giochi in quattro, allora i giocatori costituiranno due squadre, ognuna delle quali sarà formata da una coppia di persone. Le

carte possono essere distribuite o tre per volta o nove per volta. Comunque, tanto per fissare le idee, cominciamo considerando il caso più semplice, cioè quello in cui si gioca soltanto fra due persone. All'inizio del gioco, chi deve procedere alla distribuzione delle carte darà tre carte all'avversario, tre a se stesso e quindi ne metterà quattro, scoperte, al centro del tavolo. Cominciando dall'avversario del cartaro ognuno dei due contendenti gioca una carta per volta. Ovviamente ogni volta che il giocatore è di turno o prende qualcosa dal centro del tavolo o, non potendo prendere nulla, scopre una delle sue carte. Esaurito il primo gruppo di tre carte si procede ad una nuova distribuzione; cioè, come prima, il mazziere dà tre carte all'avversario e tre a se stesso. Si gioca nuovamente, quindi si fa una distribuzione e così via finché vi siano carte da distribuire.
All'ultima mano si presenta una novità. Se l'ultimo che deve giocare, con la sua ultima carta, ha la possibilità di fare scopa, cioè ha in mano una carta che gli permette di prendere tutto ciò che è rimasto scoperto sul tavolo, la presa può essere effettuata però la scopa non viene segnata. In altre parole, la scopa effettuata con l'ultima carta non dà diritto al punto relativo. Invece nel caso in cui l'ultimo a giocare non possa far scopa, allora resteranno sul tavolo delle carte che non potranno essere prese più da nessuno. Tali carte vanno tutte all'ultimo dei due giocatori che ha effettuato una presa. Terminato il gioco si procede al calcolo dei punti.
Oltre a quelli eventuali di scopa, che sono stati realizzati nel corso del gioco secondo le modalità viste in precedenza, sono in ballo altri quattro punti: uno di "carte", uno di "denari", uno di "primiera" ed uno di "settebello". Il punto relativo alle "carte" va a quello dei due giocatori che ha preso più carte dell'avversario (in pratica a chi è riuscito a prendere da 21 carte in su); nel caso particolare in cui entrambi i giocatori avessero preso venti carte a testa, tale punto non andrebbe attribuito a nessuno. Il punto di "denari" (o "ori") va a quel giocatore che ha preso il maggior numero di carte di denari (cioè se si sta giocando con le carte napoletane a chi ha preso da sei carte di ori in su, mentre se si sta giocando con le carte francesi a chi ha preso da sei carte di quadri in su); nel caso in cui ognuno dei contendenti abbia in mano cinque carte di ori (o di quadri), il punto relativo

non va attribuito a nessuno. Il punto di "settebello" spetta a chi ha preso tale carta che è, giocando con carte napoletane, il sette di ori e, giocando con carte francesi, il sette di quadri: ovviamente questo è l'unico punto che non può mai essere pareggiato in quanto il settebello dovrà, alla fine, essere necessariamente in mano ad uno dei due giocatori.
Il punto di "primiera" è il più complicato da calcolarsi in quanto è quello che presuppone l'attribuzione di un certo punteggio alle differenti carte. Ai fini della primiera i punteggi da attribuire alle carte sono i seguenti:

- il sette vale 21 punti
- il sei vale 18 punti
- l'asso vale 16 punti
- il cinque vale 15 punti
- il quattro vale 14 punti
- il tre vale 13 punti
- il due vale 12 punti
- ogni figura vale 10 punti

Per calcolare il punteggio relativo ad ogni primiera, però, si devono sommare solamente i punti relativi ad una sola carta di ogni seme (ovviamente alla carta più elevata che si possiede in quel seme). In altre parole, ognuno dei due giocatori tira fuori, per ognuno dei quattro semi, la carta che, ai fini della primiera, ha il punteggio più alto e quindi calcola quanti punti ha realizzato.
Tenendo conto dei punteggi elencati prima, la primiera più elevata è quella che si ottiene possedendo i quattro sette. Esattamente per questa ragione a scopa la carta di maggior pregio è proprio il sette e quasi sempre i giocatori più esperti impostano tutto il loro gioco sulla primiera. Cioè cercano in tutti i modi di conquistare i sette. Non va dimenticato infatti che fra due giocatori, l'uno che ha preso soltanto quattro carte (che però sono proprio i quattro sette) e l'altro che ha preso tutte le restanti 36 carte, la partita è pari. Infatti (ammesso che nessuno abbia fatto scopa) le restanti 36 carte valgono due punti (carte ed ori) mentre i soli quattro sette valgono anch'essi due punti (primiera e settebello).
Ai fini della primiera la conquista di tre sette rappresenta quasi una garanzia. Infatti i tre sette da soli valgono già 21 x 3 =

63 punti. L'avversario, che ovviamente avrà il quarto sette, anche se ha conquistato tutti i sei, ha un punteggio di primiera che vale 18 x 3 = 54 (per i tre sei) + 21 (per il sette), quindi 75 punti. Per battere tale punteggio il primo giocatore (che ha già realizzato 63 punti con i tre sette) deve avere altri 13 punti e quindi gli basta possedere, nel quarto seme, un tre (o, ovviamente, una carta superiore). Va comunque osservato che una primiera di tre carte non può mai battere una primiera di quattro carte, anche se il punteggio è superiore. Cioè, in altre parole, se un giocatore non possiede alcuna carta di un determinato seme (qualsiasi esso sia) mentre il suo avversario ha almeno una carta di ognuno dei quattro semi, allora la primiera è sicuramente del secondo giocatore, anche se, sommando i punti delle tre carte dell'uno e delle quattro carte dell'altro, il punteggio maggiore lo si ottiene con le tre carte.
Solitamente si gioca una partita a scopa fissando un certo punteggio complessivo da raggiungere con più mani. Tale punteggio, che deve essere deciso all'inizio e di comune accordo, può essere di 11 o 16 o 21 punti. In certe regioni si ha l'abitudine di giocare a "chiamarsi fuori": quando con le carte che si sono già conquistate nel corso di una partita, che però non è stata ancora portata a termine, si ottengono tanti punti che, sommandoli a quelli già realizzati in precedenza, si raggiunge la quota fissata per la vittoria, ci si può "chiamare fuori", ossia si può sospendere la partita.
Ovviamente, avvenuta tale sospensione, occorre controllare che i punti già fatti coincidano con quelli che mancavano. In caso di errore la partita viene considerata vinta dall'avversario.
Una regola particolare sulla quale sono praticamente d'accordo tutti dice che si devono ridistribuire le carte nell'eventualità (peraltro molto rara) che all'inizio vengano scoperti tre re. Infatti tre re in tavola impedirebbero qualsiasi scopa, in quanto un re può essere preso solamente da un altro re e non assieme ad altre carte, perché non ve n'è nessuna di valore superiore al dieci; d'altra parte però essendoci già tre re sul tavolo durante il corso del gioco verrà distribuito un solo re e quindi fino alla fine resteranno sempre due re sul tavolo.
Il fatto di distribuire tre carte alla volta porta come conse-

guenza che, in tale modo di giocare a scopa, la fortuna venga ad avere un ruolo determinante.
Un giocatore, infatti, all'inizio di ogni mano, non può che scegliere fra tre carte, poi fra due e al terzo colpo deve necessariamente girare l'ultima carta che gli è rimasta. A questo inconveniente si può ovviare giocando secondo alcune varianti che presuppongono una distribuzione iniziale di un numero maggiore di carte. Vediamo adesso in cosa consistono tali varianti.

LE VARIANTI DELLA SCOPA

Quando si gioca in quattro, generalmente, si distribuiscono all'inizio nove carte ad ognuno dei quattro contendenti. Le restanti quattro carte vengono poi girate sul tavolo. Tale gioco costituisce il cosiddetto scopone. Altra variante è quella che prevede la distribuzione di dieci carte ad ognuno dei contendenti. Così facendo, tutte le carte a disposizione vengono distribuite ai giocatori e non ne restano da scoprire sul tavolo. Il primo di mano, allora, dovrà necessariamente girare una sua carta senza avere alcuna possibilità di fare presa e offrendo d'altronde all'avversario la possibilità di fare scopa. Tale gioco costituisce quello che prende il nome di "scopone scientifico".
In queste varianti assume una grande importanza la capacità di ricordare esattamente tutte le carte che sono già passate, sia per poter fare delle previsioni su ciò che ancora dovrà essere giocato, sia anche per poter ricostruire le "mani" degli altri. Cioè, a seconda del gioco che ognuno ha fatto, dovrebbe essere possibile sapere esattamente quali carte ha in mano o, il che è lo stesso, quali carte sono ancora in gioco. Il fatto poi che in genere all'inizio tutti cerchino di non rischiare le carte di maggior valore (sia quelle che contano di più ai fini della primiera, come sette, sei ed assi, sia anche quelle di ori) e che, d'altronde, alla fine del gioco l'ultimo che prende ha diritto ad impossessarsi di tutto ciò che è rimasto sul tavolo, fa sì che siano proprio le ultime mani ad assumere la maggiore importanza. Anche questi motivi in definitiva rendono della massima importanza la capacità di ricordare le carte già passate nelle mani precedenti.

Non possiamo, in quest'opera, scendere in grandi dettagli e rimandiamo ad alcuni trattati specializzati che si possono facilmente reperire in libreria. Noi ci limiteremo a ricordare alcune semplici regole che hanno il compito di facilitare il giocatore di scopone scientifico.
La prima regola si può facilmente ricavare tenendo presente qual è il totale dei valori delle carte che sono in gioco. Come sappiamo vi sono quattro semi e, per ognuno di questi, vi sono dieci carte che hanno tutti i valori compresi fra uno e dieci. Quindi per ogni seme i punti complessivi sono: 1 + 2 + 3 + 4 + 5 + 6 + 7 + 8 + 9 + 10 = 55 e, per tutto il mazzo: 55 x 4 = 220.
Se si riesce a ricordare il totale dei punti che sono passati, allora, alla fine, sapendo quanti sono già stati incamerati, contando quelli che si hanno in mano e quelli che vi sono scoperti sul tavolo, è possibile sapere qual è il totale dei punti in mano all'avversario. Tale regola è particolarmente utile quando si gioca la scopa in due.
Comunque, avendo poca memoria o non avendo voglia di ricordare tutti i punteggi, una considerazione egualmente utile può essere fatta (anche questa quando si gioca in due). Infatti basta tenere presente che ogni presa corrisponde ad un numero pari di punti (infatti o si prendono due carte eguali o si prendono più carte la cui somma complessiva è eguale al doppio del valore della carta che si è giocata). Poiché anche la somma di tutte le carte (il solito 220) è pari, se ne può dedurre che alla fine la somma delle carte che si hanno in mano, più quelle che ha l'avversario, più quelle che si trovano scoperte in tavola, deve essere un numero pari. Se quindi le nostre carte più quelle scoperte danno una somma pari, allora anche l'avversario avrà in mano delle carte la cui somma sarà pari; mentre, se le nostre carte più quelle scoperte in tavola danno una somma dispari, dovrà essere dispari anche la somma delle carte possedute dal nostro contendente.
La regola che, però, applicano quasi tutti i giocatori di scopone scientifico prende il nome di "quarantotto". Accenneremo solo di sfuggita al fatto che è tuttora aperta la discussione sulla origine di questo nome e che solo di recente un grande esperto di scopone scientifico, autore di un ottimo libro sull'argomento, ha probabilmente trovato la ragione del nome in complicate di-

squisizioni di carattere matematico, che però noi vogliamo evitare ai nostri lettori non specialisti. Vediamo invece praticamente in cosa consiste questo "quarantotto".
La suddetta regola si basa su una considerazione che è di fondamentale importanza nello scopone scientifico e che sarà opportuno esaminare con attenzione. In questo gioco, come abbiamo detto, non si scopre all'inizio alcuna carta. Quindi il primo di mano, cioè l'avversario del mazziere, è costretto a giocare una prima carta. Per semplicità consideriamo il seguente tavolo e supponiamo che sia stato D a fare le carte:

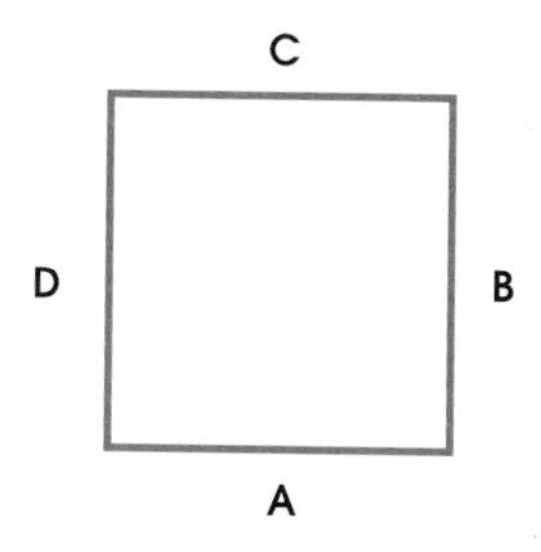

A deve giocare per primo. Supponiamo che A tiri fuori una carta posseduta da B e che quindi costui faccia scopa. Adesso toccherà a C giocare una carta e supponiamo ancora che sia D a fare una seconda scopa. Ora abbandoniamo pure l'idea che i due compagni B e D (cioè mazziere e socio) continuino a fare scope. Comunque fino a che ognuno potrà prendere una sola carta giocata dagli avversari è abbastanza evidente che saranno favoriti sempre il mazziere e il suo compagno, in quanto, giocando dopo gli altri, hanno la possibilità di prendere, una per una, le carte che gli altri, di volta in volta, giocano. In questa situazione le carte risulterebbero perfettamente apparigliate, cioè accoppiate due a due, e quindi chi può giocare dopo gli altri ha tutto l'interesse a che la situazione si mantenga in questi termini. Ovviamente, se al mazziere e al suo compagno interessa che le carte risultino apparigliate, agli avversari interesserà esattamente l'opposto. Cioè il primo di mano e il suo compagno devono tendere a sparigliare il più possibile facendo prese non di una sola carta, ma di più carte

(per esempio un due e un tre con un cinque, un quattro e un cinque con un cavallo e così via).
Nello scopone scientifico quindi è un susseguirsi di tentativi di sparigliare e di riapparigliare. Se è abbastanza facile ricordare quali sono le coppie di carte che sono già passate, risulta più difficile ricordare tutte le carte che sono state sparigliate e, via via, riapparigliate o nuovamente sparigliate. Ed eccoci allora al "quarantotto": il giocatore deve limitarsi a ricordare soltanto quali sono le carte sparigliate, eliminando via via da questo elenco (che va tenuto a memoria) le carte che vengono nuovamente apparigliate. Per esempio, se all'inizio con un cinque vengono presi un due e un tre, si dovrà ricordare 2 - 3 - 5, ma, se in una mano successiva con un fante si prende un 3 e un 5, si dovrà ricordare soltanto 2 e fante. Infatti il 3 e il 5 inizialmente sparigliati sono stati riapparigliati con la nuova presa.
Nelle ultime mani, tenendo conto delle carte che si hanno, di quelle che si vedono e del fatto che, alla fine, tutte le carte dovranno risultare riapparigliate, si può sapere quali carte dovranno ancora essere giocate. I più esperti giocatori di scopone hanno anche studiato particolari regole che permettono di sfruttare nel migliore dei modi tale conteggio e, inoltre, molti di loro sanno anche che esistono speciali regolette che permettono, via via che il gioco prosegue, di controllare se il proprio calcolo è esatto. Tutto ciò però rientra nelle considerazioni più complicate che esulano dallo scopo di questo libro.
Un'ultima considerazione va fatta a proposito della prima carta che deve essere giocata da colui che siede alla destra del mazziere. È abbastanza ovvio che se tale giocatore possedesse tutte e quattro le carte di un dato valore non ci sarebbe alcun dubbio. Giocando una di queste carte, egli avrebbe la sicurezza di non dare scopa agli avversari. A questo proposito va detto che, quando si verifica tale circostanza, per far capire al compagno che si hanno tutte e quattro le carte di quel valore, si gioca quella di ori. Ma se uno non possiede quattro carte eguali?
Evidentemente dovrà giocare una carta che offra le minori possibilità all'avversario di realizzare scopa, cioè, in altre parole, una carta di cui egli possegga più di un esemplare. Per esempio, se il primo di mano ha tre carte uguali, dovrà giocare proprio una di tali carte e, solo nel caso in cui non possegga un gruppo di tre car-

te, potrà scegliere un gruppo di due sole carte uguali. Abbiamo voluto precisare tutto ciò perché una regola abbastanza diffusa è quella che dice di non uscire mai dove si posseggono tre carte, ma di preferire a tale uscita quella relativa ad una carta in cui si ha soltanto una coppia. Secondo questa ipotetica regola la ragione di questo comportamento andrebbe ricercata nel desiderio di aiutare il compagno. Il ragionamento, cioè, è il seguente. Supponiamo che io giochi dove ho tre carte. Se il mio avversario di destra fa scopa, il mio compagno non ha più alcuna indicazione in quanto non potrà avere una carta sicura, perché le due rimanenti le ho in mano io. Molto probabilmente perciò il mio compagno sarà costretto a dare nuovamente scopa. Invece, se gioco dove ho una coppia, anche ammettendo che il mio avversario faccia scopa, il mio compagno potrà avere la quarta carta mancante e quindi sarà sicuro di non dare a sua volta un'altra scopa. A prima vista questo ragionamento potrebbe anche sembrare valido, però, se si facessero serie considerazioni di carattere probabilistico e, soprattutto, se si facessero serie statistiche di autentiche partite, si scoprirebbe che è sempre meglio giocare dove si posseggono tre carte e non dove se ne posseggono soltanto due.
Della scopa esistono anche moltissime altre varianti. Qui ci limiteremo a ricordarne, anche se solo per sommi capi, soltanto due: la cosiddetta "scopa a quindici" e la "sbarazzina". La "scopa a quindici" ha soprattutto la ragione di... complicare la vita a chi è solito calcolare il "quarantotto". In questo caso non si prendono le carte con quelle di pari valore, ma si prendono soltanto le carte in modo tale che la somma complessiva fra la carta che si gioca e quella o quelle che si prendono dia 15. Per esempio con un cavallo (che vale nove) si prende un sei in quanto 9 + 6 = 15. Con un due si prende un sei e un sette in quanto 2 + 6 + 7 = 15, e così via. Come si vede, in questo gioco ogni presa rappresenta sempre uno spariglio, in quanto non esistono due carte eguali che diano come somma 15 (che è un numero dispari); il calcolo del "quarantotto" perciò risulta particolarmente complicato. I punti, a questo gioco, vanno calcolati esattamente come quelli della scopa normale.
La "sbarazzina" è un tipo di scopa a due che si gioca molto in Emilia e che rientra nel vasto gruppo delle cosiddette "scope d'asso". In queste varianti, cioè, gli assi vengono a svolgere un

ruolo particolare, nel senso che giocando una di tali carte si ha il diritto di prendere tutte le carte che si trovano, scoperte, sul tavolo. Ovviamente però tale presa non costituisce "scopa" e quindi non fa conquistare alcun punto. Anche di "scope d'asso", però, esistono molte varianti che dipendono, soprattutto, da alcune combinazioni che permettono di conquistare altri punti oltre a quelli soliti della scopa normale. Per esempio, nella suddetta "sbarazzina" vale un punto anche il re bello (cioè il re di denari o di quadri). Inoltre è possibile realizzare punti con le cosiddette "bazziche": se le tre carte ricevute da un giocatore in seguito ad una distribuzione non hanno un punteggio complessivo superiore al nove, si fa una bazzica che vale due punti se le tre carte hanno tutte valori diversi e tre punti se vi sono due carte uguali. Anche un insieme di tre carte eguali costituisce "bazzica" e fa conquistare ben sette punti. Per il resto le altre regole sono eguali a quelle della solita scopa con l'unica avvertenza che, avendo la possibilità di realizzare molti punti in una sola volta, la partita termina quando si raggiunge un punteggio abbastanza elevato: solitamente a "sbarazzina" si arriva ai 41 punti.

LA BRISCOLA

La briscola è un altro dei giochi tradizionali italiani. Ad essere esatti, però, sembra che tale gioco sia originario dell'Olanda dove si sarebbe diffuso verso la fine del XVI secolo. Passato successivamente in Francia, giunse poi nel nostro paese dove però subì modificazioni tanto profonde da poter essere oramai considerato un gioco tipico italiano. La briscola generalmente si gioca in due. Si usa un mazzo di quaranta carte napoletane o, eventualmente, si può anche adoperare un mazzo di carte francesi, ma in questo caso occorre togliere i soliti otto, nove e dieci. Il valore delle carte è, in ordine decrescente, il seguente:
Asso - Tre - Re - Cavallo - Fante - 7 - 6 - 5 - 4 - 2. Ovviamente se si gioca con le carte francesi il re, il cavallo e il fante vanno rispettivamente sostituiti con re, donna e fante. La carta di valore superiore prende quella inferiore. Cioè:

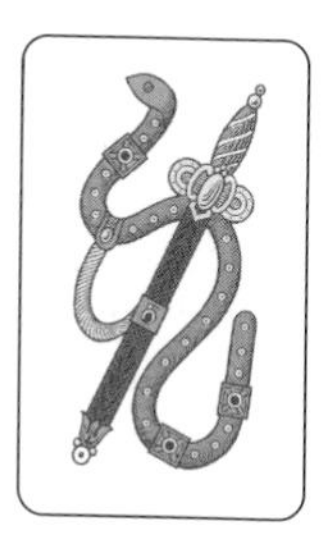 

vince l'asso

 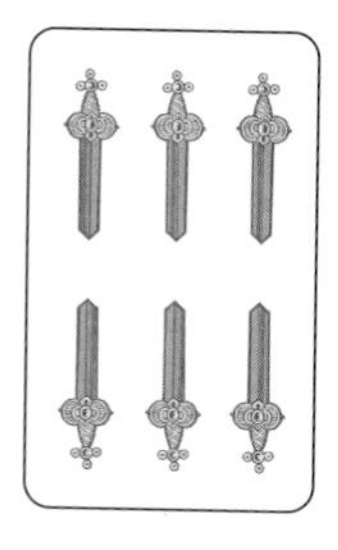

vince il re

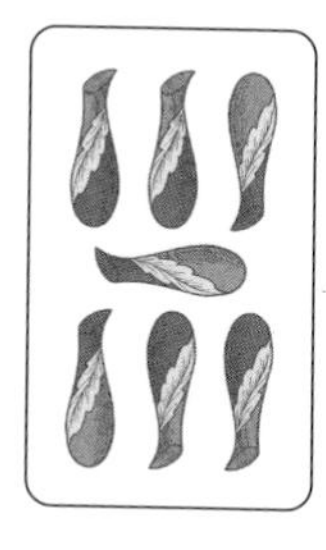 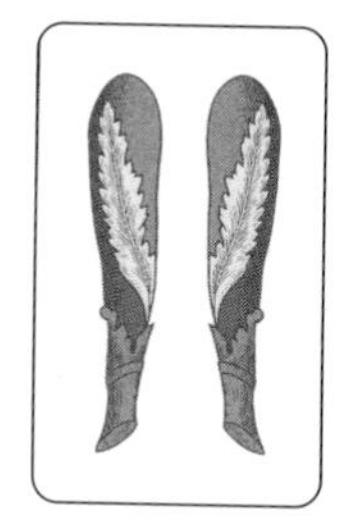

vince il sette

In questo gioco, però, esiste un seme privilegiato, cioè quello che costituisce la "briscola" e che viene determinato all'inizio di ogni mano secondo modalità che fra un attimo spiegheremo. Quando si giocano due carte dello stesso seme vince la carta di valore più elevato. Quando si giocano due carte di seme diverso, di cui però nessuna sia briscola, vince sempre la prima carta giocata (questo indipendentemente dal valore delle carte). Se però una delle due carte che sono state giocate è di briscola allora è lei a vincere (anche in questo caso indipendentemente dal valore delle carte stesse). Ecco qualche esempio:

1ª carta giocata

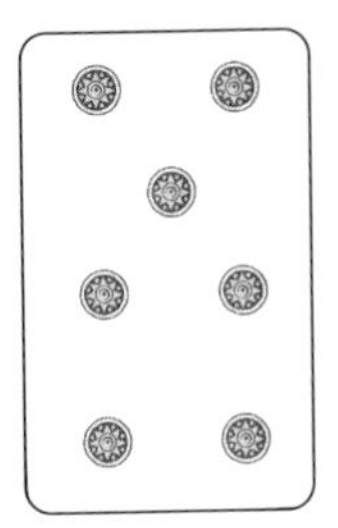

2ª carta giocata

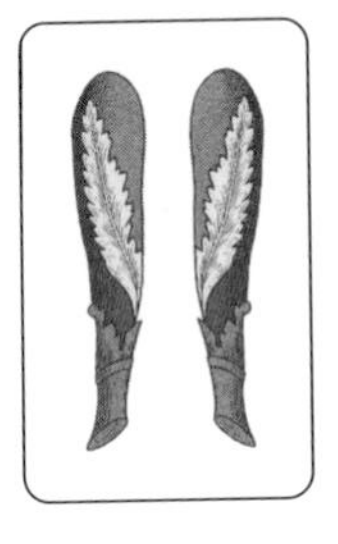

se bastoni non è briscola vince il sette di danari

1ª carta giocata

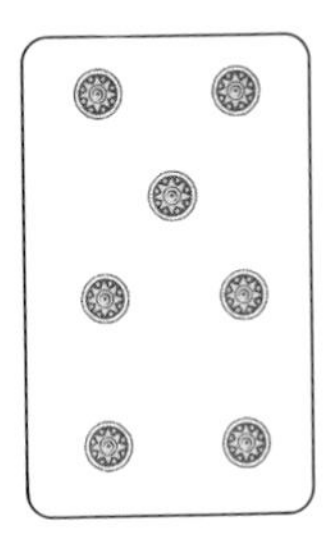

2ª carta giocata

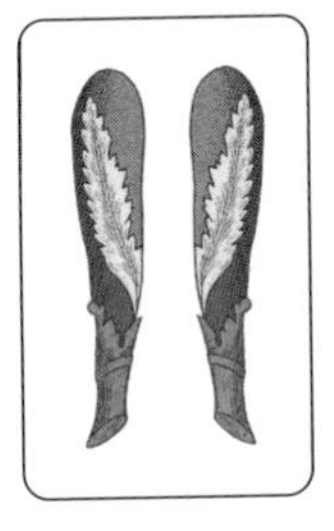

se bastoni è briscola allora vince il due di bastoni

Ovviamente se si giocano due briscole o, lo ripetiamo, due carte dello stesso seme (anche se non sono briscole) vince la carta superiore. Per decidere qual è la briscola si segue questo procedimento. Scelto il mazziere, costui rimescola le carte, le fa alzare e quindi dà tre carte all'avversario, tre a se stesso e poi scopre una carta che mette, ben visibile, sul tavolo (solitamente viene inserita sotto il mazzo). Il seme della carta scoperta rappresenta la briscola per tutta quella mano.
Dopo ogni giocata chi ha girato la carta di maggior valore effettua la presa e quindi pesca una nuova carta dal mazzo; subito dopo anche l'avversario pesca un'altra carta. Chi ha effettuato la presa precedente gioca per primo. In questo modo, pescando ogni volta una nuova carta, i due giocatori hanno sempre tre carte in mano.
Soltanto alla fine, cioè quando sarà terminato il mazzo e saranno

state pescate le ultime due carte (fra cui anche quella che era rimasta scoperta fin dall'inizio e che viene considerata come ultima carta del mazzo), i giocatori avranno, successivamente, tre carte, poi due e infine una sola. Terminato il gioco si procede al calcolo del punteggio ottenuto tenendo conto che:

- un asso vale undici punti
- un tre vale dieci punti
- un re vale quattro punti
- un cavallo vale tre punti
- un fante vale due punti
- le altre carte non fanno punti

Ai fini del punteggio le carte di briscola non hanno più alcuna importanza. In ogni seme vi è un totale di 30 punti, infatti 11 (asso) + 10 (tre) + 4 (re) + 3 (cavallo) + 2 (fante) = 30. In totale perciò vi sono 30 x 4 = 120 punti a disposizione dei due giocatori e, ovviamente, vince chi ne fa di più, cioè chi arriva almeno a 61 punti. Di solito una partita si compone di tre mani, cioè vince il primo che, su tre colpi, ne guadagna due.
La briscola può essere giocata anche da tre persone e, in questo caso, per avere un numero di carte divisibile per tre se ne deve togliere una dal mazzo, in modo tale che ne restino complessivamente 39. Ovviamente si toglie sempre una carta di valore minimo, cioè un due. Molto più interessante però è la briscola in quattro: i giocatori sono accoppiati in due squadre che si dispongono a posti alterni.
Le regole del gioco sono sempre le stesse. L'unico discorso interessante, a questo proposito, è quello che riguarda la possibilità, per i due compagni, di scambiarsi informazioni. Qui le abitudini sono quanto mai diverse e noi ci limiteremo a dare alcune idee di carattere generale. Di solito durante la prima mano non si può parlare. I compagni possono cominciare a dire qualcosa soltanto dopo che è stata effettuata la prima presa. Le possibilità di parlare dovrebbero essere limitate all'invito a giocare una particolare carta (per esempio si può dire al compagno "gioca un carico", oppure "vai liscio", oppure "metti una briscola") oppure si può anche richiedere qualche informazione del tipo "hai carichi?", "hai briscole?", "pensi di poter superare la carta dell'avversario?", ecc. Ovviamente in tutti questi casi anche gli avversari sentono

sia la domanda che la risposta ed allora possono comportarsi di conseguenza.
Per evitare di dare informazioni agli avversari, allora, alcuni giocatori preferiscono scambiarsi segni muti cercando di farlo nei momenti in cui gli avversari sono distratti. I segni che abitualmente vengono fatti sono i seguenti:

- stringere le labbra per l'asso
- storcere la bocca per il tre
- alzare gli occhi per il re
- mostrare la lingua per il cavallo
- alzare una spalla per il fante
- una mano sul petto per il sette

Comunque va precisato che non in tutti i tavoli è permesso scambiarsi questi segni e quindi, se si vogliono evitare spiacevoli discussioni, è bene informarsi preventivamente.
Un altro vantaggio concesso ai due compagni si ha nella fase finale. Quando è stata presa dal mazzo l'ultima carta (e quindi ognuno dei giocatori ha in mano l'ultimo gruppo di tre carte), è permesso che i due partners si mostrino reciprocamente le carte.
Per il resto le regole sono sempre quelle della briscola a due: i punti si contano nello stesso modo e, anche per le prese, vale quanto detto in precedenza. Cioè la prima carta giocata può essere superata soltanto o giocando una carta dello stesso seme ma di valore superiore, oppure giocando una briscola (ammesso che la prima non fosse già briscola). Nel caso in cui si trovino (fra le quattro carte giocate) più briscole o più carte dello stesso seme del primo giocato, ovviamente vincerà la carta di valore superiore.

LE VARIANTI DELLA BRISCOLA

Anche per la briscola esistono alcune varianti. La prima, molto simpatica soprattutto per una compagnia affiatata, ha il pregio di permettere che al gioco partecipino cinque persone (e non soltanto quattro). Si tratta della cosiddetta "briscola chiamata". All'inizio vengono distribuite a ognuno dei cinque contendenti otto

carte. Quindi viene distribuito tutto il mazzo e, si badi bene, non viene neppure scoperta la carta che dovrebbe servire ad indicare la briscola. A questo punto inizia la fase che, con termine bridgistico, potremmo chiamare della dichiarazione o, più modestamente, della "chiamata". Il primo di mano (cioè colui che siede alla destra del mazziere) ha per primo il diritto di parola. Costui, guardando le sue carte, se ha un bel seme può pensare di "giocare", allora sceglie la carta più elevata che gli manca di quel seme e dice a voce alta "chiamo...", specificando il valore della carta. Attenzione: egli deve semplicemente dire il valore della carta e non il seme. Cioè dirà "chiamo un asso", oppure "chiamo un re", o ancora "chiamo un sette" e così via. Ovviamente se tale giocatore ha carte molto brutte preferirà non chiamare e dirà semplicemente "passo". Dopo che ha parlato il primo tocca parlare al secondo. Costui ha anche lui il diritto di chiamare con l'avvertenza però che, se vi è stata già una chiamata, lui dovrà indicare, se vorrà parlare, una carta di valore inferiore a quella indicata in precedenza.
Cioè, se il primo ha chiamato un asso, il secondo potrà chiamare qualsiasi carta ma non un asso (cioè potrà dire: "chiamo un tre" oppure "chiamo un re" e così via). Se invece il primo avesse, ad esempio, chiamato un cavallo, allora il secondo per parlare dovrebbe nominare una carta di valore inferiore al cavallo, cioè dal fante in giù (fante, sette, sei, ecc.). Ovviamente, dopo che ha parlato il secondo, parleranno, successivamente e secondo il loro turno, tutti gli altri. Vale quanto detto prima: ogni giocatore ha la possibilità o di "passare" o di "chiamare" una carta inferiore a quella già chiamata prima. Quando tutti sono passati sull'ultima chiamata, allora chi ha effettuato tale dichiarazione deve specificare quale è il seme della carta. Cioè, se sulla frase "chiamo un re" del giocatore X tutti passano, allora X specifica di che re si tratta. Per esempio può dire "chiamo il re di danari". A questo punico ha inizio il vero e proprio gioco tenendo conto di queste due avvertenze:

a) il seme della carta che è stata chiamata costituisce, per quella mano, la briscola (nel nostro caso la briscola, quindi, sarebbe rappresentata dalle carte di danari);
b) chi ha in mano la carta "chiamata" non deve dirlo, però è, per quella mano, il compagno di chi ha effettuato la chiamata.

Come si vede quindi in questo gioco le due squadre che si affrontano in ogni mano sono costituite da un numero differente di membri. Da una parte c'è una squadra di due partners (il chiamante e colui che ha in mano la carta prescelta) e dall'altra parte i tre restanti giocatori. Così facendo si attenua il vantaggio che possiede chi ha chiamato, che ha potuto scegliersi la briscola preferita, ma che deve lottare con un solo compagno contro tre persone.

L'aspetto più interessante e, quasi sempre, più divertente è rappresentato dal fatto che il compagno del chiamante non si rivela subito e quindi, almeno finché qualche presa non ha definitivamente chiarito la situazione, nessuno sa quale sia effettivamente lo schieramento delle forze in campo. Ciò porta come conseguenza che quando un giocatore prende è sempre molto rischioso "regalargli" qualche carico in quanto non si sa con esattezza se si tratta di un nostro compagno o di un nostro avversario. Un caso particolarmente interessante si ha quando chi chiama ha carte talmente belle da decidere di "andare da solo". In questo caso è sufficiente che egli si "chiami in mano", cioè indichi una carta che già possiede.

Per questa partita allora si assisterà ad una lotta fra una sola persona contro tutti gli altri quattro. Soltanto che gli altri quattro non sanno quale sia effettivamente la situazione. Solitamente il chiamarsi in mano, se rappresenta un rischio in quanto esclude l'aiuto di qualsiasi altra persona, rappresenta sempre un vantaggio di carattere economico, perché in questo caso il giocatore che è "andato da solo" vincerà tutta la posta prevista, posta che, altrimenti, avrebbe dovuto dividere con il compagno.

Il "briscolone", come dice il nome, rappresenta una variante della briscola anche se manca dell'elemento caratteristico. Cioè in questo caso manca proprio... la briscola. Cioè il briscolone, che si gioca di solito in due persone alle quali vengono date inizialmente cinque carte (le altre saranno via via pescate con le solite modalità), si effettua senza scoprire inizialmente alcuna carta. Non solo, ma il seme privilegiato non viene neppure scelto con altre modalità: esso manca del tutto. Cioè praticamente le carte hanno il valore visto in precedenza a proposito della briscola e per effettuare la presa bisogna necessariamente giocare una carta superiore a quella giocata dall'avversario e dello stesso seme.

IL TRESSETTE

Il tressette è probabilmente un gioco di origine spagnola, però si è diffuso nel nostro paese soprattutto a partire dal napoletano e alcuni, anzi, ritengono che sia proprio originario di tale regione. Solitamente lo si gioca in quattro, ma può anche essere giocato da due sole persone e, in questo caso, viene chiamato anche "spizzichino". Vediamo adesso quali sono le regole di questo gioco considerando proprio il caso più semplice, cioè quello in cui si giochi in due.
Il tressette necessita, come gli altri giochi esaminati in questa prima parte, di un mazzo di quaranta carte napoletane o del solito mazzo di carte francesi alle quali siano stati tolti otto, nove e dieci. Il valore delle carte, ai fini della presa e in ordine decrescente, è il seguente: 3 - 2 - asso - re - cavallo - fante - 7 - 6 - 5 - 4. Fra due carte dello stesso seme fa la presa la carta di valore superiore:

vince l'asso

vince il tre

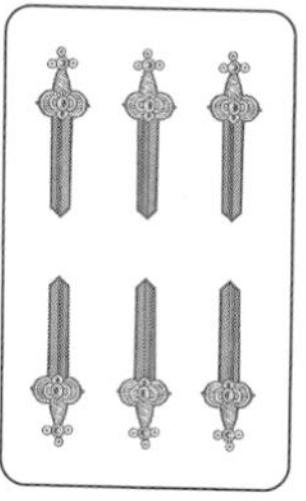
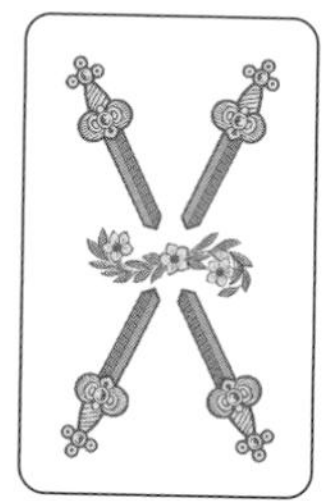

vince il sei

Affinché una carta possa fare la presa, però, deve essere necessariamente dello stesso seme di quella che è stata giocata per prima. Cioè, tanto per fare un esempio, una carta di spade può essere presa solo se si gioca una carta di valore superiore ma anch'essa di spade. Non esiste a tressette alcun seme privilegiato (come, per esempio, a briscola). Quindi in questo caso:

1ª carta giocata

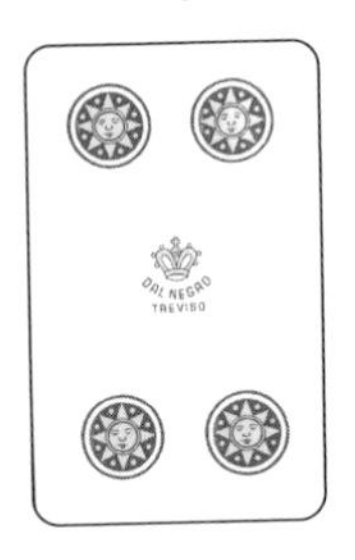

2ª carta giocata

anche se il quattro è una carta avente valore bassissimo, mentre un tre è la carta che ha il maggior valore, la presa è sempre vinta dal 4 di danari, in quanto il tre è stato giocato dopo ed è di un altro seme.

Una regola fondamentale nel tressette è quella relativa all'obbligo di "rispondere al seme giocato dall'avversario": se il primo gioca una carta di spade anche il secondo deve giocare spade. Ovviamente tale obbligo esiste solamente se si posseggono carte di quel seme.

Ai fini del calcolo del punteggio conseguito in una partita, l'ordine delle carte cambia. In questo caso la carta di maggior valore diventa l'asso; i tre, i due e le figure hanno tutte lo stesso valore mentre le restanti carte (dette scartine) non valgono nulla. I punti vanno calcolati così:

- un asso vale tre figure
- un due vale una figura
- un tre vale una figura

Inoltre tre figure valgono un punto. Praticamente la situazione è la seguente:

- un asso vale un punto
- ogni due, tre e ogni figura valgono 1/3 di punto

Le scartine, come già detto, non valgono nulla. Nel segnare i punti si contano soltanto quelli interi mentre non si calcolano le frazioni. Ecco qualche esempio:

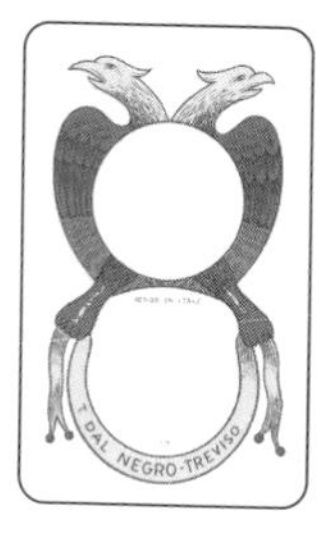

Queste quattro carte valgono due punti: l'asso un punto e le tre figure un terzo di punto ognuna.

Queste carte valgono due punti: l'asso un punto e le due figure e il tre un terzo di punto ognuna.

Queste cinque carte valgono un solo punto, infatti essendoci due figure, un tre e due due si dovrebbe arrivare a 5/3 di punto, ma,

come detto, le frazioni non contano: si ottiene un punto con tre carte e quindi si perdono le due restanti carte (che varrebbero 2/3 di punto).
Inoltre un punto viene assegnato a chi ha effettuato l'ultima presa. Vediamo adesso quale è il punteggio complessivo del mazzo. Intanto vi sono 4 assi che valgono quattro punti. Poi in ogni seme vi sono un due, un tre e tre figure, pari cioè a 5 carte che, valendo ognuna 1/3, raggiungono un complesso di 5/3 di punti. Fra i quattro semi perciò avremo

un totale di $4 \times \frac{5}{3} = \frac{20}{3}$. Tale frazione è uguale a $\frac{18}{3} + \frac{2}{3}$.

I diciotto terzi sono pari a sei punti mentre i due terzi restanti si perdono. Quindi il totale dei punti a disposizione di ogni mano è:

Per gli assi	4
Per 2, 3 e figure	6
Per l'ultima presa	1
Totale	11

Altre possibilità di punti sono quelle che derivano dal trovarsi in mano alcune particolari combinazioni. Esattamente si guadagnano tre punti avendo una "napoletana", cioè l'asso, il due e il tre di uno stesso seme. Sempre tre punti si guadagnano quando si posseggono tre onori dello stesso tipo (o tre assi, o tre due o tre tre). Quando di onori dello stesso tipo se ne posseggono quattro, si guadagnano allora quattro punti. Per ottenere tali punti, occorre accusarli. Cioè occorre dichiarare la combinazione che si possiede all'inizio della partita e dopo che il giocatore che è di mano ha giocato la prima carta. In tale dichiarazione, se si ha una "napoletana" occorre specificare il seme, mentre, se si posseggono tre onori dello stesso tipo, si deve dire qual è il seme mancante.
Quando si gioca in due, il mazziere, dopo aver mescolato ed aver fatto alzare, dà dieci carte all'avversario e dieci a se stesso, quindi mette le carte restanti al centro del tavolo. Dopo ogni

giocata, chi ha effettuato la presa pesca per primo una carta dal mazzo e, successivamente, anche il suo avversario compie la stessa operazione. Ognuno dei giocatori, prima di inserire la nuova carta fra quelle che già possiede, la mostra all'avversario. In questo modo, quindi, sono soltanto le prime dieci carte di ognuno che restano nascoste. Tutte le carte pescate successivamente, invece, sono note ad entrambi i contendenti.
Generalmente giocando in due la partita si conclude quando si arriva a 21 o a 31. È di solito permesso "chiamarsi fuori", cioè chi ritiene di aver raggiunto la quota prefissata di punti (sia considerando i punti realizzati nelle mani precedenti sia anche contando quelli già ottenuti nella mano in corso) può dichiarare di avere vinto la partita. Vediamo adesso come si svolge il gioco in quattro. I partecipanti sono divisi in due squadre (ognuna delle quali è quindi formata da due persone). All'inizio si distribuiscono tutte e quaranta le carte dandone dieci ad ognuno. Il gioco si svolge secondo le regole già ricordate in precedenza. In ogni mano vince chi ha giocato la carta più elevata del seme di quella che è stata giocata per prima. Ciò porta come logica conseguenza che è molto importante avere pali lunghi che possano essere "affrancati". Quando cioè un solo giocatore è rimasto con carte di un certo seme costui può giocare queste carte sicuro che nessuno degli avversari può impedirgli la presa (in quanto non ha più carte dello stesso seme). Inoltre su tali carte "franche" il compagno potrà scartare dei carichi (soprattutto gli assi), o delle figure, che andranno ad arricchire il bottino della coppia.
In genere è vietato che i due compagni si scambino informazioni o suggerimenti. Sono permesse soltanto alcune espressioni tipiche che però devono essere sincere e devono essere pronunciate senza alcuna aggiunta o ulteriori precisazioni. Ecco le espressioni permesse con il loro significato:

a) *busso*: vuol dire che si invita il compagno a giocare la carta più alta di quel seme;
b) *striscio lungo*: vuol dire che si hanno molte carte dello stesso seme;
c) *striscio*: si hanno due carte dello stesso seme;
d) *volo*: la carta giocata è l'ultima (o l'unica) di quel seme.

Molte volte vengono anche fissate alcune convenzioni per poter dare qualche informazione al proprio compagno, mediante gli scarti. Senza scendere in dettagli ci limiteremo ad indicare quella che, generalmente, è seguita da tutti. Quando il compagno gioca una carta e noi siamo sprovvisti di carte di quel seme il nostro scarto deve avvenire nel seme più debole. In questo modo possiamo indicare al nostro compagno sia dove non abbiamo nulla, sia anche, per esclusione, dove riteniamo di essere forti. Comunque di solito il non scartare carte di un dato seme vuol dire che in quel seme si è forti. È chiaro che potrà anche verificarsi il caso che noi non scartiamo carte di quel seme solo perché non ne abbiamo alcuna. Sarà compito del nostro compagno capire, dallo svolgimento del gioco e dagli scarti degli avversari, quale sia l'effettiva situazione.

LE VARIANTI DEL TRESSETTE

Anche il tressette, come tutti i giochi tradizionali praticati in molte regioni, ha una lunga serie di varianti. Le prime sono quelle che si riferiscono alla possibilità di far intervenire nel gioco solamente tre persone. Sostanzialmente allora si possono avere due varianti: il "tressette col morto" (o, come viene chiamato in alcune regioni, "con la guercia") e il "terziglio".
Il tressette col morto praticamente si gioca come quello in quattro. Vengono distribuite dieci carte ad ognuno dei tre partecipanti e dieci al "morto". Il compagno del morto è sempre il mazziere che, terminata la distribuzione, scopre le carte del suo compagno... che non c'è: il mazziere provvede a giocare, nell'ordine prestabilito, sia le prime carte che ha in mano che quelle che restano scoperte sul tavolo. Molto più interessante, però, è il "terziglio".
All'inizio vengono distribuite dodici carte ad ognuno dei tre partecipanti, mentre le restanti quattro carte vengono lasciate, coperte, sul tavolo. Il primo di mano, cioè colui che siede alla destra del mazziere, dopo aver guardato le carte appena ricevute, può dire "chiamo" oppure può passare. La "chiamata" consiste nella possibilità di richiedere una carta ben determinata agli avversari e nel prendere anche le quattro carte rima-

ste sul tavolo. Cioè, supponendo che il primo di mano abbia un bel seme di spade, ma gli manchi proprio il tre, chiamerà allora proprio il tre di spade (all'inizio però dovrà dire semplicemente "chiamo" senza ulteriore specificazione). Chi ha in mano tale carta deve dargliela; inoltre chi ha effettuato la chiamata prende anche le quattro carte che erano rimaste sul tavolo. A questo punto questo giocatore avrà in mano 17 carte (le dodici avute inizialmente, il tre di spade e le quattro carte del tavolo). Egli sceglie, fra tutte queste, le dodici carte con cui intende giocare, dà una carta (sempre a sua scelta) al giocatore che gli aveva dato il tre di spade e quindi rimette sul tavolo, sempre coperte, le quattro carte restanti.
È chiaro che, se la carta chiamata si trovasse proprio fra le quattro che sono sul tavolo, il giocatore dovrebbe allora accontentarsi di fare la sua scelta fra sedici carte: le iniziali e le altre quattro. Va anche precisato che le quattro carte che inizialmente vengono messe coperte sul tavolo, prima di essere incamerate dal chiamante, vanno mostrate a tutti. Invece non si devono mostrare le quattro carte che il giocatore decide di "scartare" rimettendole coperte sul tavolo. Il giocatore che ha effettuato la chiamata di solito lascia da parte quattro carte prive di qualsiasi valore, però in casi particolari (per esempio quando il giocatore stesso è sicuro di poter fare le ultime prese) può anche darsi che fra le quattro carte venga inserita qualche figura o qualche carico. In questo caso va precisato che le carte lasciate coperte sul tavolo vanno attribuite a chi effettuerà l'ultima presa. Se il primo di mano dice "passo" (ciò si verifica quando egli ha carte talmente brutte da non poter pensare di giocare da solo), la parola spetta allora a colui che siede alla sua destra, ed eventualmente, nel caso in cui passasse anche quest'ultimo, al terzo giocatore. Quando un giocatore ha detto "chiamo" gli altri non possono più, a loro volta, chiamare, a meno che non siano disposti a rinunciare a qualcosa.
Esiste la possibilità di dire, dopo un "chiamo", "vado da solo", il che equivale a dire che si accetta di giocare rinunciando alla possibilità di richiedere una carta agli avversari: chi va da "solo" deve accontentarsi delle sue dodici carte e delle quattro che si trovano in tavola. In certi tavoli è possibile anche fare la cosiddetta dichiarazione "vado da solissimo" che

permette di togliere la parola a chi ha già detto di voler andare da solo. Chi va da "solissimo", però, deve rinunciare anche all'apporto delle quattro carte coperte: egli cioè giocherà soltanto con le dodici carte che ha ricevuto all'atto della distribuzione.
Una variante abbastanza nota del tressette, che ha il vantaggio di far giocare contemporaneamente cinque persone, è il "tressette in cinque". Il primo di mano può effettuare la "chiamata" (come a terziglio), se nessuno gli toglie la parola, allora egli dirà qual è la carta desiderata. Solo che in questo caso, a differenza di quanto succede nel terziglio, chi possiede la carta non deve dargliela. Si comincia a giocare: chi ha effettuato la chiamata e chi aveva la carta chiamata sono compagni, gli altri tre sono i loro avversari. Come si vede il meccanismo è abbastanza simile a quello della cosiddetta "briscola chiamata" di cui abbiamo parlato in un precedente paragrafo. Ovviamente anche in questo è permesso andare da soli, rinunciando all'aiuto di un compagno: soltanto che adesso si dovrà lottare contro ben quattro avversari.
Una variante molto divertente del tressette è il cosiddetto "tressette a non prendere". Lo si gioca esattamente come quello normale, però vince chi fa meno punti. Un vantaggio di tale gioco consiste nel fatto che attorno al tavolo possono sedere più persone (tutt'al più si tratterà di eliminare qualche scartina per pareggiare il numero complessivo delle carte da distribuire). Ognuno gioca per sé, cioè non esistono compagni. Una particolarità da ricordare riguarda colui che farà l'ultima presa e che non solo avrà un punto in quanto ha effettuato proprio tale presa (come sempre succede al tressette), ma che anche dovrà conteggiare tutti gli scarti degli altri giocatori. Tanto per spiegarci, in ogni mano devono essere attribuiti, complessivamente, undici punti. Allora, di solito, coloro che non hanno effettuato l'ultima presa contano i punti fatti e all'ultimo vengono attribuiti tutti quelli che mancano per arrivare a 11. Così può accadere che un'ultima presa fatta con carte che non contenevano né un carico né una figura venga a costare parecchio. Se ad esempio c'erano tre giocatori che avevano ognuno uno scarto di due figure è come se l'ultimo avesse preso tutte e sei le figure. Ai due punti relativi, poi, va ag-

giunto il punto della presa finale. Come si vede, quindi, nel "tressette a non prendere" è della massima importanza evitare proprio l'ultima presa che, da sola, può costare anche parecchi punti.
Una regola che generalmente tutti osservano riguarda il "cappotto". Cioè se un giocatore, anche se si sta giocando a "non prendere", riesce a fare tutti i punti, o meglio se nessuno dei suoi avversari riesce a fare alcun punto, allora quel giocatore ha realizzato il "cappotto". In questo caso gli undici punti non vanno segnati a chi li ha fatti ma a tutti gli altri giocatori. Cioè, in altre parole, il "cappotto", anche giocando a non perdere, resta sempre la più allettante possibilità.

I GIOCHI DI SOCIETÀ

♥ ♠ ♦ ♣

IL RAMINO

Il ramino è uno dei giochi di società più diffusi e, molto probabilmente, è il solo, fra tutti i giochi di carte, che si pratichi indifferentemente nelle osterie come nei più eleganti salotti. Anche in questo caso, come per tutti i giochi base di maggior successo, esiste una lunghissima serie di varianti.
Il ramino può essere giocato da un numero quanto mai variabile di persone, in quanto si passa da quello semplice, che dovrebbe essere sempre riservato a due soli contendenti, alla "scala quaranta" che può riunire attorno ad un tavolo anche fino a sei (e talvolta più) persone.
Per eseguire questo gioco occorrono carte francesi con il jolly. Generalmente si usano due mazzi completi (quindi per un totale di 108 carte), anche se nel ramino semplice a due se ne dovrebbe usare uno solo.
Fondamentalmente il gioco consiste nel ricevere un certo numero di carte e quindi, pescando o dal mazzo o dagli scarti dell'avversario e scartando ciò che non serve, nel cercare di ordinare tutte le carte che si hanno in mano in modo da formare certe combinazioni. Queste combinazioni possono essere di due tipi fondamentalmente diversi: o un insieme di più carte dello stesso valore o una sequenza di carte dello stesso seme i cui valori siano ordinati progressivamente. Nel primo caso la combinazione minore è il tris che, come dice il nome,

è formata da tre carte tutte dello stesso valore. Se invece di carte se ne hanno quattro, allora si ha il poker (però va osservato che non tutti usano questo nome). Nel ramino semplice (come lo si giocava fino dagli inizi della sua apparizione) era anche permesso che nelle tre o più carte dello stesso valore ve ne fossero dello stesso seme (il che ovviamente può succedere solo quando si gioca con due mazzi). Per esempio, accettando tale consuetudine, un dieci di picche e due dieci di fiori formano un tris. Oggi però si tende a non concedere tale facilitazione.

Un tris o un poker deve essere formato da carte tutte appartenenti a semi diversi. Quindi nel caso di prima non si avrebbe ancora un tris ma semplicemente una coppia, formata dal dieci di picche e da uno solo dei due dieci di fiori. Per ottenere un tris bisogna ancora trovare o un dieci di cuori o uno di quadri. Introducendo tale regola, allora, non è mai possibile avere insiemi formati da più di quattro carte (cioè una carta di ogni seme). La sequenza di più carte disposte in ordine progressivo prende il nome di scala. Anche in questo caso, perché si possa parlare di combinazione, occorre che vi siano almeno tre carte già ordinate.

Generalmente, ai fini della scala, l'asso può assumere una doppia funzione. Cioè esso può essere sistemato all'inizio di tutte le carte (e quindi prima del due) oppure in fondo a tutte le altre carte (e quindi dopo il re). Ovviamente, lo ripetiamo, per formare una scala non basta che le carte siano ordinate progressivamente, occorre anche che esse siano tutte dello stesso seme.

Ecco due esempi:

Il jolly svolge la sua funzione caratteristica: cioè può prendere il posto di qualsiasi altra carta. Consideriamo, per esempio, questa scala di cinque carte:

in cui il jolly ha preso il posto del sette di quadri.
Nella sua forma più semplice, che praticamente coincide col cosiddetto ramino a chiusure, al quale può prendere parte un numero variabile di giocatori da due in su, il gioco è caratterizzato dal fatto che in qualsiasi momento chiunque può pescare la carta scartata dal compagno che lo ha preceduto (quello che siede alla sua destra). Se però tale carta non gli interessa, può pescare dal mazzo al centro del tavolo e che contiene tutte le carte che non sono state ancora utilizzate (tallone). Ovviamente dopo aver pescato una carta se ne scarta un'altra e quindi il numero complessivo di carte possedute non cambia. Anche tale numero può essere variabile. C'è infatti chi gioca il ramino con sole sette carte e chi lo gioca con dieci. Con le pescate successive occorre cercare di chiudere: tale obiettivo viene raggiunto quando tutte le carte sono state ordinate in opportune combinazioni. Per esempio, supponendo di giocare con dieci carte, chi possedesse questa situazione avrebbe chiuso:

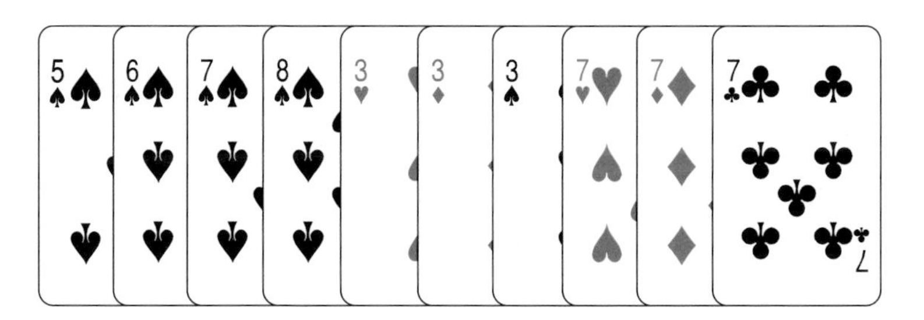

Infatti le dieci carte sono tutte sistemate: vi sono due tris (di tre e di sette) e una scala formata da quattro carte di picche. Ovviamente si può anche chiudere utilizzando uno o più jolly. Ad esempio, anche questa mano è chiusa:

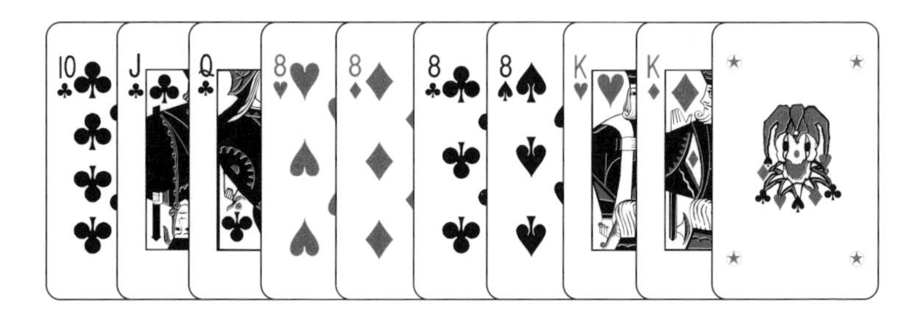

Vi sono infatti una scala di tre fiori, un poker (di otto) e un tris formato da due re e dal jolly.
Nel ramino semplice il giocatore tiene in mano tutte le carte fino a che non è riuscito a chiudere (o fino a quando non ha chiuso qualche avversario). Come vedremo, però, questa regola può subire delle variazioni.
Vediamo adesso come si effettua il conteggio al fine di distribuire la posta in palio. Un modo molto elementare è quello di considerare soltanto chi chiude. Quindi, per esempio, i vari partecipanti prendono, all'inizio della partita, un certo numero di fiches e, quando uno chiude una mano, tutti gli altri gli danno uno dei loro gettoni. La cosa può essere semplificata solo se c'è qualcuno che al tavolo se la cavi un po' con i numeri relativi (positivi e negativi). Infatti si può segnare su un foglio di carta un punto negativo ad ognuno degli sconfitti (per ogni partita) e un numero di punti positivi pari al numero degli sconfitti a chi ha vinto.
Un altro modo per segnare il punteggio (e quindi per stabilire quale sarà la vittoria monetaria) è quello di considerare le carte di ognuno e vedere quante fra esse non erano in combinazione. Conteggiando allora 10 punti per le figure, un numero di punti pari al loro valore per le altre carte, 1 o 11 punti per l'asso (bisogna mettersi preventivamente d'accordo), si calcola qual è l'ammontare complessivo dei punti che si devono pagare.
Consideriamo, per esempio, questa mano:

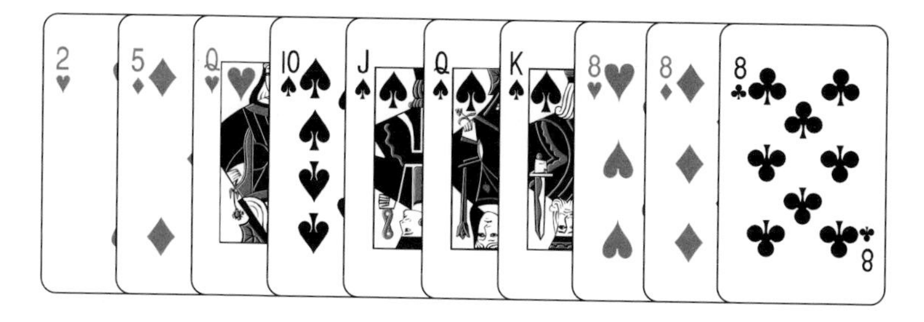

Le combinazioni già realizzate sono un tris (di otto) e una scala formata da quattro carte di picche. Restano un due, un cinque e una donna che non formano alcuna combinazione. Il loro punteggio vale 2 + 5 + 10 = 17. Quindi se qualcuno ha chiuso mentre noi avevamo in mano queste carte dobbiamo pagare 17 punti. Consideriamo quest'altra mano:

Vi sono due tris già realizzati (quello di dieci e quello di donne), un terzo tris che viene realizzato con i due sette ed il jolly. In pratica quindi è solamente il quattro di cuori a non essere ancora in combinazione. Allora il possessore di questa mano pagherà solamente quattro punti. Consideriamo ancora questa situazione, indubbiamente strana, ma che potrebbe anche verificarsi:

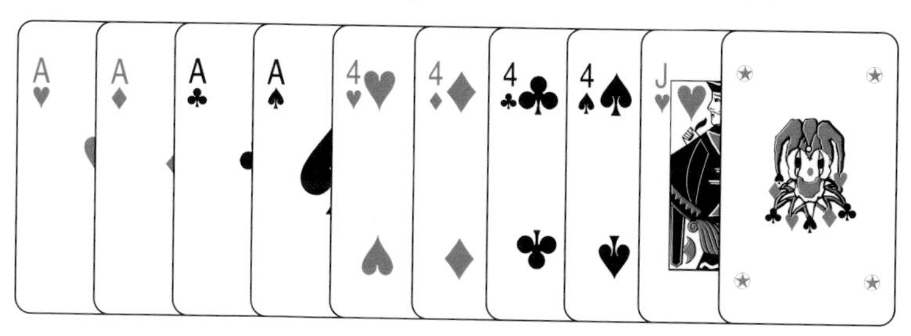

Vi sono due poker: uno di assi ed uno di quattro. Le due restanti carte sono un fante ed un jolly. Come è facile vedere qui dobbiamo concludere che è il jolly a non essere sistemato in alcuna combinazione. Infatti, se non accettiamo nello stesso insieme carte aventi semi eguali, non possiamo pensare a un insieme formato da più di quattro carte. Quindi in questo caso occorre pagare non solo il fante (che vale dieci) ma anche il jolly, il cui punteggio viene fissato in venti. In totale perciò si pagheranno 30 punti.
Quando si gioca in questo modo si segnano i punti di penalità realizzati da ognuno dei giocatori (ovviamente per il vincitore si segnerà zero). Dopo la prima partita se ne fa un'altra. Alla fine di questa seconda si contano le nuove penalità che vanno sommate, per ognuno, a quelle precedenti: se un giocatore nella prima mano ha pagato 18 punti e nella seconda ne paga 13, si troverà alla fine con 31 punti di penalità. Il gioco prosegue finché non si arriva a 100 o 101 punti (anche qui bisogna mettersi d'accordo). Chi arriva a tale quota è sballato. Tale situazione però può avere due successivi sviluppi, che, ovviamente, saranno fissati da preventivi accordi. Il gioco può essere organizzato in modo che chi sballa sia definitivamente tagliato fuori e debba pagare la sua quota, che alla fine, sarà ritirata dall'ultimo rimasto in gioco. Oppure può essere ammesso il rientro: chi supera quota 100 può ritornare in gioco (deve però pagare una certa penale che sarà destinata al vincitore definitivo). Pagata questa penale il rientrante viene posto allo stesso livello di colui che ha il punteggio maggiore. Cioè se io sballo (perché supero i 100) e pago la penale, posso rientrare a patto però di non trovarmi meglio di nessun altro. Così se il giocatore che aveva più penalità dopo di me aveva in totale 83 punti, io allora rientrerò proprio con 83 punti.
La possibilità di rientrare, anche se ovviamente deve essere pagata, può essere molto utile. Grazie ad essa si ritorna in gioco con le stesse possibilità di vittoria degli altri (o, almeno, di uno di essi). Non di rado succede che proprio chi è sballato un gran numero di volte, alla fin fine, grazie ad una mano particolarmente fortunata, riesca a battere tutti. Come si vede, i due differenti metodi di valutazione della mano (cioè pagamento

di una quota per ogni partita chiusa oppure conteggio delle penalità) rendono sostanzialmente differenti i due sistemi di gioco. Infatti nel primo ogni mano ha una storia a sé e ciò che interessa è esclusivamente chiudere. Fra due giocatori, entrambi sorpresi dalla chiusura dell'avversario, l'uno con nove carte già sistemate e l'altro con nessuna combinazione, non c'è alcuna differenza. Entrambi hanno perso quella mano e quindi devono ricominciare da capo. Contando le penalità, invece, la situazione di questi ipotetici giocatori sarebbe molto diversa. Infatti il primo dovrebbe pagare solamente i punti di una carta, mentre l'altro avrebbe da pagare molte più carte e quindi risulterebbe notevolmente penalizzato. Supponiamo, ad esempio, che questi due giocatori siano a un tavolo, attorno al quale vi siano tre persone. Tizio chiude, Caio paga una sola carta (pari a 2) e Sempronio, avendo realizzato solo un tris, paga ben 49 punti. Se si segnano le penalità, avremo Tizio a 0, Caio a 2 e Sempronio a 49. Come si vede quindi la mano è quasi in parità per i primi due, mentre è stata molto sfortunata per il terzo (che effettivamente era quello che aveva combinato meno degli altri). Se invece si paga una tassa per ogni sconfitta allora Tizio incasserà due fiches che saranno pagate, in eguale misura, da Caio e Sempronio.
Questo esempio, anche se banale, dovrebbe far comprendere come da un punto di vista strettamente matematico sia più "onesto" il gioco in cui si segnano le penalità, rassomigliando l'altro più a un gioco d'azzardo che a un vero gioco di abilità. Comunque noi abbiamo indicato ai nostri lettori entrambe le possibilità e quindi starà a loro giocare seguendo il metodo che riterranno più opportuno.
Quando si paga la relativa tassa in ogni partita (cioè quando non si va a 100), è possibile introdurre alcune varianti sulle quali però occorre raggiungere un preventivo accordo. Praticamente si tratta di decidere alcune situazioni che, rispetto alla normale chiusura, vengono considerate di particolare pregio e quindi premiate con una maggiore vittoria (per esempio il vincitore, quando si verifica una di queste circostanze, riceve più di una fiche da ognuno degli altri). Ecco qualcuna di queste possibili circostanze privilegiate: chiudere di mano (cioè prima di pescare qualsiasi carta), chiudere senza l'aiuto

di alcun jolly, chiudere scartando un jolly (cioè avere in mano un jolly ma non utilizzarlo per la chiusura), ecc.
In certi tavoli viene anche ammesso il colore: viene considerato come combinazione in grado di far chiudere l'insieme di carte tutte appartenenti allo stesso seme. In questo ordine di idee a maggior ragione sarà una chiusura di pregio quella ottenuta con una "scala reale", con carte tutte dello stesso seme e tutte in scala.

IL RAMINO CON RILANCIO

Il ramino con rilancio è un particolare gioco che viene attuato quando si vuole evidenziare al massimo l'aspetto di gioco d'azzardo. Perché sia possibile introdurre tale variante occorre che il ramino venga giocato solo nella forma in cui a ogni mano si paga la posta. Non si può cioè parlare di "rilancio" giocando a rientri. Praticamente il gioco è identico a quello che abbiamo visto nel precedente paragrafo. La sola differenza si ha nella fase iniziale della partita. Supponiamo, cioè, che i vari partecipanti abbiano fissato, per ogni mano, una certa posta (che potrebbe essere rappresentata da una fiche). Distribuite le carte, il primo di mano guarda le sue e quindi ha tre possibilità: dire "passo" (quando ha carte tanto brutte da decidere di non giocare la mano), dire "gioco" (ciò vuol dire che intende giocare quella mano), oppure "rilanciare". In quest'ultimo caso non solo vuol giocare ma vuole anche che la posta sia aumentata. Dopo che il primo ha parlato, parleranno tutti gli altri fino al mazziere. Ovviamente la mano sarà giocata da tutti coloro che hanno accettato l'ultimo rilancio (cioè quello di maggior valore). Può benissimo accadere che un giocatore che ha già accettato un primo rilancio poi non voglia più giocare, essendo arrivato un altro rilancio particolarmente elevato. In questo caso quel giocatore è libero di non prendere parte a quella mano, però ovviamente deve pagare la somma che aveva accettato di giocare e che, quindi, servirà ad arricchire il piatto che al termine della mano premierà il vincitore.

LA SCALA QUARANTA

La scala quaranta è un ramino che si gioca con tredici carte e che è caratterizzato dalla possibilità di "aprire". Tale operazione consiste nel mettere sul tavolo alcune carte già in combinazione prima ancora di aver raggiunto la chiusura. Come vedremo, questa possibilità di "scaricare" alcune carte offre alcuni vantaggi, ma può essere fatta soltanto se si verificano determinate circostanze. Per poter aprire occorre almeno mettere giù combinazioni che formino un complesso di quaranta punti (da cui il nome del gioco). Al fine della determinazione di questi punti valgono i seguenti criteri: le figure valgono tutte dieci; gli assi valgono 11 punti quando sono in tris o poker o in scala dopo i re, un solo punto quando sono prima dei due; le altre carte valgono il punteggio equivalente (cioè i due valgono due punti, i tre tre punti e così via); i jolly valgono tanti punti quanti ne vale la carta che essi sostituiscono. Consideriamo questa combinazione:

Trattandosi di un poker di figure che valgono ognuna dieci punti, si può aprire perché si raggiungono complessivamente 40 punti.

In questo caso:

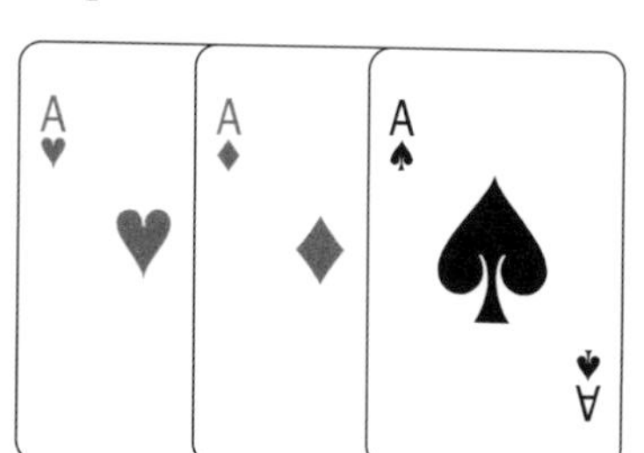
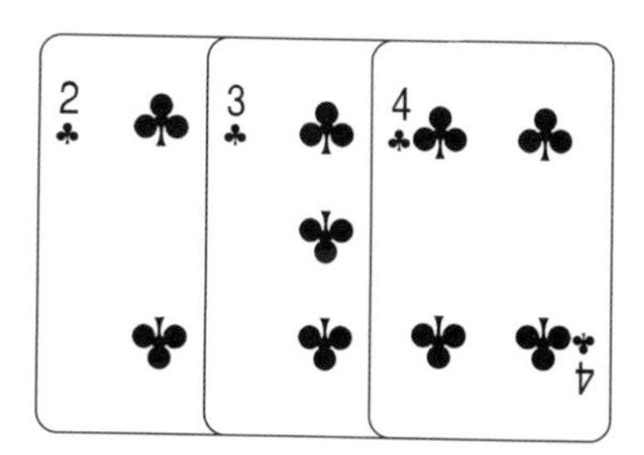

e in quest'altro:

si può egualmente aprire perché l'asso vale undici punti e quindi abbiamo: sopra 42 punti (tre assi formano 11 x 3 = 33 e 2 + 3 + 4 danno altri nove punti); sotto 52 punti (infatti Q, K e A formano 10 + 10 + 11 = 31 punti e i tre sette altri 21, cioè 3 x 7, punti). Notare come in questo caso il jolly venga considerato sette punti in quanto sostituisce proprio un sette.
In quest'altro caso:

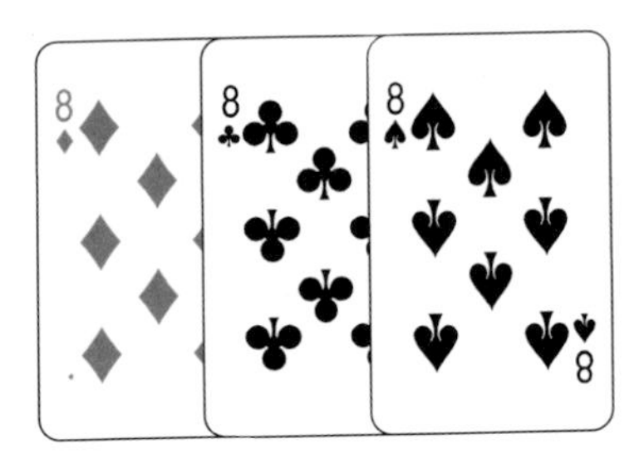
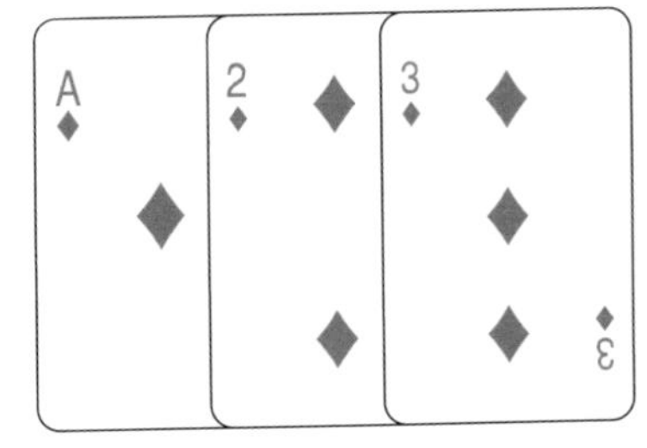

invece non si può ancora aprire. Infatti i tre otto valgono 24 punti (3 x 8) mentre la scala vale solo sei punti (cioè 1 + 2 + 3 = 6) in quanto l'asso, essendo sistemato davanti al due, vale appena un punto. In totale quindi le due precedenti combinazioni raggiungono quota 30 punti e quindi mancano ancora dieci punti per poter arrivare al minimo d'apertura. L'unico caso in cui è possibile mettere giù avendo meno di 40 punti è quando si chiude di mano, cioè quando si sono combinate tutte le carte. Ecco un esempio di come si possono combinare tredici carte senza arrivare a 40 punti:

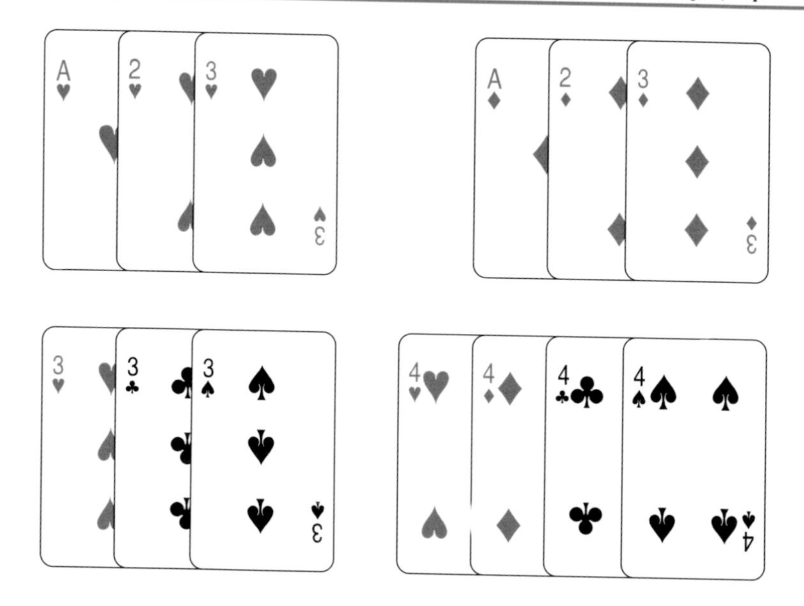

Chi ha queste tredici carte, avendo chiuso, ha la possibilità di scaricare il tutto.

Ed eccoci ora ai vantaggi che possiede chi ha aperto. Solo dopo che si è effettuata la prima calata è possibile: prendere la carta scartata dall'avversario (sempre però solo quella scartata dal giocatore che siede alla propria destra), effettuare altre calate (solo la prima volta si deve andare giù con un totale che sia almeno di 40 punti, dopo l'apertura si può mettere giù qualsiasi altra combinazione, anche, ad esempio, semplicemente un tris di due), attaccare una propria carta a qualsiasi combinazione che si trovi sul tavolo (non solo è possibile attaccare qualche carta ad una propria combinazione ma è possibile anche aggiungere altre carte alle combinazioni degli avversari), prendere i jolly che sono stati calati (da se stessi o dagli altri). Esaminiamo attentamente questo fatto: quando si mette giù un jolly abbiamo detto che gli si deve attribuire un ben determinato valore. Se un altro giocatore, o lo stesso in un giro successivo, ha in mano quella carta che è stata sostituita dal jolly, è allora possibile effettuare il cambio. Cioè si mette la propria carta nella combinazione e si ritira il jolly che entra a far parte delle proprie carte e che può quindi essere usato come si vuole. Per esempio se sul tavolo ci fosse la combinazione

chi ha in mano il sette di fiori potrebbe effettuare la sostituzione e tramutare così il suo sette in un jolly. Ovviamente però, lo ripetiamo, per poter effettuare la sostituzione occorre avere già aperto.
Quando si cala una scala è facile capire quale sia il significato attribuito al jolly. Ma quando si cala una coppia e un jolly si potrebbe avere qualche dubbio. È abbastanza ovvio che occorre sapere senza possibilità di equivoco quale significato sia stato attribuito a quel jolly.

In questo caso, per esempio, il jolly è stato messo al posto del re di picche o di quello di quadri? L'unico modo per risolvere il problema è che il giocatore che cala questa combinazione dichiari in modo inequivocabile, nello stesso momento in cui effettua la calata, il significato che intende attribuire al suo jolly. Sono in uso anche alcune convenzioni che permettono di determinare, dalla posizione del jolly, il suo seme. Noi siamo soliti usare la seguente: quando la coppia calata è costituita da carte di differente colore allora il jolly è dalla parte in cui si trova la carta dello stesso colore. Per esempio nel caso precedente, in cui era stato messo vicino al re di fiori, il jolly aveva preso il posto del re di picche (cioè la carta mancante dello stesso colore nero di quella di fiori). Invece calando in questo modo avremmo inteso che al jolly era stato attribuito il valore di re di quadri (in quanto vicino alla carta rossa):

Quando invece la coppia è costituita da carte dello stesso colore, la precedente convenzione non è più possibile. Si può allora ricordare la successione del valore dei semi a poker (di solito chi gioca a scala quaranta sa anche giocare al poker): cuori - quadri - fiori - picche, e vedere che le carte di colore diverso vicine sono quadri e fiori. Tenendo presente questa vicinanza ci si comporta di conseguenza.

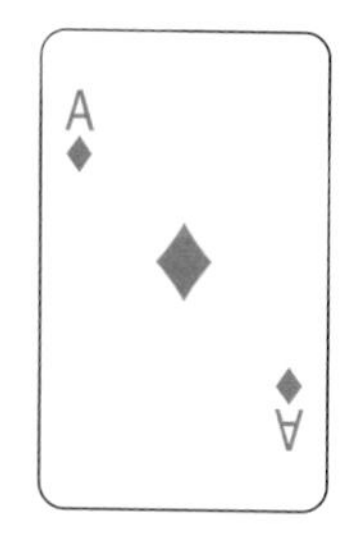

In questo caso il jolly è messo accanto alla carta di quadri, quindi, per quanto detto prima, resta inteso che ha preso il posto dell'asso di fiori.

In questo caso il jolly è stato messo accanto alla carta di picche, quindi dovrà essere interpretato come fante di cuori. Infatti se avessimo voluto attribuirgli il significato di fante di quadri lo avremmo sistemato accanto alla carta di fiori. La convenzione potrà sembrare complicata a chi non la conosce, ma in effetti basta prenderci un po' la mano e tutto risulterà semplice. Comunque è buona regola ricordarsi che non tutti sono obbligati a conoscere la convenzione che siamo soliti usare noi o i nostri amici: quando ci si trova a un tavolo nuovo (o, se non altro, siede con noi qualcuno che non ci conosce) è sempre bene spiegare quali siano le nostre abitudini.
Prima abbiamo detto che chi ha calato può prendere la carta scartata dal suo avversario. L'operazione, comunque, può avvenire nella stessa mano. È possibile cioè prendere contemporaneamente la carta e mettere giù i quaranta punti (ovviamente tali quaranta punti possono essere formati anche con la carta scartata dall'altro).
Un'altra caratteristica della scala quaranta è rappresentata dal fatto che, quando qualcuno chiude, le penalità degli altri vengono calcolate considerando non soltanto le carte che non formano alcuna combinazione (come nel ramino) ma conteggiando tutte le carte che si hanno ancora in mano. Può capitare che qualcuno che ha in mano un tris non lo abbia calato o perché non ha ancora raggiunto i quaranta punti o perché ha cercato di trarre in inganno gli avversari facendo credere loro di avere ancora molte carte non combinate. Se un altro chiude, costui dovrà pagare anche i punti corrispondenti a questo tris o a qualsiasi altro tris, poker o scala. Anche i jolly, se sono rimasti in mano, verranno pagati conteggiando 25 punti per ognuno di essi.

LA CANASTA

La canasta è un gioco molto diffuso in tutto il mondo e che, specialmente qualche anno fa, ha goduto di larghissima popolarità anche da noi. Si tratta di un gioco abbastanza semplice e che potrebbe essere imparato persino da un bambino. Però può anche prestarsi a considerazioni molto complicate e interessanti.
La prova che è possibile approfondire notevolmente tale gioco è data dal fatto che alcuni fra i più celebri teorici del bridge si sono occupati di canasta. Basti un solo esempio: il grande Culberston ha scritto un libro su questo gioco.
La canasta è un gioco in cui lo scopo principale è quello di formare degli insiemi di almeno sette carte tutte aventi lo stesso valore. Sette carte di questo tipo prendono proprio il nome di "canasta pura" o "canasta pulita". Ecco, per esempio, una canasta di dieci:

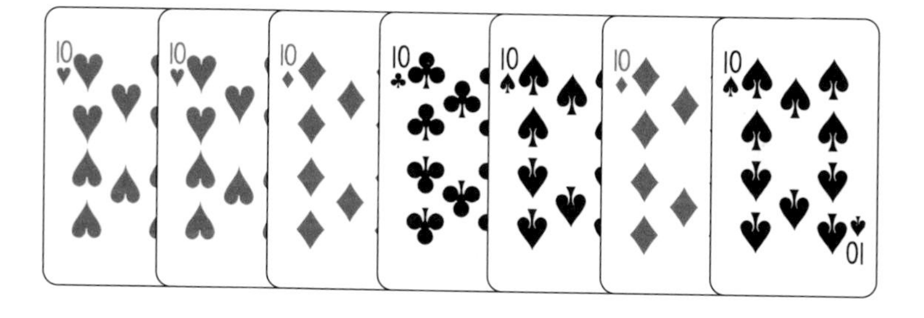

La canasta si gioca con mazzi completi di carte francesi alle quali vanno anche aggiunti i jolly. In pratica quindi con mazzi formati ognuno da 54 carte.
A seconda della variante prescelta, può essere giocata con due o con tre di questi mazzi. Fra tutte le carte ve ne sono alcune che assumono un significato speciale. I jolly, come in tutti gli altri giochi in cui li si usa, possono assumere il posto di qualsiasi altra carta. Però nella canasta vi sono anche altre carte che possono svolgere la stessa funzione: i due. Cioè anche i due possono prendere il posto di altre carte e vengono chiamati "matte" o "pinelle". Quando una canasta contiene qualche jolly o matta si dirà "sporca" o "impura". Ecco per esempio una canasta sporca di assi:

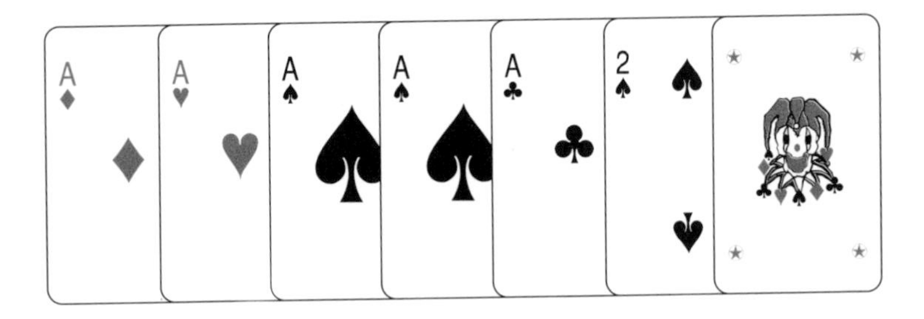

Una canasta sporca può contenere al massimo tre fra jolly e matte. Mettendo assieme sette due si ottiene la canasta pura di matte. Particolare pregio ha, quando si gioca con tre mazzi, la canasta realizzata con sei jolly ed un due e che prende il nome di canasta pura di jolly:

Come vedremo nel seguito le matte e i jolly oltre a permettere di realizzare le canaste possono anche servire per "congelare" o "bloccare" il pozzo.
Altre carte speciali, a canasta, sono i tre. Tali carte hanno diversa funzione a seconda che siano rossi o neri. Come vedremo i tre neri servono esclusivamente ad impedire che gli avversari, in un dato giro, possano prendere il pozzo. I tre rossi, invece, sono delle carte che non prendono praticamente parte al gioco, ma servono soltanto per acquistare punti premio secondo modalità che vedremo.
La grande novità della canasta, rispetto ad altri giochi similari, è che quando un giocatore prende la carta scartata dal suo avversario non si limita a prendere solo tale carta ma deve anche

impossessarsi di tutto il pozzo, cioè dell'insieme di tutti gli scarti che sono stati fatti in precedenza e che non sono ancora stati conquistati da nessuno. In questo modo, come si comprenderà, una persona può trovarsi in possesso di moltissime carte (molte più di quelle che aveva ricevuto al momento della distribuzione) con le quali può realizzare numerose canaste e quindi ricevere tanti punti premio.
Ogni carta ha un suo valore: ogni jolly vale 50 punti; ogni asso o due vale venti punti; ogni re, regina, fante, dieci, nove ed otto vale dieci punti e infine ogni altra carta (quindi i 7, 6, 5, 4 e i tre neri) vale 5 punti.
Ogni qualvolta è il suo turno di gioco, ogni partecipante può compiere queste tre operazioni, "tirare" (cioè prendere una carta dal mazzo delle carte ancora coperte o prendere il pozzo), "calare" e "scartare". La prima e la terza operazione sono obbligatorie mentre la seconda è facoltativa.
Vediamo quando è possibile "calare", cioè mettere qualche carta sul tavolo.
Prima occorre "aprire" e per ciò si deve realizzare un certo punteggio minimo che dipende dalla quantità di punti che si sono in totale raggiunti nelle mani precedenti.
Siccome tale punteggio, come altre cose che diremo, varia a seconda del particolare tipo di variante di canasta che si sta giocando, noi adesso ci riferiremo alla canasta semplice con due soli mazzi. Le regole che daremo, anche se sono poco applicate nel nostro paese dove solitamente si gioca la canasta a tre mazzi, sono quelle fissate dal Regolamento Ufficiale preparato dal "Comitato del Regency Club di New York" ed universalmente riconosciute come valide. Successivamente diremo quali sono le differenze fra questa e l'altra canasta.
Per aprire occorre avere 50 punti se il punteggio complessivo precedente è compreso fra 0 e 1495; 90 punti se tale punteggio è compreso fra 1.500 e 2.995 punti e infine 120 punti se il punteggio è eguale o superiore ai 3.000 punti. La partita si vince quando si arriva ai 5.000 punti.
Per realizzare tali punti occorre mettere giù delle combinazioni (almeno dei tris) in cui le varie carte hanno un valore che è quello riportato in precedenza. Va osservato che qui, a differenza di quanto succede in altri giochi, i jolly e le matte che prendono il

posto di un'altra carta conservano il loro proprio valore e non assumono quello della carta di cui hanno preso il posto. Per esempio questo tris

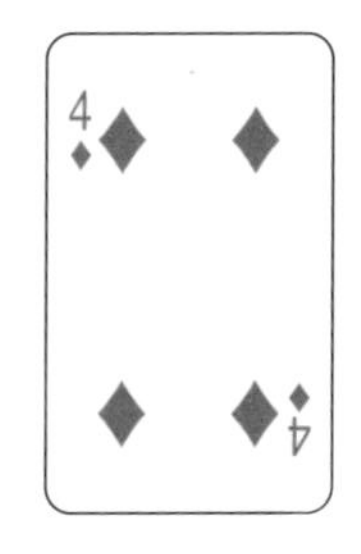

vale 60 punti in quanto è formato da un jolly (50 punti) e da due quattro (cinque punti ognuno).
Analogamente quest'altro tris

vale 40 punti in quanto è formato da un due (20 punti) e da due re (dieci punti ognuno). Va osservato che in un tris non può mai esserci più di un jolly o di una matta.
Per esempio questo tris

non potrebbe essere considerato valido. La cosa può essere ricordata tenendo presente che in qualsiasi momento, nella combinazione che si scopre davanti a sé, il numero di jolly (o matte) deve essere sempre inferiore a quello delle altre carte. Ovviamente, però, si possono calare tris (o anche combinazioni più lunghe) formate soltanto da due e jolly.
Quando si apre il punteggio minimo può essere raggiunto anche usando la carta scartata dall'avversario, ma non da altre carte che fossero eventualmente presenti nel pozzo. In pratica, quando un avversario scarta, prima ancora di calare, si può esclusivamente prendere l'ultima carta scartata. Poi, messe giù le combinazioni che permettono di raggiungere il punteggio minimo, si prende tutto il resto del pozzo e, se possibile, si calano ancora le nuove combinazioni che si fossero formate con l'arrivo delle nuove carte e quindi si conclude il gioco scartando.
Per cui, quando si apre prendendo il pozzo la procedura è la seguente: prendere la prima carta scartata – calare l'apertura – prendere il resto del pozzo – calare le nuove combinazioni – scartare.
Quando la canasta si gioca a coppie e quindi i quattro contendenti formano due coppie, l'apertura deve essere fatta da uno solo dei componenti di una coppia. Una volta che il mio partner ha aperto è come se avessi aperto io e quindi potrò fare tutte le operazioni che sono permesse a chi ha già aperto. Vediamo adesso quali sono queste operazioni. Chi ha già calato l'apertura può, quando è il suo turno (sempre prima di scartare), attaccare qualsiasi carta o jolly o due alle combinazioni che sono distese sul tavolo davanti a lui (tale operazione può essere fatta anche sulle canaste già portate a termine). Le carte si lasciano distese sul tavolo soltanto fino a quando ogni colonna non abbia raggiunto le sette unità. In questo caso, essendo stata completata la canasta, le carte vengono raggruppate e messe da parte. Normalmente i vari mazzetti delle canaste già finite vengono disposti in modo da mostrare una carta rossa se si tratta di canaste pulite ed una carta nera se si tratta di canaste sporche. Come dicevamo, anche alle canaste già completate possono essere aggiunte altre carte. Va osservato però che, se una canasta è stata chiusa con dei jolly o matte (e quindi era sporca), non può diventare successivamente pulita anche se si raggiunge il numero di sette carte. Tanto per intenderci, se abbiamo fatta una canasta con cinque fanti e due

jolly (e quindi si trattava di una canasta sporca) e dopo, avendo pescato altri due fanti, li aggiungiamo alla canasta, questa resta sempre sporca anche se oramai contiene sette fanti.
Chi ha aperto può anche prendere il "pozzo". Per far ciò, però, occorrono alcune condizioni. Quando ancora si deve aprire, il pozzo può essere preso solamente se si hanno in mano almeno due o più carte eguali a quella calata (l'eguale va inteso nel senso che si devono avere carte dello stesso valore). Ad esempio, se io devo aprire e il giocatore che sta alla mia destra scarta un sei io posso prendere il pozzo solamente se ho almeno due sei in mano (e se, lo ripetiamo, raggiungo il punteggio minimo dell'apertura; eventualmente anche usando la combinazione dei sei). Quando invece si è già aperto, allora si può prendere il pozzo o avendo due o più carte eguali all'ultima scartata, oppure avendo una carta eguale ed un jolly (o una matta) o, infine, avendo la possibilità di attaccare la carta scartata dall'avversario ad una propria combinazione (eventualmente anche ad una canasta già chiusa). Quando però il giocatore che siede alla destra ha scartato un tre nero, per quella mano non è possibile prendere il pozzo (questa è la funzione di bloccaggio del pozzo che viene svolta dai tre neri). Come si può facilmente comprendere da quanto abbiamo detto fino ad ora, tutto il gioco della canasta praticamente ruota attorno al tentativo di impossessarsi del pozzo e, ovviamente, di impedire che gli avversari facciano la stessa cosa. È chiaro inoltre che quanto maggiore è il numero di mani in cui nessuno è riuscito a prendere il pozzo, tanto più questo diventa grosso e quindi interessante. In casi del genere, allora, è anche prevista una specie di difesa del pozzo: lo si può "congelare". Per fare ciò bisogna scartare una matta o un due. Il giocatore successivo a quello che ha scartato il jolly o la matta non può, per quella mano, prendere il pozzo e, da allora in poi, nessun altro può prendere il pozzo se non ha in mano almeno due carte eguali all'ultima scartata. Ovviamente anche se il pozzo è stato congelato, gli altri giocatori sono liberi di scartare altri due o altri jolly. In questo caso tali carte svolgono una funzione analoga a quella dei tre neri.
All'inizio del gioco, il mazziere, dopo aver dato undici carte a ognuno dei giocatori, deve girare la prima carta del mazzo che

svolge nei riguardi del primo di mano la stessa funzione dello scarto dell'avversario.
Se tale carta è un due (matta), un jolly o un tre rosso, allora occorre girarne un'altra ed il pozzo resta automaticamente congelato. È chiaro che un pozzo rimane congelato finché non sarà stato preso da qualcuno. Comunque nel corso della stessa partita il pozzo può essere congelato più volte.
Un giocatore "chiude" quando cala tutte le carte che ha in mano. Per eseguire la chiusura sono concesse alcune facilitazioni: si può chiudere sia scartando una carta che non scartandola e si può anche chiudere calando una combinazione di tre neri (eventualmente anche due carte di questo tipo e un jolly). Però per poter chiudere occorre che la coppia alla quale appartiene il giocatore che ha chiuso abbia realizzato almeno una canasta.
Quando un giocatore intende chiudere può farlo senza consultarsi con il compagno oppure chiedere il permesso a quest'ultimo; se rivolge tale domanda e riceve una risposta negativa, per quella mano almeno non può più chiudere. Questa è l'unica notizia che i due partners possono scambiarsi durante tutta la partita.
Quando uno dei giocatori chiude, si procede al calcolo del punteggio della mano. Prima di tutto occorre pagare tutto ciò che si ha ancora in mano (ovviamente pagano tali penalità i tre che non hanno chiuso, in quanto anche l'altro componente della coppia che ha chiuso deve pagare le carte che ha in mano).
Calcolate le penalità si guardano i punti ottenuti secondo questa tabella:

per ogni canasta pura	500 punti
per ogni canasta impura	300 punti
per chi ha chiuso	100 punti

Se, eccezionalmente, la chiusura fosse stata ottenuta "in mano", cioè senza aver precedentemente calato niente e senza attaccare nessuna carta a quelle eventualmente già calate dal compagno, si ha un premio speciale di altri 100 punti. Va os-

servato che si può eseguire la chiusura di mano senza che il compagno abbia ancora aperto, anche se il complesso dei punti calati non raggiunge il minimo dell'apertura. Ovviamente i premi per le canaste spettano non solo a chi ha chiuso ma anche agli avversari che avessero fatto delle proprie canaste. Altri punti possono essere portati dai tre rossi. Esattamente ogni tre rosso fa guadagnare 100 punti e se per caso una coppia li possedesse tutti e quattro allora guadagnerebbe 800 punti. Però attenzione: per avere questi punti occorre che i possessori dei tre rossi abbiano, al momento della chiusura, almeno aperto. Se per esempio una coppia chiude senza che gli avversari abbiano aperto, allora i premi relativi ai tre rossi degli altri vengono dati alla squadra che ha chiuso.
Un'altra precauzione da seguire, nel riguardi di tali speciali carte, è quella di scoprirle appena si pescano (anche se si fossero eventualmente ricevute durante la prima distribuzione): chi riceve o pesca un tre rosso deve esporlo e, in cambio, prendere un'altra carta dal mazzo. Se, per distrazione, non lo si fa subito non ci sono penalità, però se gli avversari chiudono e qualcuno avesse ancora in mano uno o più tre rossi, dovrebbe pagare una penalità di 500 punti per ognuna di tali carte tenuta nascosta in mano.
Ai punti positivi così ottenuti vanno anche aggiunti, alla fine della mano, tutti i punti delle carte disposte in combinazione (sia in canaste già realizzate che in semplici colonne di tre, quattro, e altre carte eguali). Anche questi punti vanno calcolati secondo il valore di ogni singola carta dato all'inizio del paragrafo.

LA CANASTA CON TRE MAZZI

Eccoci ora alla variante della canasta più comunemente giocata, almeno nel nostro paese: quella con tre mazzi, che inizialmente veniva chiamata, con un nome di chiara origine brasiliana, "samba", ma che adesso viene chiamata semplicemente "canasta" senza ulteriore specificazione.
Le principali varianti rispetto alle regole enunciate in prece-

denza sono le seguenti. Ad ogni giocatore, in partenza, vengono distribuite 15 carte e ogni volta al suo turno il giocatore pesca due carte e ne scarta una sola. In questo modo, anche senza prendere alcun pozzo, il numero delle carte possedute in mano aumenta considerevolmente col tempo. Per rendere subito interessante il pozzo si segue questa prassi. Quando il mazziere, dopo aver finito la distribuzione, gira la prima carta la mette sotto tante carte quanto è il punteggio proprio della carta scoperta: se gira un quattro metterà quattro carte, se gira un cinque metterà cinque carte così fino al re (tredici carte) e all'asso (quattordici carte). In questo caso le aperture devono sempre essere fatte con tris (o insiemi di più di tre carte) puliti. Cioè non si possono calare, per esempio, due dieci ed un jolly. Alcuni, però, giocano anche la cosiddetta canasta sporca ed ammettono l'apertura con combinazioni contenenti matte o jolly.
Di solito però costoro pongono la condizione che, se si apre in tali condizioni, almeno per quella mano non si può prendere il pozzo. Quando si apre bisogna farlo di mano: il punteggio necessario deve già essere posseduto in mano e non si possono conteggiare né le carte che si pescano in quella mano né l'eventuale scarto dell'avversario. In pratica la procedura deve essere: aprire – pescare; oppure: aprire – prendere il pozzo.
Quando invece si è già aperto (o ha aperto il compagno) la procedura è sempre la solita: pescare (dal mazzo), oppure prendere il pozzo – calare (se si è fatta qualche nuova combinazione o se si può aggiungere qualche cosa a ciò che si era già calato) – scartare.
Per prendere il pozzo ci sono grosse novità. Infatti il pozzo può normalmente essere preso solo se si ha una coppia dello stesso valore della carta scoperta dall'avversario (o della carta girata quando si è i primi di mano). Quando il pozzo è congelato, invece, lo si può prendere solo se si ha un tris di carte aventi lo stesso valore di quella scartata (o, al solito, di quella girata se si è i primi di mano ed è stato girato preventivamente un due o un jolly). Quindi per prendere un pozzo, congelato in questa variante della canasta, dopo che l'avversario alla destra ha scoperto un otto, occorre possedere tre otto: se l'al-

tro ha scartato una donna occorre avere in mano tre donne e così via.
Questo gioco offre la possibilità di raggiungere maggiori punteggi e quindi termina quando si raggiunge una quota maggiore di quella precedente (che, lo ricordiamo, era di 5.000). Con la canasta con tre mazzi solitamente si arriva a 12.000 (anche se in certi tavoli si va fino a 15.000). I punteggi necessari ad aprire sono i seguenti:

fra	0	e	2.995 punti	occorre avere	50 punti
fra	3.000	e	4.995 punti	occorre avere	90 punti
fra	5.000	e	6.995 punti	occorre avere	120 punti
fra	7.000	e	9.995 punti	occorre avere	160 punti
fra	10.000	e	11.995 punti	occorre avere	180 punti

Quando si arriva a 15.000 per aprire avendo da 12.000 punti in su occorre avere in mano ben 200 punti.
Vengono poste anche alcune limitazioni per quanto riguarda la chiusura. Per poter chiudere occorre avere realizzato almeno una canasta sporca e una pulita; inoltre quando si chiude non si può né scartare un tre nero, né una matta né un jolly.
È possibile anche realizzare canaste di soli due o di tre e jolly, però occorre fare molta attenzione perché, quando si è calata una combinazione di soli due o jolly senza aver chiuso la relativa canasta, non si può né chiudere né congelare il mazzo.
Qualche novità c'è anche a proposito del punteggio finale. Il premio per chi chiude è di 300 punti. La canasta pura di soli due merita 3.000 punti, la canasta sporca di matte (due e jolly, ma questi in numero inferiore di sei) merita un premio di 2.000 punti e, infine, la canasta pura di jolly (formata cioè dai sei jolly presenti nei tre mazzi e da un due) merita ben 5.000 punti.
Qualche variazione anche a proposito dei tre rossi. Se una coppia ne possiede fino a tre riceve 100 punti per ognuno di essi, mentre da quattro in su il punteggio viene raddoppiato. Cioè quattro tre rossi portano 800 punti, cinque danno 1.000 punti e sei (il massimo) 1.200 punti. Però anche qui bisogna

fare attenzione quando i tre rossi sono posseduti da chi non ha chiuso. Infatti, se si hanno tre rossi e non si è fatta né alcuna canasta sporca, né alcuna pulita, il punteggio relativo ai tre rossi viene raddoppiato e passa agli avversari; se si sono realizzate soltanto una o più canaste sporche i punti dei tre rossi vanno egualmente agli avversari (ma senza essere raddoppiati); se si sono fatte soltanto una o più canaste pulite gli stessi punti vengono azzerati. Quindi in pratica per aver diritto a segnare a proprio favore i punti dei tre rossi occorre aver fatto almeno una canasta sporca ed una pulita.
Come abbiamo detto, queste sono le variazioni apportate nella canasta a tre mazzi rispetto a quella semplice con due mazzi, quindi, per tutto ciò che non è stato specificato qui, vale quanto detto nel precedente paragrafo.

IL BRIDGE

♥ ♠ ♦ ♣

LO SPIRITO DEL GIOCO

Fra tutti i giochi con le carte il brigde, probabilmente, è il più famoso e quello che, con le stesse regole, viene praticato a tutte le latitudini. Molti sostengono anche che il bridge sia il più bello fra tutti i giochi. Noi preferiamo non pronunciarci in merito, però va detto che alcune sue caratteristiche lo rendono veramente unico. In primo luogo si tratta, forse, dell'unico gioco con le carte in cui la fortuna o la sfortuna hanno un'importanza abbastanza relativa. Si tratta di un gioco che può essere svolto per puro divertimento e che, come tale, si presenta talvolta sotto forma di veri e propri problemi. D'altra parte, però, può anche essere interessato e, specialmente in partita libera, permette di vincere o perdere autentiche fortune. È un gioco che può assumere dimensioni spettacolari, come dimostrano i molti campionati o le olimpiadi che a intervalli regolari di tempo vengono giocati con la partecipazione di rappresentative di tutte le nazioni. Infine è il gioco che ultimamente ha avuto una grande diffusione nel nostro paese grazie alle molte soddisfazioni che ha procurato all'Italia. Quando si tiene presente, per esempio, che gli Stati Uniti d'America, in cui esiste una fittissima schiera di esperti giocatori che vengono istruiti in vere e proprie università del bridge, hanno dovuto per moltissimo tempo subire la supremazia della nostra leggendaria squadra, detta "Blue Team", si comprende come in questi ultimi anni, nel nostro paese, la stampa di grande informazione si sia sempre più interessata al bridge diffondendolo presso tutti i ceti sociali. Questa piccola premessa ci è servita anche per giustificare, am-

messo che ve ne fosse bisogno, l'ampio spazio che dedicheremo al bridge in questo libro. Ovviamente però va precisato che noi non intendiamo minimamente scrivere non solo un trattato specializzato ma neppure un manuale completo.
Lo scopo di queste pagine è semplicemente quello di far conoscere il bridge a chi non ha assolutamente alcuna idea del gioco. Applicando quanto scritto sarà possibile cominciare a fare le prime partite col solo scopo di farsi un'idea di questo affascinante gioco. Tutti coloro che si comporteranno così comprenderanno ben presto come le loro conoscenze vadano ulteriormente approfondite rivolgendosi a qualche giocatore più esperto oppure leggendo testi e manuali specializzati.
Il bridge si gioca con un mazzo di 52 carte (nella realtà di mazzi se ne impiegano sempre due, ma in pratica il gioco prevede, di volta in volta, l'uso di un solo mazzo). Il valore delle carte è, in ordine decrescente, il seguente:

A K Q J 10 9 8 7 6 5 4 3 2

Asso, re, donna e fante prendono il nome di "onori". Le carte dal due al nove vengono chiamate "scartine". Il dieci, infine, si trova in una posizione intermedia in quanto, a seconda dei casi, può essere considerato un onore o una scartina. I semi sono quattro e anche fra essi viene fissata una gerarchia che, in ordine decrescente, è la seguente:

I primi due (picche e cuori) vengono chiamati *pali nobili*.
Una partita di bridge deve essere sempre giocata da quattro persone che sono accoppiate in due squadre. Come sempre i due compagni (o partners) si siedono alternandosi con i due avversari. Solitamente le posizioni di gioco vengono indicate con i nomi dei punti cardinali. Quindi i quattro giocatori avranno la seguente disposizione:

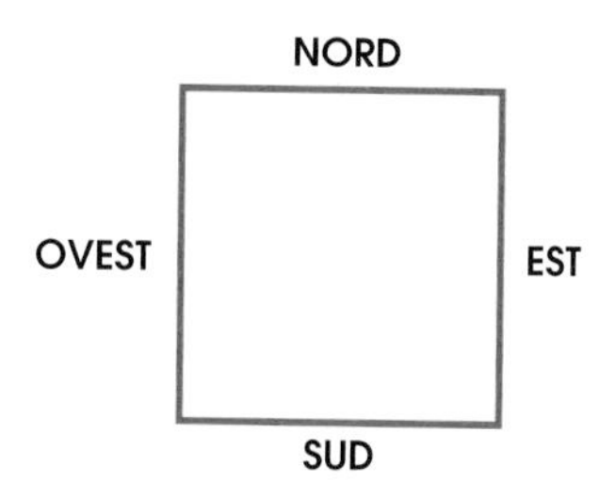

Nord e Sud sono compagni e giocano contro Est e Ovest. Le 52 carte vengono tutte, con modalità che vedremo, distribuite all'inizio del gioco. In questo modo ognuno dei contendenti avrà una mano di 13 carte. Come abbiamo visto le carte hanno valori differenti, però tali valori servono esclusivamente per decidere chi dovrà fare la presa. Una volta che la presa è stata effettuata non ha più alcuna importanza osservare le carte che la compongono. Chiariamo questo punto fondamentale. Ogni presa è costituita da quattro carte, cioè di volta in volta ogni giocatore, quando è il suo turno, gioca una carta; quando tutti e quattro hanno posato sul tavolo la loro carta, si vede allora chi ha conquistato la presa. Le quattro carte vengono riunite, coperte, e costituiscono una presa. È evidente che, durante tutta una mano, verranno effettuate complessivamente tredici prese che andranno suddivise fra le due squadre. Il fatto che il numero complessivo sia dispari (tredici) porta come conseguenza che non potrà mai accadere che le due squadre facciano lo stesso numero di prese (cioè vadano in parità). Le situazioni possibili saranno le seguenti:

Squadra A	Squadra B
13	0
12	1
11	2
10	3
9	4
8	5
7	6

Come si vede, per vincere, cioè per fare meglio degli avversari, occorre realizzare almeno sette prese. Proprio per questa ragione si parte dal presupposto che chi crede di poter fare più degli altri deve impegnarsi a fare un numero di prese che sia maggiore di sei.

Fra poco vedremo che questo numero *sei* ha un grande significato e dovrà essere tenuto sempre presente. Prima di andare avanti sarà bene introdurre due termini che dovremo usare abbastanza spesso in seguito. Quando una squadra realizza tutte e tredici le prese, si dice che ha realizzato un "Grande Slam"; quando invece il numero di prese è di dodici, si ha il "Piccolo Slam" (ovviamente in questo caso agli avversari resta solamente una presa).
La grande novità del bridge (rispetto a molti altri giochi) e quella che, probabilmente, serve a rendere abbastanza inutile la sfortuna (o la fortuna) è la "dichiarazione". Una mano di bridge, cioè, si compone di due momenti nettamente diversi l'uno dall'altro. Prima di iniziare il vero e proprio gioco occorre che una squadra (ovviamente quella che ritiene di avere carte più belle) dichiari quante mani intende fare. Soltanto quando si sarà raggiunto il "contratto" (cioè si sarà assunto l'impegno, nei confronti degli avversari, di fare un certo numero di mani) si inizierà il vero e proprio gioco.
Ecco quindi che due compagni poco esperti in possesso di carte tanto belle da poter fare, per esempio, uno slam, ma non abbastanza abili da capire questa loro possibilità, non potranno in effetti approfittare appieno della fortuna avuta. Infatti, come vedremo quando parleremo del punteggio, per guadagnare molti punti non basta fare lo slam, occorre anche dichiararlo preventivamente.
I due momenti, dichiarazione e gioco della carta, sono molto diversi fra di loro. Così, per esempio, può accadere che persone molto abili nella dichiarazione non siano poi altrettanto abili al momento di giocare la carta o viceversa. Un bravo giocatore di bridge, invece, deve eccellere in entrambe le fasi.
Un'altra caratteristica del bridge è il fatto che, terminata la dichiarazione, la partita vera e propria viene giocata non da tutti e quattro i contendenti, ma soltanto da tre di essi. Esattamente dei due componenti la coppia che ha dichiarato il contratto finale uno soltanto gioca (vedremo poi quale dei due); l'altro, invece, si limita a mettere giù le sue carte. Si dice, cioè, che il compagno del giocante *muore* e, per tutta la mano, costui deve proprio comportarsi come un *morto*. Le sue carte saranno giocate, di volta in volta, dall'altro e lui deve limitarsi a guardare e, soprattutto, da buon... defunto, deve stare assolutamente zitto.

GIOCO AD "ATOUT" E GIOCO A "SENZA"

Anche se il momento del gioco della carta, come abbiamo detto, è successivo a quello della dichiarazione, converrà, prima di dare qualche notizia generale sulla "licitazione" (tale parola è un sinonimo di dichiarazione), spiegare che il gioco può svolgersi secondo due modalità completamente diverse. In un certo senso potremmo dire che, nella fase del gioco, il bridge può assomigliare, a seconda del contratto che è stato raggiunto dai dichiaranti, o alla briscola o al tressette.
Nel primo caso, cioè in quello analogo alla briscola, esiste un seme che è privilegiato fra tutti e quattro. Ciò si verifica quando la coppia che ha assunto l'impegno di fare un certo numero di mani ha detto che vuole giocare ad "atout", cioè ha scelto un seme. Supponiamo, tanto per fissare le idee, che la coppia Nord-Sud (che ha vinto il contratto) si sia impegnata a fare dieci prese giocando "a picche". Ciò vuol dire che, durante il gioco, le carte picche fungeranno da palo privilegiato (cioè da "atout"). Vediamo ora cosa vuol dire.
Abbiamo detto prima che quando tutti e quattro i giocatori hanno posto sul tavolo la loro carta si decide a chi andrà la mano. Precisiamo subito che a bridge è sempre obbligatorio rispondere al palo della prima carta che, in ogni mano, viene giocata. Se il primo dei quattro contendenti, per esempio, posa sul tavolo una carta di fiori, tutti gli altri sono obbligati, a loro volta, a giocare fiori. Ovviamente questo obbligo dura fino a quando uno ha ancora in mano carte di quel seme.
Lo ripetiamo perché si tratta di un concetto della massima importanza: se per prima è stata giocata una carta di fiori e noi abbiamo ancora fiori in mano, dobbiamo necessariamente tirare fuori una carta di questo seme. Solamente se siamo rimasti senza carte di quel tipo, allora possiamo giocarne una di un altro palo a nostra scelta. Ovviamente l'obbligo di giocare fiori dura soltanto per quella mano. Successivamente dovremo giocare, invece, una carta avente lo stesso seme di quella che sarà stata giocata per prima nella nuova mano.
Una mano formata da quattro carte appartenenti tutte allo stesso seme viene vinta da colui che ha giocato la carta più alta (tale carta viene stabilita tenendo conto del valore delle carte di cui si è parlato).

Ecco qualche esempio:

Vince l'asso di fiori.

Vince il fante di quadri.

 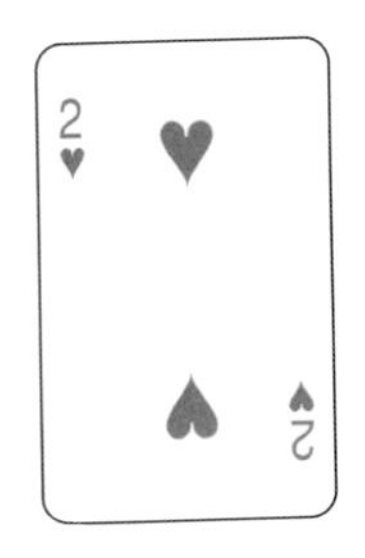  

Vince il 5 di cuori.

Quando non si possiede una carta del seme giocato, bisogna giocare una carta appartenente ad un altro palo. Ed ecco, allora, l'importanza delle atout. Quando si gioca una carta di atout, qualunque sia il valore delle altre carte e di quella del seme privilegiato, vince sempre chi ha giocato l'atout. Consideriamo, per esempio, queste prese:

Se si gioca "a picche", vince la mano chi ha giocato il sette di picche.

Se si gioca "a cuori", vince la mano chi ha giocato il due di cuori. Giocare un atout in una mano in cui è uscita inizialmente una carta di un altro seme, viene indicato col termine "taglio". Ovviamente può capitare che due (o addirittura tre) fra i quattro giocatori non possano "rispondere", cioè tirare fuori una carta dello stesso palo di quella iniziale (in quanto non ne hanno più). In questo caso possono essere effettuati, contemporaneamente, più tagli. Ovviamente vince chi ha tagliato con la carta più elevata, cioè chi ha giocato l'atout di valore maggiore. Ecco due esempi:

   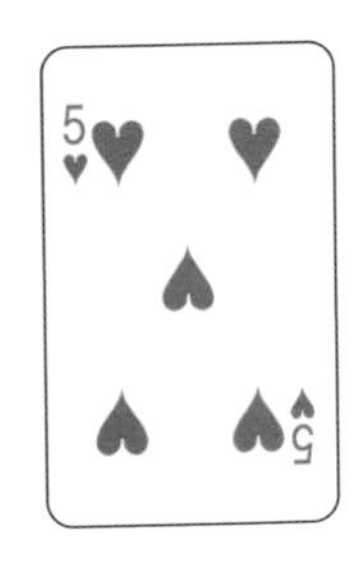

Se si gioca "a quadri" vince chi ha giocato l'otto di quadri.

  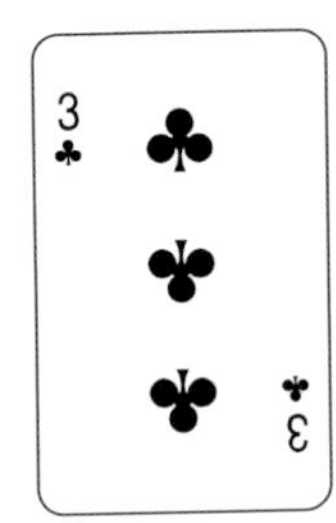 

Se si gioca "a fiori" vince chi ha giocato il quattro di fiori. Quando non si può rispondere e non si può neppure tagliare (in quanto non si hanno in mano né carte del palo giocato inizialmente, né atout), allora si deve giocare una carta qualsiasi che però non può fare assolutamente presa.

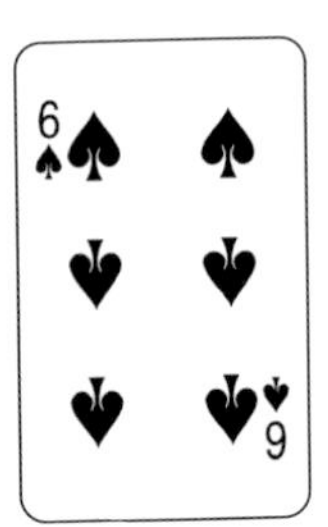   

Se si gioca a cuori, vince il fante di picche in quanto la carta dl fiori giocata, non essendo atout, non ha alcuna possibilità di vincere le picche. Ecco, allora, che quando non vi sono più atout (perché sono già state giocate tutte) anche un semplice due può fare una presa, se non può essere superato da un'altra carta dello stesso seme. Consideriamo per esempio questa situazione, durante una mano in cui le atout sono le picche:

Il primo di mano ha giocato un due di fiori, evidentemente se gli altri hanno scartato cuori e quadri bisogna arguire che non vi sono più in giro carte di fiori (altrimenti sarebbe stato obbligatorio giocarle) e gli avversari di chi ha tirato fuori il due non hanno più atout. In questo caso il due di fiori fa presa. Può accadere però che in sede di dichiarazione la coppia che vince il contratto non scelga alcun palo, ma dichiari di voler giocare "a senza autout" o, più brevemente, "a senza". Ciò vuol dire che in quella mano non vi sarà alcun palo privilegiato, cioè non sarà mai possibile tagliare. In questo caso, allora, il gioco si svolgerà in modo molto simile al tressette: sarà sempre obbligatorio rispondere e per vincere occorrerà giocare una carta di valore superiore alle altre ed appartenente al seme della prima. Ecco qualche esempio:

Vince l'asso di picche.

Vince il sette di quadri.

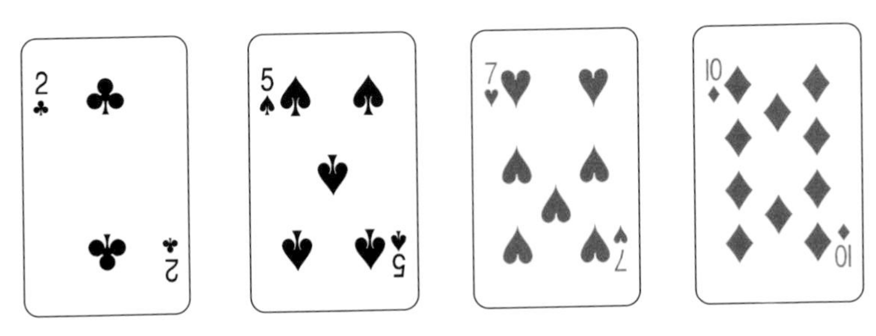

Giocando "a senza" vince il due di fiori in quanto nessun seme è privilegiato e quindi non esiste la possibilità di tagliare.

LA DICHIARAZIONE E IL CONTRATTO FINALE

Come abbiamo già detto, prima di iniziare il vero e proprio gioco, occorre eseguire la dichiarazione: una delle due coppie deve impegnarsi a fare un certo numero di mani specificando inoltre se intende giocare "a senza" oppure se vuole giocare ad "atout" (e, in questo caso, deve anche dire qual è il seme che sarà privilegiato).
È abbastanza evidente che la dichiarazione andrà fatta usando certe espressioni convenzionali. Ad esempio, la squadra che volesse impegnarsi a fare undici prese giocando fiori come atout non dirà "noi pensiamo di fare undici prese con le fiori come atout", ma molto più brevemente dichiarerà "5 fiori".

Come mai in tale espressione ci sia la parola "fiori" è chiaro, però può sembrare strano che si dica 5, quando invece ci si impegna a fare ben undici prese. La ragione è da ricercarsi in quel fatidico numero sei di cui si era parlato all'inizio. Una squadra che "parla", cioè che intende assumere un certo impegno, per il semplice fatto di "parlare" vuol dire che si ritiene più forte degli avversari e, quindi, almeno deve pensare di poter fare più prese degli altri. In altre parole quando si parla, qualunque cosa si dica, si parte dal presupposto di fare più di sei prese e, di conseguenza, si danno per scontate tali prime sei prese. Quindi, in pratica, nella dichiarazione non si dice il numero complessivo di prese che si crede di poter fare, ma soltanto quelle che saranno effettuate oltre le sei. Ora dovrebbe essere chiaro perché si dice "5 fiori" e non "11 fiori". Il 5 deriva dal fatto che realizzando undici prese se ne fanno soltanto 5 oltre le sei preliminari (cioè 11 - 6 = 5).
Il bridge si gioca a coppie e, quindi, le varie prese che si faranno dipenderanno dalle carte di entrambi i partners. D'altra parte, quando si fa la licitazione, non si vedono le carte possedute dal compagno. Come si può allora sapere quale sarà il contratto migliore? Evidentemente occorre "conversare" con il proprio compagno per cercare di capire che carte ha. È abbastanza ovvio, però, che tale "conversazione" non può svolgersi in modo chiaro e diretto. Sarebbe un po' troppo comodo poter dire "Caro compagno guarda che io ho un asso e re di picche, non ho fiori...".
Le uniche frasi che possono essere dette dai giocatori sono le espressioni tipiche della dichiarazione, come, per esempio: "1 quadri", "due picche" "tre senza" e così via. D'altra parte poi, la "conversazione" fra i due partners non può durare all'infinito. Ecco, allora, la prima regola fondamentale: quando si parla occorre sempre dichiarare qualcosa che sia superiore a ciò che è già stato detto in precedenza. Facciamo subito un esempio molto semplice. Se qualcuno ha già detto "due fiori" io non potrò più dire "un fiori" che, evidentemente, vale meno dell'altra licitazione. Se vorrò ancora parlare a fiori dovrò dire "tre fiori" oppure "quattro fiori" o "cinque fiori" e così via. Però potrò anche parlare citando un altro palo o menzionando i "senza". In questo caso per stabilire qual è la dichiarazione superiore si deve tenere conto del rango dei semi, di cui si è già detto all'ini-

zio, e del fatto che i “senza” sono superiori a tutti. Quindi, in ordine crescente, i pali sono:

♣ fiori	♦ quadri	♥ cuori	♠ picche	senza

Ecco quindi che dopo “1 fiori” si potrà dire “1 quadri” o “un cuori”, ma dopo “un picche”, volendo citare le quadri, occorrerà salire di un gradino e dire “due quadri”. Dopo le picche, per restare a livello uno, si potrà dire soltanto “1 senza”. Ecco tutte le possibili dichiarazioni in ordine crescente:

♣ 1 fiori	♦ 1 quadri	♥ 1 cuori	♠ 1 picche	1 senza
♣ 2 fiori	♦ 2 quadri	♥ 2 cuori	♠ 2 picche	2 senza
♣ 3 fiori	♦ 3 quadri	♥ 3 cuori	♠ 3 picche	3 senza
♣ 4 fiori	♦ 4 quadri	♥ 4 cuori	♠ 4 picche	4 senza
♣ 5 fiori	♦ 5 quadri	♥ 5 cuori	♠ 5 picche	5 senza
♣ 6 fiori	♦ 6 quadri	♥ 6 cuori	♠ 6 picche	6 senza
♣ 7 fiori	♦ 7 quadri	♥ 7 cuori	♠ 7 picche	7 senza

Ovviamente la dichiarazione di 6 equivale al piccolo slam (infatti ci si impegna a fare 6 + 6 = 12 prese) e la dichiarazione di 7 equivale al grande slam in quanto ci si impegna a fare 6 + 7 = 13 prese. Altrettanto ovviamente non è possibile fare dichiarazioni superiori al 7 in quanto in tale caso ci si è già impegnati a fare tutte le possibile prese.

Una precisazione riguarda la possibilità di “intervento” nella dichiarazione. Infatti quasi sempre succede che durante la licitazione non siano soltanto i componenti di una squadra a parlare, ma anche gli avversari. È chiaro che chiunque può parlare purché lo faccia quando è il suo turno e purché rispetti la regola generale di dire qualcosa che sia superiore a quanto è già stato detto in precedenza. Quando si parla ad un palo (o a “senza”) a un livello superiore a quello minimo consentito, si fa quello che in gergo si chiama “salto”. Consideriamo ad

esempio che qualcuno abbia detto 1 fiori. Se io dico "due quadri" ho fatto un salto, in quanto volendo nominare questo nuovo palo lo avrei potuto fare anche a livello 1 (in quanto 1 quadri è superiore a 1 fiori).
Dicendo "due" io ho saltato una possibile dichiarazione. Però attenzione. Se prima di me avessero detto "1 cuori", il mio "due quadri" non avrebbe rappresentato alcun salto, in quanto, adesso, per parlare di quadri ero obbligato a farlo a livello due. In questa circostanza (cioè dopo "1 cuori") l'eventuale salto a quadri mi avrebbe portato a dire "tre".
Quando un giocatore non ha nulla da dichiarare dice "passo". Il contratto finale si raggiunge quando, dopo l'ultima dichiarazione, tutti gli altri tre giocatori dicono "passo". È chiaro che, in questo caso, chi ha parlato per ultimo non può più riparlare e deve giocare il contratto corrispondente all'ultimo impegno assunto.
Da quanto abbiamo visto fino ad ora, la licitazione assume due differenti significati: sia quello di impegno assunto nei riguardi degli avversari, sia quello di informazione fornita al compagno. Cioè quando io, per esempio, dico "5 fiori" posso, in sostanza, dire due cose completamente diverse. In un caso io potrei impegnarmi a fare 11 prese giocando i fiori come atout; nell'altro caso, invece, io potrei con tale frase fornire un'informazione al mio partner. Esistono, come vedremo fra poco, dei sistemi convenzionali di licitazione in cui un'espressione come la precedente non significa assolutamente che io intenda giocare a fiori. Può verificarsi che io abbia detto "5 fiori" anche senza avere in mano alcuna carta di quel seme. È abbastanza evidente, allora, che il mio compagno deve potermi capire in quanto se, ad esempio, passasse su quel mio "convenzionale" 5 fiori ci troveremmo, molto probabilmente, nei guai.
La fase della dichiarazione rappresenta la parte più "teorica" del bridge. Infatti gli esperti sono sempre alla ricerca di nuovi sistemi che permettano di dire tutto al compagno in modo tale da poter raggiungere in ogni caso il migliore contratto. Accanto ad un sistema cosiddetto "naturale" esistono svariatissimi sistemi convenzionali. Noi in queste brevi note ci riferiremo quasi sempre al naturale, sia perché è il più semplice, sia anche perché prima di apprendere qualsiasi altro sistema è bene per-

fezionarsi in quello che, in definitiva, costituisce la base di tutta la dichiarazione. Comunque vedremo egualmente qualche convenzione particolarmente semplice e utile.
Un breve cenno meritano le cosiddette "dichiarazioni difensive". Talvolta può accadere che una coppia abbia carte molto belle che potrebbero permettere di realizzare, ad esempio, uno slam. Come vedremo, dichiarando e realizzando tale contratto si vincono molti punti e, nel caso in cui si giochi a soldi, si guadagna parecchio. Gli avversari, allora, potrebbero pensare di giocare loro la mano, togliendo la dichiarazione alla coppia più forte, anche se, molto probabilmente, avendo carte brutte non sarebbero in grado di realizzare il contratto (cioè andrebbero "sotto") e quindi dovrebbero pagare una penalità. Tutto però sta a vedere se tale penalità risulti superiore o inferiore alla somma che si perderebbe lasciando il gioco agli altri. Ecco quindi che, fatti i propri calcoli, potrebbe anche convenire qualche dichiarazione "in difesa". Ovviamente, però, per assumere iniziative del genere occorre non solo saper giocare bene, ma anche conoscere alla perfezione il meccanismo dei punti.

CONTRE E SURCONTRE

Abbiamo detto che il gioco inizia quando è stato raggiunto il contratto. Può però accadere che un avversario di colui che ha parlato per ultimo ritenga che l'impegno assunto dagli altri sia eccessivo. Secondo lui, cioè, l'altra coppia non riuscirà a fare tutte le mani che ha promesso di conquistare. In questo caso è possibile fare una specie di scommessa: l'avversario del dichiarante, quando arriva il suo turno, può dire "contre". Tale espressione equivale a dire "Caro avversario io non credo che tu ce la farai a mantenere l'impegno assunto e quindi scommetto raddoppiando la posta". Come vedremo quando parleremo del punteggio, una mano contrata vale molto di più (sia nel caso in cui il contratto sia poi effettivamente mantenuto che nel caso in cui i giocanti vadano sotto). Il "contre" equivale a una dichiarazione. Quindi, per giocare dopo un "contre", occorre che vi siano i tre regolamentari “passo”. In altre parole colui che ha dichiarato e che è stato contrato ha diritto a riparlare. Le possibilità che gli vengono offerte sono le seguenti:

a) può passare e giocare il contratto dichiarato prima tenendosi il “contre” dell’avversario;
b) può cambiare contratto e in questo caso il “contre” cessa di avere valore, a meno che uno degli avversari non lo dica di nuovo;
c) può “surcontrare”e in questo modo non solo mantiene la dichiarazione ma addirittura si ritiene così sicuro di mantenere l’impegno da raddoppiare nuovamente la scommessa fatta dall’avversario.

In altre parole una mano surcontrata vale, in genere, il doppio di una contrata e, in definitiva, quattro volte di una semplice. Ovviamente anche il “surcontre” equivale ad una dichiarazione e quindi, dopo che è stato dato, per giocare occorre nuovamente aspettare il passo degli altri tre.

IL PUNTEGGIO

Ogni partita completa di bridge, detta “rubber”, si compone di due manches. Per vincere il rubber si devono vincere due manches e per vincere una manche bisogna realizzare 100 punti anche in più di una mano. Occorre però fare attenzione in quanto i punti, nelle partite di bridge, sono di due tipi differenti. Vi sono, cioè, i veri e propri punti che interessano ai fini della manche (e che noi chiameremo brevemente punti) e quelli che costituiscono un premio e quindi vengono conteggiati ai fini del calcolo della somma di danaro vinta, ma che non hanno alcuna importanza dal punto di vista della manche (noi li chiameremo punti-premio o semplicemente premio). Quando si gioca un contratto a colori, le mani *dichiarate e fatte* oltre la sesta meritano il seguente punteggio:

- 30 punti ognuna se si gioca ad un palo nobile (picche e cuori)
- 20 punti ognuna se si gioca a fiori o a quadri

Quindi giocando due fiori, se si mantiene il contratto e quindi si fanno otto prese, si segneranno 40 punti (cioè 2 x 20). Giocando tre picche e mantenendo il contratto si segneranno 90 punti (cioè 3 x 30). A senza, invece, la prima mano (sempre oltre le sei di base) fa conquistare 40 punti e le successive 30 punti ognuna. Quindi giocando "1 senza" e facendo sette prese si segneranno 40 punti; un "2 senza" fatto farà segnare 70 punti e un "3 senza" 100 punti.
Le eventuali prese in più non portano punti, ma soltanto punti-premio. Cioè, se si dichiara "due picche" e poi, invece di fare solamente otto prese, se ne fanno dieci, si segneranno 60 punti (pari alle due mani dichiarate e fatte) nella parte che riguarda il punteggio di manche e altri 60 punti (pari alle altre due prese fatte ma non dichiarate) nei premi.
Prima abbiamo detto che per vincere una manche occorre totalizzare 100 punti. Ciò può essere fatto sia giocando più mani che giocandone una sola.
Ad esempio una coppia che abbia fatto nella prima mano un "2 fiori" e nella successiva realizza un "2 picche" ha fatto la manche. Infatti ha ottenuto 40 punti la prima volta (2 fiori valgono 2 x 20) e 60 la seconda (2 picche valgono 2 x 30) e, perciò, in totale ha raggiunto il previsto valore di 100 (40 + 60).
Ovviamente, quando c'è la possibilità, conviene cercare di fare la manche direttamente in una sola partita. Per ottenere questo risultato occorre dichiarare un numero differente di mani a seconda del colore prescelto. Con i due pali nobili è sufficiente arrivare a 4. Infatti sia 4 cuori che 4 picche fanno conquistare subito la manche perché entrambi valgono 120 punti (4 x 30). Con gli altri due pali, invece, occorre arrivare a 5. Infatti ci vogliono 5 fiori o 5 quadri per totalizzare 100 (5 x 20). Il contratto più vantaggioso, da questo punto di vista, è quello "a senza". Infatti sono sufficienti "3 senza" (e quindi solo nove prese) per arrivare a 100 (40 per la prima mano e 60 per le due successive).
Tutto ciò va tenuto ben presente. Ad esempio, quando si è capito, durante la dichiarazione, che il proprio palo è picche e si è già arrivati a dichiarare 4 picche, se non si ha la possibilità di arrivare allo slam, è perfettamente inutile andare avanti. Se si dichiarasse "5 picche", impegnandosi quindi a fare una presa in più rispetto alle 4, si correrebbe un rischio inutile. Infatti la

dichiarazione è più rischiosa perché impegna a fare una mano in più, ed è inutile in quanto, ai fini della manche, non si è aggiunto assolutamente niente. Lo stesso discorso, ovviamente, vale anche per il 4 e il 5 senza.
Con lo slam la situazione cambia, perché, se si dichiara uno slam (e ovviamente si mantiene il contratto), si ha diritto a un notevole premio del quale parleremo fra breve.
Quando si sta giocando la prima manche si dice che si è "in prima", mentre quando si è già vinta la prima e si sta giocando la seconda si dice che si è "in seconda", oppure che si è "in zona" o, ancora, che si è "segnati".
Ai fini dei punti non ha alcuna importanza essere in prima o in seconda. La cosa, invece, diventa del massimo interesse ai fini dei premi e delle penalità (nel caso in cui non si mantenga il contratto). Infatti premi e penalità sono molto maggiori per chi si trova in seconda.
Un'altra avvertenza da tenere presente è questa: quando una delle due coppie realizza la manche l'altra, se aveva già segnato qualche punto, si vede annullare i suoi punti. Però se l'altra coppia era già in seconda, cioè aveva già vinto una manche, questa non viene annullata.
Consideriamo il seguente esempio pratico, in cui nelle due prime colonne abbiamo segnato i contratti dichiarati e mantenuti (senza fare alcuna presa in più o in meno) dalle diverse coppie. Nelle ultime due colonne abbiamo segnato i punteggi complessivi posseduti, di volta in volta, dalle squadre.

Mano	Contratto		Punti fatti		Situazione complessiva	
	N-S	E-W	N-S	E-W	N-S	E-W
1	1 senza		40		40 in prima	0 in prima
2	2 quadri		40		80 in prima	0 in prima
3		3 senza		100	0 in prima	0 in seconda
4		4 fiori		80	0 in prima	80 in seconda
5	4 picche		120		0 in seconda	0 in seconda
6	5 quadri		100		vince il rubber	

Nella terza mano la linea E-W, realizzando la manche, ha azzerato i punti degli avversari che così si sono ritrovati a quota zero. Nella quinta mano si è verificata la stessa situazione: N-S hanno fatto la manche e quindi hanno azzerato gli 80 punti degli avversari. Comunque costoro erano già in seconda e quindi, pur restando a zero punti, rimangono sempre in seconda. Nella sesta mano, infine, si conclude la partita perché la linea N-S, realizzando altri 100 punti (grazie al contratto di 5 quadri dichiarati e fatti), vince anche la seconda manche e quindi il rubber.
Quando si mantiene un contratto che sia stato contrato dagli avversari, allora i punti raddoppiano. Se si era arrivati al surcontre i punti vanno moltiplicati per quattro. In una mano normale giocata a picche occorre dichiarare 4 per vincere la manche. Però se c'è stato il contre degli avversari basta aver dichiarato (e ovviamente fatto) due sole picche. Infatti i 60 punti delle due picche vengono raddoppiati e valgono 120. Analogamente due senza normali non bastano per la manche (perché danno in totale 70 punti), ma due senza contrati sono sufficienti perché si arriva a quota 140 (cioè 70 x 2). Con le mani surcontrate basta realizzare 1 picche o 1 cuori o 1 senza per arrivare alla manche. Nei primi due casi, infatti, i 30 punti, quadruplicati, diventano 120 (30 x 4) e nel caso dei senza si arriva addirittura a 160 (cioè 40 x 4).
È proprio per questa ragione che, generalmente, si va molto cauti nel contrare un contratto parziale (cioè un contratto in cui non sia stata dichiarata la manche). Se gli avversari si sono fermati, nella loro dichiarazione, a 2 picche, non arrivano ancora a fare la manche. Ma se li contriamo e loro riescono a fare le otto prese promesse, in effetti siamo noi ad aver regalato loro la manche.
Ed eccoci ora ai punti-premio che possono derivare da differenti ragioni.

Prese in più non contrate: conservano il loro valore (cioè 20 le fiori e le quadri, 30 le picche, le cuori e i senza).

Prese in più contrate: 100 ognuna se si è in prima e 200 ognuna se si è in seconda.

Prese in più surcontrate: 200 ognuna se si è in prima e 400 ognuna se si è in seconda.

Piccolo slam dichiarato e fatto: 500 se si è in prima e 750 se si è in seconda.

Grande slam dichiarato e fatto: 1.000 se si è in prima e 1.500 se si è in seconda (i premi relativi agli slam non cambiano se vi è stato sia il contre che il surcontre).

Vittoria del rubber: 700 se gli avversari sono ancora in prima e 500 se gli altri sono già in seconda.
Quando un rubber non viene portato a termine si dà un premio di 300 punti alla coppia che è già in seconda se gli altri sono ancora in prima. Talvolta poi viene anche dato un premio di 50 punti quando si lascia un rubber incompleto alla coppia che ha già un punteggio parziale, e un premio speciale di 50 punti (oltre a tutti gli altri che si sono meritati nella stessa mano) alla coppia che ha mantenuto un contratto contrato o surcontrato.
Vi sono anche premi speciali che dipendono dagli onori nella mano di uno dei due giocatori di una coppia.

Quando si gioca a colore e si posseggono 4 onori di atout: 100 punti.

Quando si gioca a colore e si posseggono 5 onori di atout: 150 punti.

Quando si gioca a senza e si posseggono i 4 assi: 150 punti.

Va precisato che, ai fini del premio, quando si gioca ad atout, fra gli onori va considerato anche il 10 (e quindi gli onori sono A, K, Q, J e 10). Comunque va ricordato che i suddetti punti di premio vengono assegnati quando gli onori o gli assi si trovano tutti in una stessa mano (cioè non vanno sommati gli onori posseduti dai due compagni).
Veniamo infine alle penalità che si ottengono ogni qualvolta si fa un numero di prese inferiore a quello dichiarato (cioè quando "si va sotto" o, all'inglese, "down"). Ovviamente le penalità andranno segnate come punti-premio agli avversari.

Per ogni presa in meno non contrata: 50 se si è in prima e 100 se si è in seconda.

Per la prima presa in meno contrata: 100 se si è in prima e 200 se si è in seconda.

Per ogni presa in meno successiva alla prima e contrata: 200 se si è in prima e 300 se si è in seconda.

Per la prima presa in meno surcontrata: 200 se si è in prima e 400 se si è in seconda.

Per ogni presa in meno successiva alla prima e surcontrata: 400 se si è in prima e 600 se si è in seconda.

Un semplice calcolo può ora far comprendere il discorso che abbiamo fatto prima a proposito delle dichiarazioni difensive. Supponiamo che noi si sia ancora in prima mentre i nostri avversari sono già in seconda. Se le carte sono tali da farci ritenere che loro potrebbero benissimo giocare un piccolo slam (per esempio a fiori), noi saremmo costretti a pagare i seguenti punti-premio (li pagheremmo noi in quanto li vincerebbero loro): 120 per le sei prese + 750 per il piccolo slam in seconda + 700 per la vittoria nel rubber (in quanto noi siamo ancora in prima). In totale perderemmo 1.570 punti. Se invece giocheremo noi sfruttando un palo molto lungo, pur sapendo che verremo contratti (ma, ovviamente, noi essendo in difesa non daremo certo il surcontre) e anche andando sei mani sotto faremo sempre un affare. Infatti sei mani sotto contrate in prima sono: 100 per la prima + 200 per ognuna delle successive e quindi complessivamente:
100 + 5 x 200 = 100 + 1.000 = 1.100 punti di penalità. Il meccanismo dei punti e dei punti-premio, elencato in maniera così arida, sembrerà indubbiamente complicato a chi non ha mai giocato al bridge. Tuttavia non bisogna scoraggiarsi in quanto con un po' di esercizio lo si apprende abbastanza bene. Comunque, tanto per dare un'idea di come ci si deve comportare, descriviamo in breve uno "score", cioè un foglio appositamente prestabilito per segnare i vari punti di un partita.
Lo score è diviso in diverse coppie di colonne. Ogni coppia si riferisce a un rubber: nella prima colonna si segnano i punti nostri (cioè quelli totalizzati dalla coppia alla quale appartiene il giocatore che segna) e nell'altra i punti loro (cioè quelli degli avversari).
Ogni colonna, poi, è suddivisa in senso verticale da una riga. Sotto tale riga vanno segnati i punti (cioè quelli che interessano al fine della manche) e sopra la stessa riga i punti-premio. Ecco ora come appare alla fine di ogni mano lo score:

Mano giocata	Score		Situazione	
	Noi	Loro	Noi	Loro
Noi giochiamo 3 picche e facciamo proprio nove prese. Inoltre uno di noi due ha in mano A, Q J e 10 di picche	100 90		90 in prima	0 in prima
Noi giochiamo 6 fiori ma facciamo solo 11 prese (quindi andiamo una sotto) La mano non era contrata	100 90	50	90 in prima	0 in prima
Loro giocano 4 picche ma fanno solo 8 prese. Noi abbiamo contrato	300 100 90	50 80	90 in prima	0 in prima
Loro giocano due fiori e, anche se noi abbiamo contrato, riescono a fare le otto prese	300 100 90	50 80	90 in prima	80 in prima
Noi giochiamo due quadri e facciamo nove prese. Avendo superato i 100 punti passiamo in seconda mentre loro vengono azzerati	20 300 100 90 40	50 80	0 in seconda	0 in prima
Loro giocano tre senza e riescono a fare solo 8 prese. Noi abbiamo contrato e loro hanno surcontrato	200 20 300 100 90 40	50 80	0 in seconda	0 in prima

Mano giocata	Score		Situazione	
	Noi	Loro	Noi	Loro
Noi giochiamo 2 picche e facciamo otto prese	200 20 300 100 90 40 60	50 80	60 in seconda	0 in seconda
Loro giocano tre senza e riescono a fare le nove prese. Inoltre uno degli avversari ha in mano tutti e quattro gli assi. Loro passano in seconda e noi veniamo azzerati	200 20 300 100 90 40 60	150 50 80 100	0 in seconda	0 in prima
Noi giochiamo 5 fiori ma riusciamo a fare solo otto prese (quindi andiamo tre "sotto"). La mano era stata contrata	200 20 20 100 90 40 60	800 800 50 80 100	0 in seconda	0 in seconda
Loro giocano 6 picche e riescono a fare le dodici prese. Vincono così la seconda manche e, quindi, il rubber. Prendono 180 punti per le sei prese a picche e, come premio, 750 punti per il piccolo slam in seconda e 500 punti per la vittoria del rubber	200 20 300 100 90 40 60	500 750 800 150 50 80 100 180		

Ora non resta che calcolare quanti punti vale la partita. Per far ciò si sommano insieme tutti i punti segnati sullo score (sia i veri e propri punti che i premi). Va notato che, in questa fase, si sommano anche i punti di manche che erano stati azzerati perché gli avversari avevano realizzato la manche:

Noi	Loro
200	500
20	750
300	800
100	150
90	50
40	80
60	100
	180
810	**2.610**

In totale noi abbiamo totalizzato 810 punti e loro 2.610. Quindi la partita si è conclusa a loro vantaggio per 2.610 - 810 = 1.800 punti. Se si era interessato il gioco, si dovrà moltiplicare tale punteggio per la posta-punto stabilita preventivamente. Per esempio, se si era deciso di giocare una lira, ognuno dovrà pagare 1.800 lire. Se invece si era stabilito di pagare dieci lire al punto, la posta persa sarà di lire 18.000. Questo esempio può far comprendere due fatti fondamentali:

1. Può benissimo accadere che i vincitori del rubber risultino, alla fine, soccombenti nel punteggio complessivo. Se infatti coloro che perdono hanno contrato parecchie volte nel corso del rubber gli avversari, riuscendo ogni volta a mandarli sotto di parecchio, possono conquistare i punti-premio maggiori.

2. È possibile anche a bridge giocare, e quindi vincere o perdere, forti somme. Quando si fissa una posta-punto elevata si può arrivare complessivamente a cifre molto sensibili. Va ricordato, infatti, che uno squilibrio di un migliaio di punti alla fine di ogni rubber è normalissimo.

COME VALUTARE LA PROPRIA MANO

Il bridge si gioca con le carte dei due partners, però la dichiarazione va fatta guardando soltanto le proprie carte. Siamo d'accordo che, nel corso della licitazione, si ricevono informazioni sulla mano del compagno e, se gli avversari intervengono, anche sulle carte degli altri, però resta il fatto che, prima di tutto, occorre saper valutare la propria mano.
A questo punto, quindi, entriamo nel vivo del discorso anche se, come abbiamo già detto, dobbiamo accontentarci di alcuni cenni.
Per poter valutare esattamente la nostra mano dobbiamo tenere presente quali sono le possibilità di fare una presa. Eccole:

a) quando tutti rispondono giocando una carta dello stesso seme, vince chi ha tirato fuori la carta più elevata in grado. Da questo punto di vista, allora, saranno importanti le carte di valore più elevato (gli onori);
b) quando si gioca ad atout è possibile prendere una mano quando non si può giocare una carta dello stesso seme di quelle che sono in tavola e si può tagliare. Da questo punto di vista allora sarà importante possedere un palo "lungo" di atout e pali "corti" degli altri semi;
c) quando si gioca "a senza" o quando gli avversari non hanno più atout è possibile fare presa anche con carte piccole purché le alte dello stesso seme siano già state giocate. Anche da questo punto di vista, allora, sarà importante avere pali "lunghi".

Come si vede, quindi, è possibile fare delle prese sia possedendo onori che possedendo pali "lunghi". Nella valutazione della mano, allora, si dovrà tenere conto di entrambi questi fattori. Va però detto che non sempre è facile considerare nel modo migliore entrambi gli elementi. Per esempio la possibilità di tradurre in un certo numero di prese un palo lungo presuppone, se si gioca "a senza", che si riesca a "liberare" il palo. Cioè il gioco dovrà svolgersi in modo tale che con le prime prese caschino proprio tutti gli onori di quel seme, in modo che le carte restanti del suddetto palo possano essere giocate senza che gli avversari abbiano alcuna possibilità di interferire.
Cominciamo a vedere come, comunemente, si tiene conto degli onori. Generalmente il metodo che si segue è quello di attribuire loro un punteggio. Eccolo:

asso	=	4 punti	re	=	3 punti
donna	=	2 punti	fante	=	1 punto

Anche questo punteggio, comunque, va preso con un certo discernimento. È abbastanza evidente, tanto per fare un esempio macroscopico, che, se il "morto" avrà in un palo soltanto il re e l'asso non sarà in mano al suo compagno, in pratica quel re non servirà a niente. Infatti l'avversario che ha l'asso e vede il morto, appena si tocca quel seme si affretterà immediatamente a passare l'onore più alto per impedire che sia il morto a fare la presa. È per questa ragione che, generalmente, nel calcolare il punteggio della propria mano si svalutano (per esempio togliendo un punto su quelli previsti) gli eventuali onori non accompagnati da scartine.
Ecco qualche esempio di punteggio di una mano:

Questa mano ha otto punti.

Questa mano ha tredici punti.

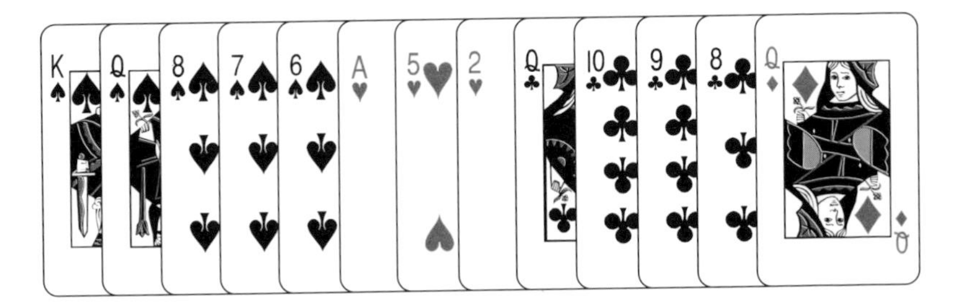

Questa mano avrebbe tredici punti ma è molto meglio pensare che ne abbia soltanto dodici o undici in quanto la donna isolata molto difficilmente potrà fare qualcosa.

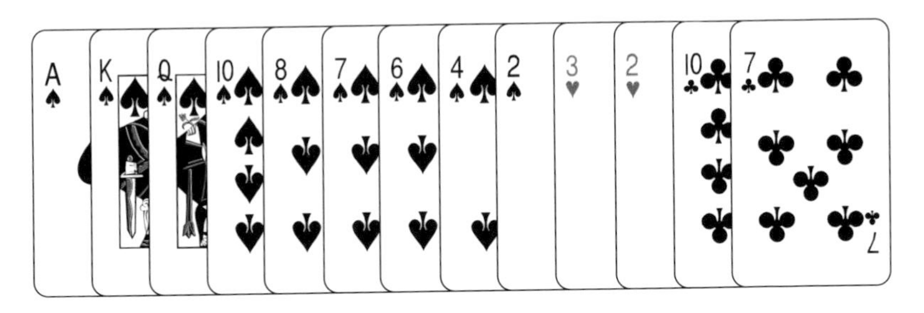

Questa mano ha soltanto nove punti.

Questa mano ha 21 punti (l'asso, anche se isolato, vale evidentemente sempre 4 punti).

Veniamo adesso al problema relativo alla lunghezza dei pali. Cominciamo prima di tutto a introdurre alcuni termini molto usati dai giocatori di bridge. Quando non si possiede alcuna carta di un seme si dice che si è *secchi* o, meglio ancora, che che si è "chicane". Quando si possiede una sola carta di un seme si ha un "singleton" e quando invece se ne posseggono due si ha un "doubleton".

Questi pali cortissimi, o addirittura vuoti come nel caso della chicane, rappresentano situazioni estremamente vantaggiose quando si gioca ad atout. Infatti supponiamo di giocare un contratto "a picche" e di non avere in mano alcuna fiori. In effetti gli avversari, ammesso che abbiano tutto di questo seme, posseggono ben 10 punti-onore a fiori. Eppure questi loro dieci punti non servono a nulla, perché appena qualcuno toccherà le fiori, noi potremo immediatamente "tagliare". Ecco quindi che quella chicane, da sola, è riuscita a neutralizzare ben dieci punti-onore dei nostri avversari. Già questo primo esempio, però, dovrebbe far capire come vi sia una grande differenza fra gioco "a senza" e gioco ad atout. Infatti la chicane rappresenta un punto di forza ad atout, ma una gravissima debolezza "a senza" in quanto, in quest'ultimo caso, e sempre nell'esempio precedente, non sarebbe possibile contrastare minimamente gli avversari quando giocano le fiori.

Alcuni autori consigliano di attribuire a chicane e singleton dei veri e propri punti-onore. Noi invece preferiamo dire che conviene limitarsi a considerare, per il punteggio della mano, i soli onori in base a ciò che abbiamo detto prima. Della presenza di eventuali pali lunghi o corti si terrà genericamente conto al fine di "rivalutare" o "svalutare" la propria mano nel corso della dichiarazione e, soprattutto, in funzione di ciò che dirà il compagno. In certi casi però, si dovrà tenere conto soltanto delle lunghezze e non dei punti-onore. Prima di chiarire questo punto sarà bene fare una piccola premessa sulla valutazione complessiva che deve essere data a una mano in funzione dei punti posseduti. Tenendo conto del punteggio elencato prima, ogni seme dispone di 10 punti. Infatti: A + K + Q + J = 4 + 3 + 2 + 1 = 10 punti.

In complesso, quindi, nel mazzo vi sono 40 punti. Durante una mano si devono fare tredici prese. Supponendo, in linea puramente teorica, che in ogni presa vi siano degli onori, in media in ogni presa avremo 40 : 13 punti, cioè, all'incirca, 3 punti. Ciò porta come conseguenza che, sempre in linea teorica, si parte dal presupposto che, per fare una presa normale, occorrano circa 3 punti. Giocando, per esempio, "a senza" (dove non sono possibili i tagli), allora occorrerà avere 21 punti per fare 7 prese (1 senza), 24 punti per fare otto prese (2 senza) e 27 punti per fare nove prese (3 senza e quindi una manche). Va anche detto però che questo calcolo è abbastanza approssimativo tanto che, per esempio, già con 25 punti nelle mani dei due partners si dichiara il 3 senza. Al fine di valutare la propria mano, ecco come la si deve giudicare in funzione dei punti posseduti:

punti	da	0	a	5	negativa
punti	da	6	a	8	debole
punti	da	9	a	12	media
punti	da	13	a	15	positiva
punti	da	16	a	18	forte
punti	da	19	a	22	molto forte
punti	oltre i	23			fortissima

In casi di distribuzioni eccezionali, però, il punteggio precedente perde qualsiasi significato ed allora conviene procedere a quello che prende il nome di "conteggio delle perdenti". Consideriamo, ad esempio, la mano illustrata in precedenza e che, come abbiamo detto, aveva soltanto nove punti-onore. A picche vi sono ben nove carte: A, K, Q, 10, 8, 7, 6, 4, 2; a cuori due scartine (3 e 2); nessuna quadri e il 7 e il 10 a fiori. Supponiamo di giocare, con queste carte, una mano a picche e supponiamo pure di non trovare alcun punto fra le carte del nostro compagno.
Quando gli avversari toccheranno fiori e cuori noi dovremo perdere le prese relative. Però, attenzione, noi perderemo soltanto due prese a cuori e due a fiori, in quanto alla terza giocata in uno qualsiasi di questi semi potremo tagliare. Quando qualcuno toccherà le quadri potremo tagliare subito e quindi non perderemo niente. E veniamo adesso alle picche dove, fra gli onori, ci manca solo il fante. Siccome in totale abbiamo 9 carte di questo seme, gli altri tre avranno le quattro restanti carte. Da un punto di vista statistico è estremamente improbabile che vi sia uno solo che le abbia tutte e quattro. Quindi, giocando le picche dalla più alta (cioè prima l'asso, poi il re ecc.), il fante, anche se posseduto da un avversario, cadrà sotto un nostro onore. In pratica noi non perderemo nessuna presa a pic-

che. In totale, con questa mano noi saremo in grado, senza alcun aiuto da parte del nostro compagno, di realizzare ben nove prese. Come è possibile vedere, perciò, a causa della eccezionale distribuzione noi, con soli nove punti, giocando contro avversari che di punti ne hanno ben 31, siamo sicuri di fare nove prese! È chiaro, allora, che quando vi sono distribuzioni particolarmente strane, non conviene contare i punti-onore, ma limitarsi a vedere quali sono le possibilità perdenti. Ecco come va effettuato il calcolo:

a) asso e re non sono mai perdenti;
b) la donna non è perdente se accompagnata dall'asso, oppure se si trova insieme al fante e a un'altra scartina;
c) ogni carta oltre la terza di un dato palo non è perdente.

Quest'ultima regola è, probabilmente, quella meno chiara: in pratica vuol dire che in un dato seme, al massimo, possono esserci tre perdenti. Cioè la quarta carta (e, a maggior ragione, la quinta, la sesta ecc.) di un seme va sempre considerata vincente. Vediamone la ragione. Supponiamo di avere di un certo seme soltanto quattro scartine. Restano allora, di quel seme, altre nove carte che, probabilmente, saranno distribuite in modo regolare nelle altre tre mani. Cioè si può presupporre che ognuno degli altri giocatori abbia tre carte di quel seme. Giocando le prime volte in quel seme, allora, cadono dodici carte e la nostra "quarta", essendo rimasta l'ultima in gioco, è diventata buona (cioè si è affrancata).
Ecco comunque, dopo l'esempio della mano precedente in cui vi erano solo quattro perdenti, qualche altro esempio:

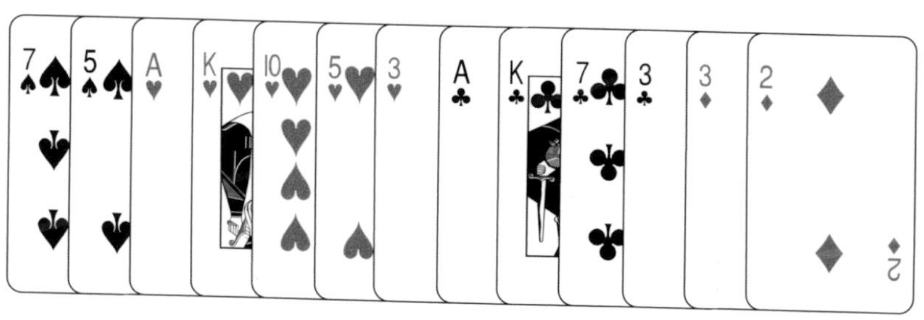

Questa mano ha sei perdenti.

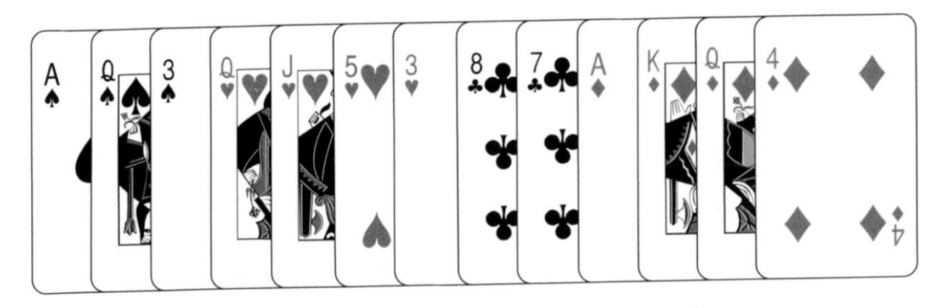

Questa mano ha cinque perdenti.

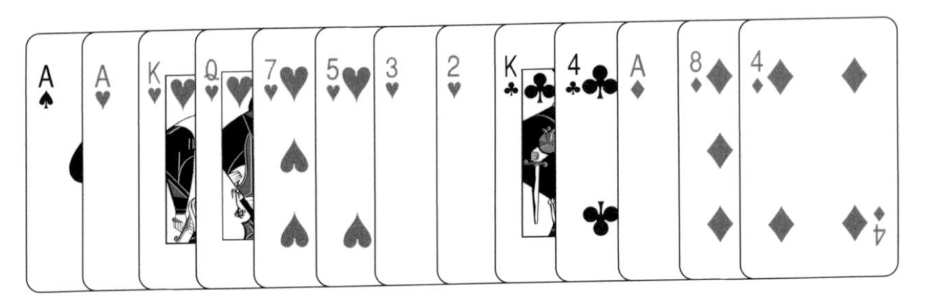

Questa mano ha soltanto tre perdenti.

A questo punto sarà bene fare, una volta per tutte, una considerazione della massima importanza. Già in due occasioni precedenti (quando abbiamo detto che il fante non poteva essere quarto e quando abbiamo detto che la nostra quarta scartina doveva affrancarsi) abbiamo introdotto considerazioni probabilistiche. Siamo perfettamente d'accordo che in effetti gli eventi per noi spiacevoli potrebbero anche verificarsi. Cioè potremmo trovare il fante di picche quarto e potremmo trovare che la nostra quarta scartina non si affranca (in quanto le restanti carte non sono distribuite regolarmente fra gli altri giocatori). Il fatto è un altro: quando noi dichiariamo o decidiamo come giocare, non sapendo come stiano le cose, dobbiamo comportarci supponendo che esse siano organizzate nel modo più probabile. Potrà senz'altro capitare che qualche volta ci rimetteremo. Però se giocheremo sempre secondo la maggiore probabilità, in complesso non ci rimetteremo: il numero di volte in cui ci andrà bene sarà superiore a quello in cui ci andrà male (e questa è una rigorosa legge statistica).

L'APERTURA DI "1 A COLORE"

Cominciamo subito a dire che col termine di "apertura" si intende la prima dichiarazione che non sia un "passo". Colui che ha distribuito le carte ha diritto a parlare per primo: se può aprire farà la sua licitazione, altrimenti dirà "passo". A questo punto tocca al giocatore che siede alla sinistra di chi ha parlato per primo; anche costui si comporterà nello stesso modo, cioè potrà "aprire" o no. Nel caso in cui sia passato parlerà chi gli siede a sinistra, cioè il compagno di colui che ha fatto le carte e così via. Se tutti e quattro i giocatori passano, si dovranno distribuire nuovamente le carte, se invece uno di essi parla, allora, essendo avvenuta l'apertura, inizia la vera e propria licitazione.
Per aprire al livello più basso occorre avere almeno tredici punti. Esattamente con un punteggio compreso fra 13 e 15 punti si dirà il palo più lungo che si possiede. Cominciamo con l'osservare che essendo 13 le carte e soltanto quattro i pali ognuno dovrà avere in mano almeno un palo "quarto", cioè dovrà avere almeno quattro carte appartenenti tutte allo stesso seme.
Questo numero quattro è molto importante perché una regola generale alla quale è sempre bene attenersi è la seguente: un palo, per essere dichiarabile, deve essere almeno quarto.
Nel caso più semplice che potrebbe, per esempio, essere il seguente:

si può aprire (infatti vi sono 14 punti) e si dovrà indicare il palo di cuori. In pratica cioè si aprirà dicendo "1 cuori".

Quando vi sono più pali quarti, converrà sempre aprire indicando per primo il palo di rango minore. Consideriamo, per esempio, quest'ultima mano:

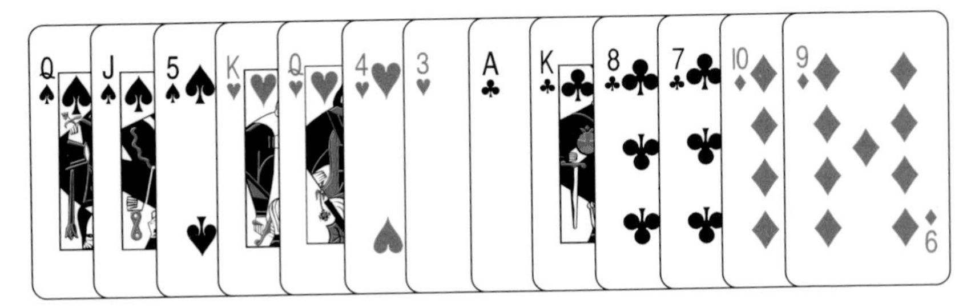

Si può aprire (perché vi sono 15 punti) e si nomineranno le fiori che sono di rango inferiore alle cuori. Si dirà cioè "1 fiori". Quando vi sono più pali dichiarabili aventi lunghezza diversa va detto per primo il palo più lungo. Quindi con questa mano:

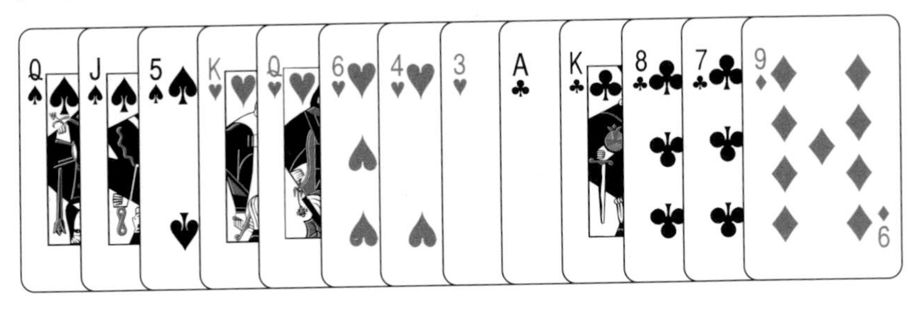

si dirà "1 cuori" e non si nomineranno le fiori in quanto nel primo seme vi sono cinque carte (contro le quattro del secondo).
La regola precedente, però, ammette un'eccezione: quando vi sono due pali entrambi quinti allora si apre con quello di rango maggiore. Per esempio in questa mano:

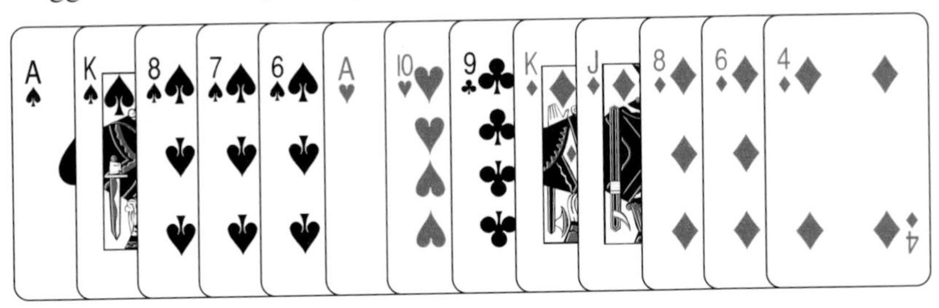

si dirà "1 picche" e non "1 quadri" in quanto entrambi i pali sono quinti e le picche sono di rango superiore alle quadri.
Talvolta si potrà aprire con meno di tredici punti. Di solito si seguono queste regole: con un palo quinto si può aprire anche con 12 punti, con due pali quinti o con un palo sesto anche con 11 punti.
A questo punto occorrerebbe fare un lungo discorso sul concetto di "palo dichiarabile". Consideriamo questa mano:

Vi sono 14 punti e due pali quarti: le quadri e le cuori. Stando alla regola precedentemente enunciata dovremmo dire "1 quadri", però è proprio difficile nominare un palo in cui si posseggono solamente le quattro più basse scartine! Credo che chiunque, in questa situazione, non esiterebbe a dire "1 cuori".
Però, attenzione, se la lunghezza comincia ad essere notevole, conviene sempre nominare il palo più lungo anche se ha onori meno belli. In questo caso, per esempio,

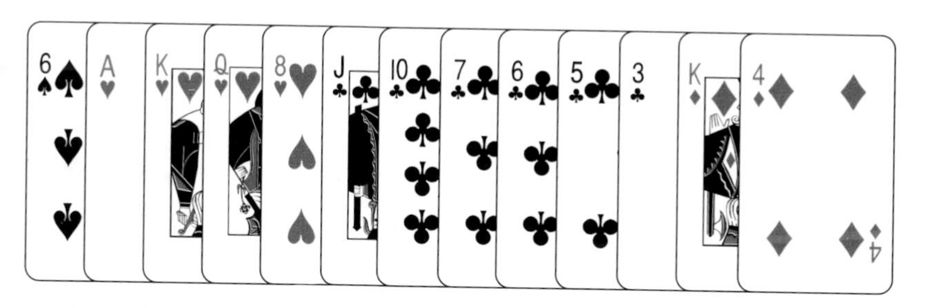

nessuna esitazione: conviene aprire di "1 fiori".

Da quanto abbiamo detto fino ad ora, potrebbe sembrare che l'apertura di "uno a colore" sia riservata soltanto alle mani deboli (cioè a quelle che hanno proprio il minimo per aprire). Ciò non è completamente esatto in quanto esiste anche la possibilità di aprire in questo modo con mani forti (da 15 a 20 punti) che non possono permettere né l'apertura di un "senza" né quella di "due a colore" (di cui parleremo fra poco). In questi casi, comunque, sarà necessario specificare la situazione con le successive dichiarazioni. Su questo argomento torneremo fra poco quando affronteremo il problema dello sviluppo della dichiarazione stessa.

LA LICITAZIONE DOPO L'APERTURA DI "1 A COLORE"

Supponiamo che gli avversari dell'apertore non interferiscano, cioè passino sempre. Vediamo allora come proseguirà la "conversazione" fra il primo che ha parlato e il suo compagno (che chiameremo il "rispondente"). Un principio generale che abbiamo già enunciato è quello che i due compagni devono tentare di scambiarsi il maggior numero possibile di informazioni cercando però di mantenere la dichiarazione al più basso livello possibile (infatti per avere molte informazioni non si può certo correre il rischio di arrivare sempre allo slam!). L'apertore ha già iniziato a parlare, quindi è inutile che il compagno salga molto, è sufficiente che gli dia la possibilità di continuare a parlare spiegandogli nel migliore dei modi la sua mano. Per questa ragione le dichiarazioni del rispondente debbono essere mantenute al più basso livello possibile (si tratta della regola che dice "il rispondente non forza mai"). Ecco le possibili risposte:

a) *dichiarazione di estrema debolezza*: "passo". La si fa quando si hanno meno di 5 punti-onore e non si ha né un palo lungo né un buon appoggio nel palo dichiarato dall'apertore;
b) *dichiarazioni di debolezza*: quando si hanno fino a dieci punti-onori, non si può dire un altro palo a livello uno (ne parleremo fra poco) e, se si hanno almeno quattro carte nel colore dichiarato dal compagno, si dice 2 nel colore dell'apertore. Quando invece si hanno ancora fino a 10 punti e non si può di-

re un proprio palo a livello 1, e però non si hanno neppure quattro carte nel colore del compagno, allora bisogna dire "1 senza";

c) *dichiarazione ambigua*: quando si è deboli, cioè ci si trova nelle condizioni elencate nel caso precedente, e però si possiede almeno un palo quarto di rango superiore a quello indicato dal compagno, si dichiara uno a tale colore. Va osservato che tale dichiarazione può essere fatta anche con un palo formato soltanto da scartine (purché ovviamente sia almeno quarto). Tale dichiarazione è ambigua in quanto la si può fare anche quando si è forti. Cioè il rispondente che sopra "1 fiori" dell'apertore dice, per esempio, "1 cuori" può essere indifferentemente forte o debole. Sarà nel prosieguo della dichiarazione che si chiarirà la situazione;

d) *dichiarazioni positive*: diciamo subito che per fare una di queste dichiarazioni occorre avere più di dieci punti-onore. Le dichiarazioni positive del rispondente possono essere: "2 senza" (quando si ha una mano bilanciata, cioè non si hanno pali particolarmente lunghi); 2 in un colore diverso da quello indicato dall'apertore. Va però precisato che, al fine di non elevare troppo la dichiarazione, se è possibile dire 1 nel nuovo palo, è inutile andare a due (tanto, come abbiamo detto, l'indicazione di un nuovo colore, anche a livello uno, non esclude che la mano del rispondente sia forte). Per la stessa ragione se si possiede un proprio palo dichiarabile è inutile andare a tre nel colore del compagno. Tanto poi nessuno vieta, andando oltre nella dichiarazione, di ritornare al palo che l'apertore ha indicato per primo.

Le precedenti risposte permettono già di individuare alcune regole generali che andranno tenute sempre presenti nello svolgimento della dichiarazione:

1. *La ripetizione del colore già detto (da se stessi o dal compagno) è sempre indice di debolezza, a meno che non venga effettuata con un salto.*

2. *I senza possono essere nominati solamente da chi ha una mano bilanciata.*

3. *L'indicazione di un colore nuovo, non licitato in precedenza da se stessi o dal compagno, è sempre indice di forza o, tutt'al più, può essere ambigua.*

Vediamo adesso come deve comportarsi l'apertore dopo che ha sentito quanto gli ha detto il suo compagno. La prima considerazione che egli deve fare è quella di classificare la risposta del suo partner in debole, ambigua o forte. A questo punto l'operatore, guardando le sue carte, può già avere una idea del punteggio posseduto complessivamente. Vediamo i vari casi possibili. Se la risposta è stata di debolezza e anche l'apertore è debole, conviene fermarsi il più presto possibile, in quanto la situazione è tale che sarebbe assurdo pensare di andare a manche. Se l'apertore ha una mano distribuita (cioè il palo dichiarato non è particolarmente lungo), dovrà passare in tutti i casi. Infatti, se il suo compagno ha detto "un senza", tanto vale fermarsi al contratto più basso che, probabilmente, potrà anche essere realizzato tenendo conto del fatto che i due compagni hanno entrambi una mano bilanciata. Se il compagno ha detto due nel colore dichiarato in precedenza, va bene lo stesso. Infatti ciò vuol dire che essi hanno in totale almeno 8 atout (contro le cinque degli avversari) e quindi possono sperare di realizzare il contratto stesso. Se invece l'apertore è debole ma ha il suo palo abbastanza lungo (cioè deve essere almeno quinto), allora deve passare se il compagno ha detto due nello stesso colore e ridichiarare lui due in quel colore se il compagno ha detto "1 senza".
Ecco qualche esempio relativo a questi casi. Supponiamo che l'apertore dopo aver detto "1 cuori" si sia sentito rispondere "1 senza". Con questa mano passerà:

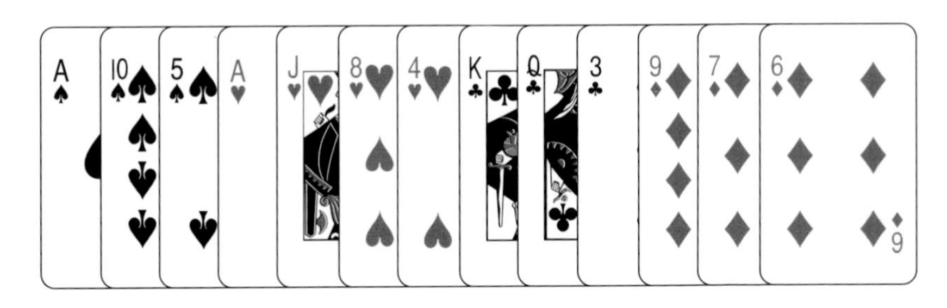

Nella stessa situazione con quest'altra mano dovrà, invece, dire "due cuori":

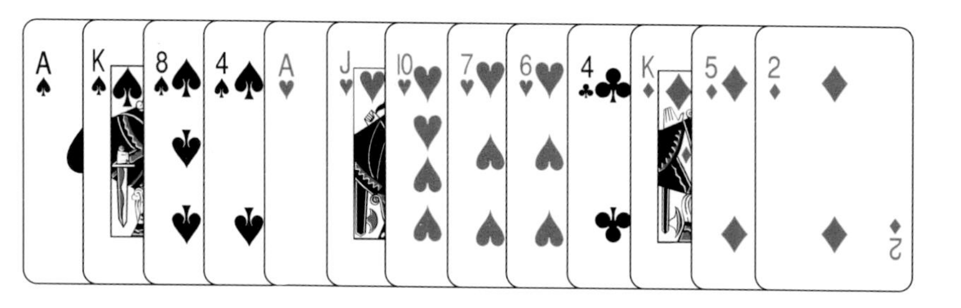

Adesso toccherà al compagno dell'apertore decidere. Il fatto che l'altro abbia ripetuto le cuori vuol dire che le ha almeno quinte.
Quindi, se lui avrà almeno tre (o eventualmente anche due) scartine a cuori, passerà sul due cuori. In caso contrario ridirà "2 senza", il che vorrà proprio dire:"Caro compagno, mi spiace, ma io proprio cuori non ne ho".
La dichiarazione rimbalzerà allora all'apertore che, vista la totale impossibilità di trovare un accordo col compagno, dovrà cercare di ridurre i danni al minimo (cosa che, di solito, si ottiene passando ed evitando quindi di far alzare troppo la licitazione).
Immaginiamo adesso che l'apertore abbia detto inizialmente "1 fiori" e si sia sentito rispondere "2 fiori". Sia con questa mano:

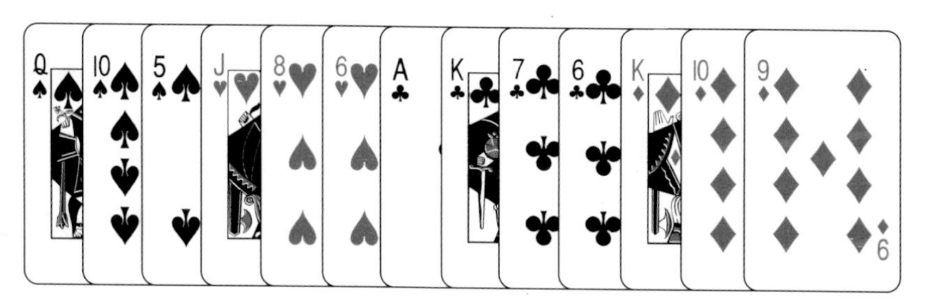

che con quest'altra:

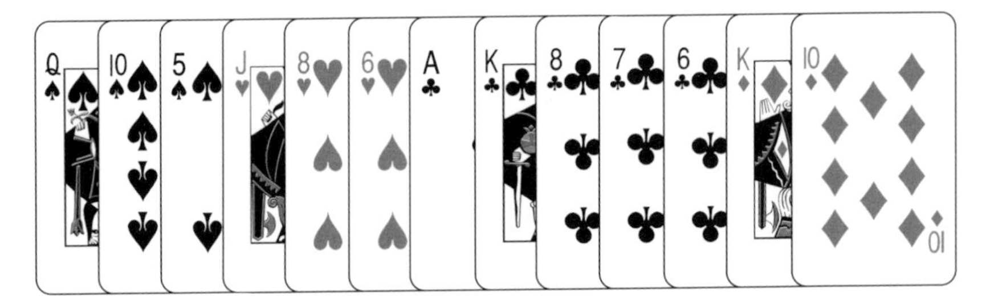

dovrà passare.

Già a questo punto è possibile enunciare alcune altre regole generali:

a) un palo è ripetibile (cioè può essere dichiarato due volte dalla stessa persona) quando è almeno quinto;

b) quando non c'è possibilità di andare a manche perché le carte dell'uno non si accoppiano bene con quelle dell'altro conviene arrestare il più presto possibile la dichiarazione.

A questo proposito conviene ricordare che, in genere, per andare a manche giocando "a senza" occorrono almeno 25 punti, da 26 a 28 (se non vi sono pali particolarmente lunghi o chicane e singleton) giocando ai pali nobili e intorno ai 30 giocando a fiori e quadri.
Quando, invece, il rispondente ha dato una risposta ambigua o positiva, allora l'apertore è obbligato a riparlare. Questo fatto è molto importante e va sempre ricordato. Infatti, anche se l'apertore aveva proprio il minimo per parlare, non può lasciar cadere la licitazione, in quanto il suo compagno che dà risposta ambigua potrebbe, per esempio, avere anche 20 punti in mano.
Ovviamente però, nel continuare il discorso, l'apertore dovrà adesso chiarire se la sua mano è forte o debole e, possibilmente, dovrà anche dare delle informazioni sulla lunghezza dei pali. Queste informazioni vengono date ricordando le due leggi già enunciate prima: un palo può essere dichiarato solo se è quarto e può essere ripetuto solo se è quinto.

Vediamo allora come deve comportarsi l'apertore, dopo che il compagno gli ha dato una risposta ambigua o positiva, nel caso in cui sia debole. Se ha una mano bilanciata (e quindi ha solo quattro carte nel colore di apertura), dovrà nominare 1 senza al più basso livello possibile. Se ha quattro carte nel colore indicato dal compagno dovrà ripetere tale colore al più basso livello possibile. Se ha almeno cinque carte nel palo nominato in precedenza e non può ripetere il palo indicato dal compagno, allora dovrà ripetere il suo palo al più basso livello possibile. Come si vede, quindi, in tutti questi casi l'apertore non ha indicato un nuovo palo. Vi sono però due possibilità di indicare un nuovo palo anche se si è deboli: quando il secondo seme può ancora essere detto a livello uno o quando, dovendolo dire a livello due, si verificano le seguenti circostanze:

a) nel primo seme dichiarato si hanno cinque carte e nel secondo se ne hanno solamente quattro;
b) il secondo seme è di rango inferiore al primo.

Supponiamo che la dichiarazione sia stata la seguente: apertore: 1 picche, rispondente: 2 fiori. L'apertore, adesso, dicendo 2 quadri fornisce al compagno le seguenti informazioni: ho cinque carte di picche e quattro di quadri, però ho una mano debole (cioè al massimo ho 15 punti).
Vediamo adesso i soliti esempi in cui indicheremo la prima dichiarazione di apertura, quella del rispondente e mostreremo la mano dell'apertore:

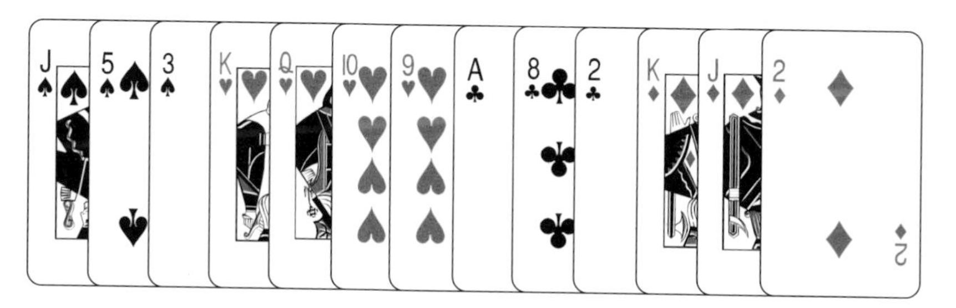

apertore: 1 cuori
rispondente: 1 picche

L'apertore dovrà dire "1 senza".

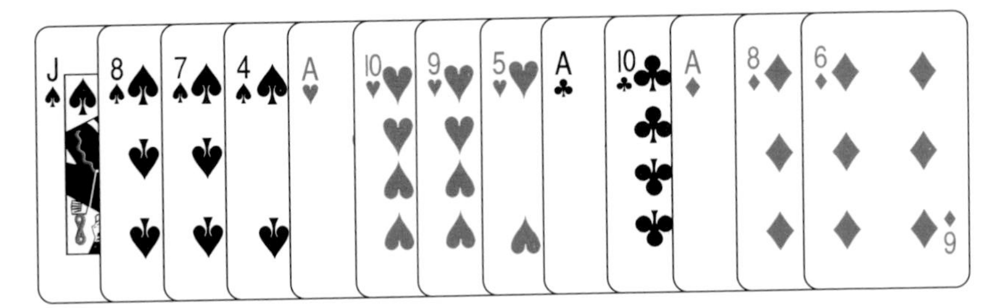

apertore: 1 cuori
rispondente: 1 picche

L’apertore dovrà dire “2 picche”.

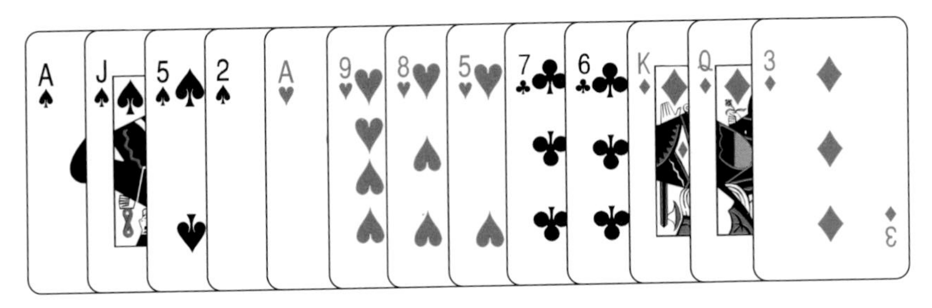

apertore: 1 cuori
rispondente: 2 fiori

L’apertore dovrà dire “2 senza”.

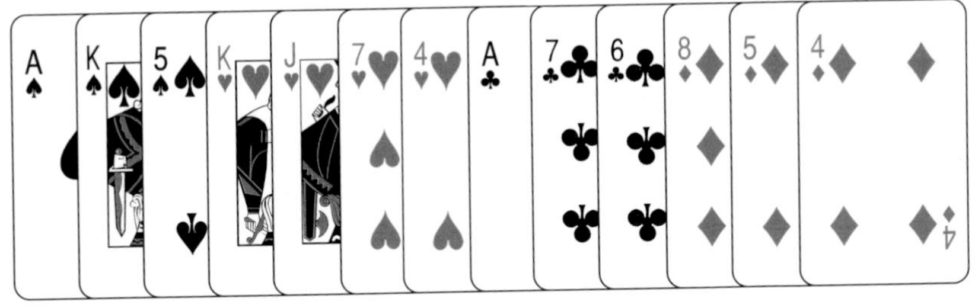

apertore: 1 cuori
rispondente: 2 senza

L’apertore dovrà dire “3 senza”.

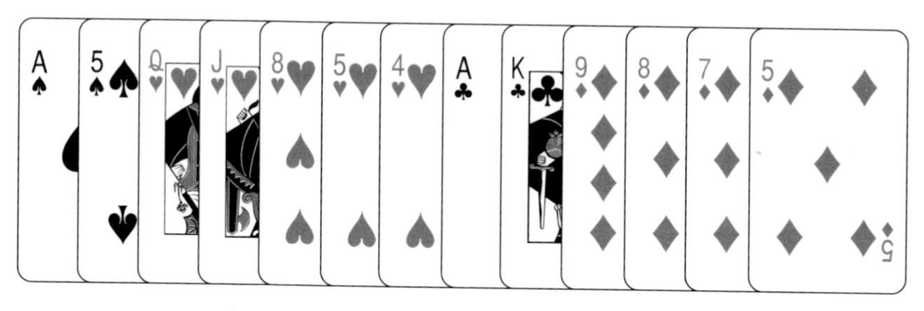

apertore: 1 cuori
rispondente: 2 quadri

L'apertore dovrà dire "3 quadri".

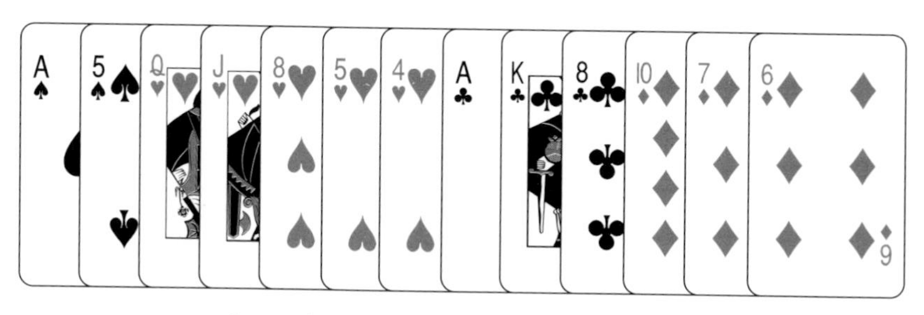

apertore: 1 cuori
rispondente: 1 picche

L'apertore dovrà dire "2 cuori".

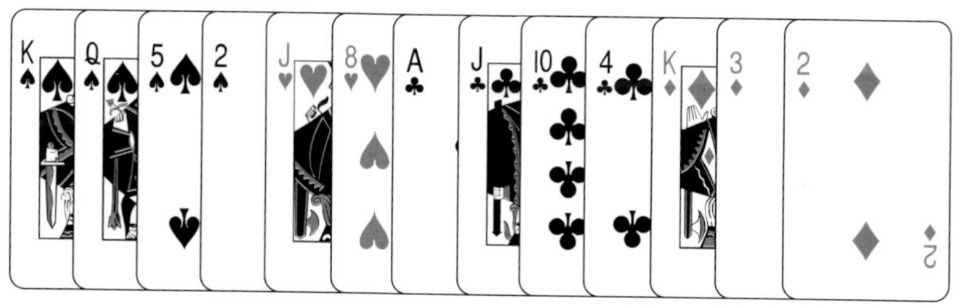

apertore: 1 fiori
rispondente: 1 quadri

L'apertore dovrà dire "1 picche".

apertore: 1 quadri
rispondente: 1 picche

L'apertore dovrà dire "2 fiori" (infatti le fiori sono inferiori di rango alle quadri).

Attenzione però a quest'altro caso:

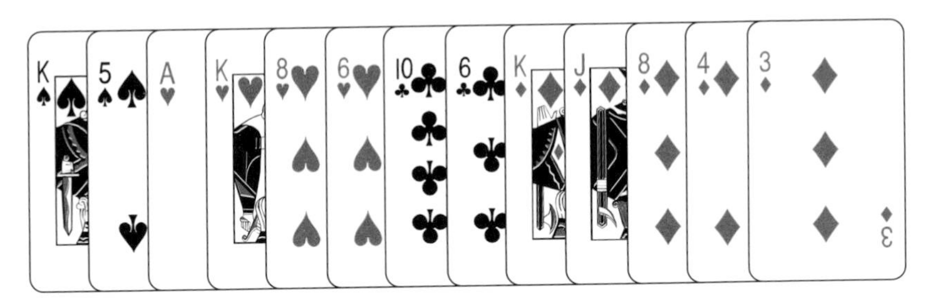

apertore: 1 cuori
rispondente: 1 picche

Ora l'apertore non può dire "2 cuori", in quanto le cuori sono di rango superiore alle quadri e, come vedremo, una dichiarazione del genere equivarrebbe ad una affermazione di forza. Quindi dovrà limitarsi a ripetere le quadri (che sono ripetibili in quanto quinte) dicendo "2 quadri".

Ovviamente la situazione è completamente diversa quando l'apertore ha una mano forte. In questo caso si potranno fare le varie dichiarazioni ricordando le regole generali già enunciate ed evitando accuratamente di fare qualche dichiarazione che potrebbe far pensare a una mano debole.

La situazione potrà essere mostrata bene esaminando alcuni esempi:

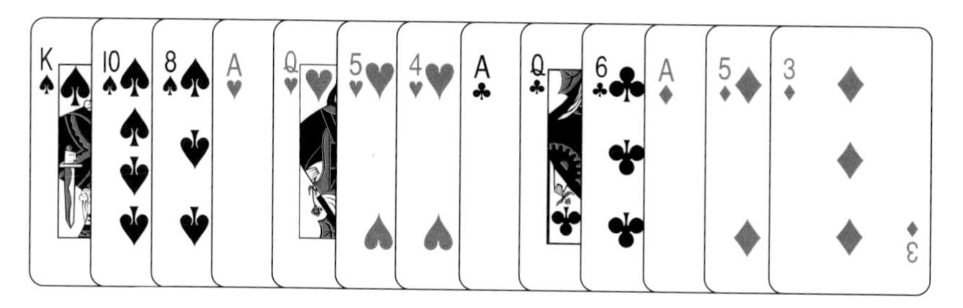

apertore: 1 cuori
rispondente: 1 picche

L'apertore, avendo una mano bilanciata, non può né ripetere le cuori, né nominare un nuovo palo (non può neppure appoggiare quello del compagno in quanto ha solo tre carte). Dovrà, allora, parlare a senza. Però, se dicesse soltanto "1 senza", si dichiarerebbe debole. Allora, avendo 19 punti, dirà "2 senza" (cioè si fa un salto).

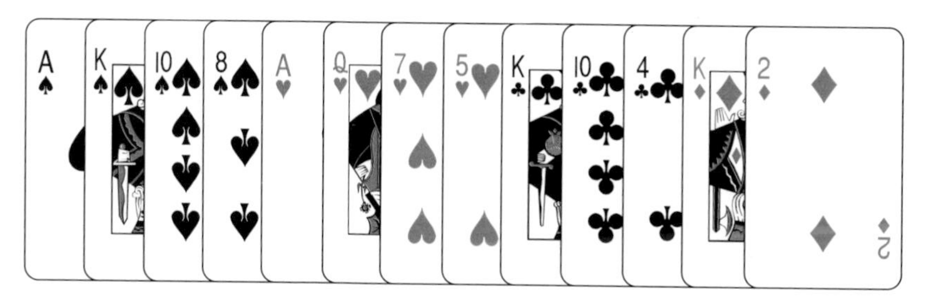

apertore: 1 cuori
rispondente: 1 picche

Evidentemente la mano è tale che conviene informare il compagno del fatto che le picche vanno benissimo e possono essere giocate. Se si dicesse però soltanto "2 picche" si darebbe un'impressione di debolezza. Allora si dirà "3 picche" (cioè si fa un salto).

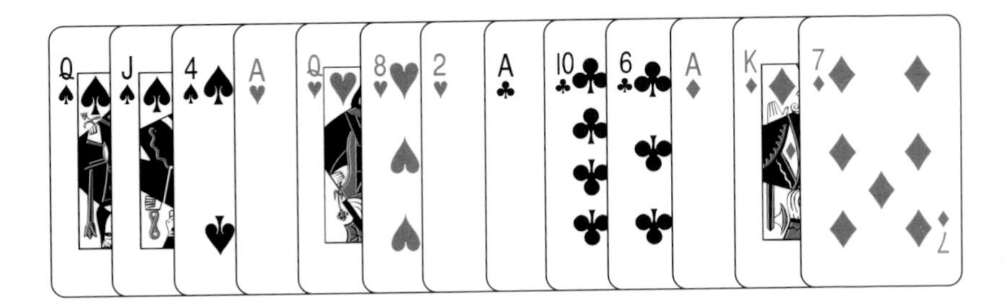

apertore: 1 cuori
rispondente: 2 fiori

Anche in questo caso si devono dichiarare i senza. Però adesso "2 senza" non bastano, in quanto verrebbero detti al più basso livello possibile.
Occorre perciò fare un salto e dire "3 senza".

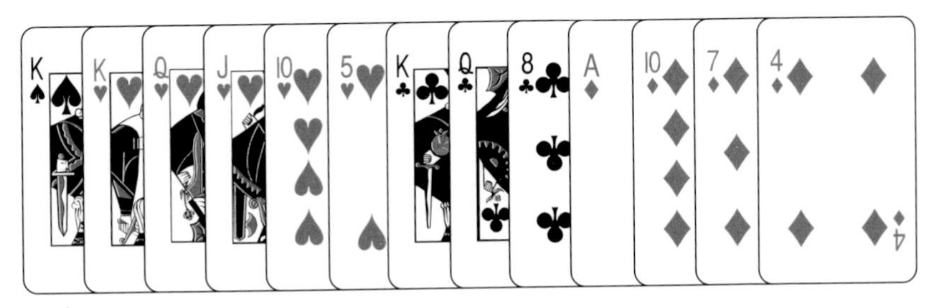

apertore: 1 cuori
rispondente: 2 fiori

Le quadri vanno benissimo, però per far capire che siamo forti non possiamo dirne solamente 3 in quanto così facendo parleremmo al livello più basso possibile.
Per far capire la nostra forza dobbiamo fare un salto e quindi diremo "4 quadri".

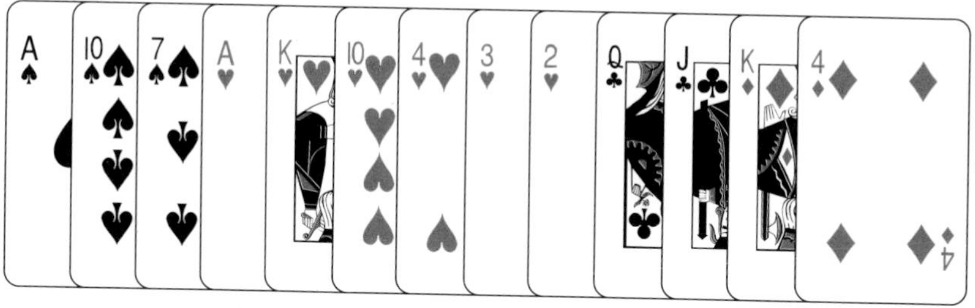

apertore: 1 cuori
rispondente: 1 picche

Siamo forti e abbiamo moltissime cuori. Dobbiamo perciò ripeterle al nostro compagno facendo un salto. Diremo "3 cuori".

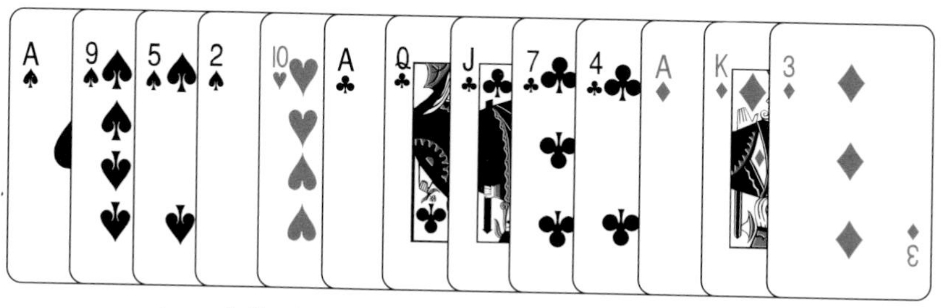

apertore: 1 fiori
rispondente: 1 quadri

Possiamo licitare le picche, però, per far capire la nostra forza, dobbiamo fare un salto e quindi dichiararle a livello due. Diremo perciò "2 picche".

apertore: 1 quadri
rispondente: 1 picche

Possiamo parlare a fiori, Però se lo facessimo a livello due, dimostreremmo debolezza, in quanto le fiori sono di rango inferiore alle quadri. Allora dobbiamo fare un salto e diremo "3 fiori".

apertore: 1 quadri
rispondente: 1 picche

Possiamo parlare a cuori e allora possiamo tranquillamente dire "2 cuori", In questo caso il salto è inutile, in quanto le cuori sono di rango superiore alle quadri e quindi così dichiarando diamo già la dimostrazione della nostra forza.

A questo punto la dichiarazione ritorna al rispondente. Solamente che adesso la situazione si è totalmente chiarita. Infatti l'apertore ha già comunicato al suo compagno se è forte o debole, se ha pali lunghi, se ha più di un palo dichiarabile, se eventualmente ha l'appoggio nel palo che lui ha dichiarato ecc. Spetta quindi al rispondente decidere. Sostanzialmente il rispondente adesso dovrà porsi queste domande:

1. Siamo tanto forti da poter andare a manche? In caso positivo quale seme ci conviene giocare?
2. Siamo tanto forti da poter pensare a realizzare uno slam? Giocando ad atout o a senza?

A seconda delle risposte che si darà, dichiarerà di conseguenza (sempre però tenendo conto delle regole generali esposte). Se per esempio avrà capito che la manche è irraggiungibile, allora passerà o almeno cercherà di fissare il contratto più conveniente o, se non altro, quello meno pericoloso. Se invece penserà che la

manche può essere giocata, allora la dichiarerà. Infine, se crederà possibile anche lo slam, cercherà di avere (o di dare) altre notizie applicando qualcuna delle convenzioni che vedremo fra poco.
Una conseguenza della regola generale per cui ripetendo, al più basso livello, un seme già indicato dal compagno si dà sempre un'informazione di debolezza, la si vede nella cosiddetta "dichiarazione di scelta". Supponiamo, per esempio, che le prime dichiarazioni siano state le seguenti: apertore: 1 cuori, rispondente: 1 picche, apertore: 2 fiori.
A questo punto, il rispondente, vedendosi debole e sapendo che anche il compagno lo è, deve semplicemente limitarsi a scegliere fra i pali che il compagno gli ha indicato. Se lui ha quattro carte a fiori, potrà passare sulle fiori, se invece ha tre carte a cuori, sceglierà il primo palo dicendo "2 cuori". Sono importanti a questo proposito alcune considerazioni. Abbiamo detto che al rispondente bastano soltanto tre carte a cuori per dire "2 cuori", in quanto egli, dalla dichiarazione del compagno, sa che quest'ultimo di cuori ne ha in mano almeno cinque. Quindi insieme hanno otto atout e possono tranquillamente giocare a quel palo. La seconda considerazione, invece, riguarda la possibilità che il rispondente abbia delle cuori, ma sia tanto forte da pensare che si potrà fare la manche. A questo punto, allora, non dovrà parlare al più basso livello (il che, come abbiamo detto, indica debolezza e, praticamente, costringe il compagno a passare), ma dovrà parlare a livelli più alti.
Esattamente, se il rispondente ha una bella mano ma, tenendo conto della debolezza dimostrata dal compagno, non ha la sicurezza della manche, dovrà dire "3 cuori". Tale dichiarazione significa questo: "Caro compagno, io sono forte, però non tanto da andare a manche da solo. So già che tu sei debole, però, se non sei proprio al limite inferiore della tua dichiarazione, cioè se, pur debole, hai una mano abbastanza decente, allora vai tu a manche". È chiaro che con questa dichiarazione spetterà poi all'apertore decidere se fermarsi a tre cuori o andare fino alla manche dichiarandone quattro.
Se invece, dopo la dichiarazione precedente, il rispondente si vede così forte da pensare che, anche col compagno al minimo di ciò che ha detto, la manche è possibile, spetta a lui "chiudere", cioè dichiarare immediatamente la manche dicendo "4 cuori".

L'APERTURA DI "1 SENZA"

L'apertura di "1 senza" presuppone le seguenti condizioni: mano bilanciata e un punteggio compreso fra 16 e 18. Mano bilanciata vuol dire mancanza di pali lunghi e un minimo numero di carte in tutti i pali. Praticamente le mani bilanciate sono quelle in cui la distribuzione, nei vari semi, è la seguente: 4-3-3-3 e 4-4-3-2. Eccezionalmente si può considerare bilanciata anche una mano del tipo 5-3-3-2. Però molti con un palo quinto che sia nobile (cuori o picche) preferiscono aprire sempre di 1 a colore, mentre riservano l'apertura di "1 senza" al caso in cui il palo quinto sia di fiori o di quadri. Un altro problema è quello della "ferma" a tutti i pali. Cioè alcuni sostengono che non basta avere la mano bilanciata e da 16 a 18 punti per aprire in questo modo. Occorre anche possedere almeno un onore in tutti i pali. Altri però aprono di "1 senza" anche quando in uno dei pali vi sono solo scartine. Visto quali sono le condizioni per questa apertura vediamo adesso in che modo deve comportarsi il rispondente. Se il rispondente ha fino a 5 punti deve passare. Solamente se, con punteggio così basso, avesse un palo molto lungo (anche se formato da sole scartine) potrebbe nominare quel palo a livello 2. Se il rispondente ha da sei a otto punti e mano bilanciata dirà "2 senza". Se ha lo stesso punteggio, ma mano sbilanciata con un palo quinto, indicherà il palo a livello due. Se il rispondente ha da nove punti in su (senza però averne tanti da vedere la possibilità di slam) e mano bilanciata, allora dirà "3 senza". Il caso più interessante si verifica quando il rispondente ha una mano positiva (almeno positiva tenendo conto del fatto che il suo compagno ha un'apertura di 1 senza), contenente cioè oltre i 9-10 punti ed un palo nobile dichiarabile. In questo caso solitamente si introduce una dichiarazione convenzionale che ormai adottano quasi tutti e che prende il nome di "Stayman".

Per iniziare tale dichiarazione il rispondente deve dire sempre "due fiori". Si badi bene, in questo caso non occorre assolutamente avere gioco a fiori (in effetti si dovrà dire "2 fiori" anche se uno fosse chicane a tale palo). Questo convenzionale "2 fiori" è semplicemente una richiesta al compagno per avere informazioni supplementari. Ed ecco allora come deve rispondere l'apertore:

2 quadri se ha il minimo dell'apertura (16 o 17 punti) e non ha né quattro carte di cuori, né quattro carte di picche;

2 cuori se ha quattro carte di cuori ma non ne ha quattro di picche (qualunque sia il suo punteggio);

2 picche se ha quattro carte di picche ma non ne ha quattro di cuori (qualunque sia il suo punteggio);

2 senza se ha il massimo dell'apertura (18 punti) ma non ha né quattro cuori né quattro picche;

3 fiori se ha il minimo dell'apertura (16-17 punti), quattro carte a cuori e quattro a picche;

3 quadri se ha il massimo dell'apertura (18 punti) e quattro carte sia a cuori che a picche.

In seguito a questa dichiarazione il rispondente, avendo avuto molte più notizie di prima, è in grado di sapere se gli converrà giocare la manche a senza oppure a uno dei colori nobili.
Come si vede la Stayman è fatta su misura per giocare la manche ai pali nobili. Però può anche accadere che il rispondente sia forte in uno dei pali deboli (fiori e quadri). Come dovrà comportarsi in questo caso? Potrebbe dichiarare la prima volta il suo palo (o fiori o quadri) facendo un salto. Però attenzione: fra due compagni che praticano la convenzione Stayman, dire, in risposta a un "1 senza", "3 fiori" non costituisce salto, in quanto, volendo parlare di fiori senza fare le convenzioni, il livello 3 è proprio il minimo consentito. Comunque va detto che è molto difficile giocare la manche a uno dei pali minori in quanto occorre fare ben undici prese. Di solito coloro che sanno giocare bene la carta anche se hanno un bel palo minore, ma il cui compagno ha una mano forte distribuita, preferiscono tentare la manche a senza dove basta fare nove prese.
Resta adesso da vedere come deve comportarsi l'apertore nel caso in cui il suo compagno non abbia detto il "due fiori" Stayman. Se il rispondente ha nominato un palo a livello due occorre passare. Se il rispondente ha detto "3 senza" occorre passare. Se il rispondente ha detto "senza" allora l'apertore ne dirà tre solamente se ha 18 punti, altrimenti passerà.

Ecco qualche esempio di apertura di 1 senza e relativa dichiarazione. Per semplicità supporremo sempre che l'apertore sia Nord e, quindi, il rispondente sia Sud.

Seme	Nord	Sud	Nord	Sud
♠ P	K - 10 - 5 - 2	J - 6	1 senza	passo
♥ C	A - Q - 10	8 - 4 - 2		
♦ Q	Q - J - 8	Q - 10 - 6 - 3		
♣ F	A - 5 - 4	10 - 9 - 6 - 5		

Sud, avendo soltanto tre punti, non può che passare.

Seme	Nord	Sud	Nord	Sud
♠ P	K - 10 - 5 - 2	J - 6	1 senza	2 senza
♥ C	A - Q - 10	8 - 4 - 2	passo	
♦ Q	Q - J - 8	A - 9 - 6 - 5		
♣ F	A - 5 - 4	Q - 10 - 6 - 3		

Sud, avendo sette punti, dice "2 senza", ma Nord, avendone solo 16, non può che passare.

Seme	Nord	Sud	Nord	Sud
♠ P	K - Q - 10 - 5	J - 6	1 senza	2 senza
♥ C	A - Q - 10	8 - 4 - 2	3 senza	passo
♦ Q	Q - J - 8	A - 9 - 6 - 5		
♣ F	A - 5 - 4	Q - 10 - 6 - 3		

Sud, avendo sette punti, dice "2 senza" e allora Nord, avendone 18, chiude a manche.

Seme	Nord	Sud	Nord	Sud
♠ P	K - 10 - 5 - 2	J - 6	1 senza	3 senza
♥ C	A - Q - 10	8 - 4 - 2	passo	
♦ Q	Q - J - 8	A - 9 - 6 - 5		
♣ F	A - 5 - 4	K - Q - 10 - 3		

Sud, avendo dieci punti e mano bilanciata, chiude a manche e Nord non può che passare.

Seme	Nord	Sud	Nord	Sud
♠ P	K - 10 - 5 - 2	J - 6	1 senza	2 quadri
♥ C	A - Q - 10	8 - 4 - 2	passo	
♦ Q	Q - 5 - 8	A - 10 - 9 - 6 - 5		
♣ F	A - 5 - 4	10 - 7 - 3		

Sud è troppo debole, ma avendo un palo quinto a quadri, lo nomina al più basso livello. Nord non può che passare.

Seme	Nord	Sud	Nord	Sud
♠ P	A - Q - J - 5	K - 10	1 senza	3 quadri
♥ C	A - K - 10 - 7	9 - 8 - 6	3 senza	passo
♦ Q	8 - 4	A - J - 10 - 7 - 6		
♣ F	K - J - 7	Q - 6 - 2		

Sud è positivo ed ha un bel palo a quadri, quindi lo nomina facendo il salto.
Nord, che è proprio scoperto al palo dove il suo compagno è forte, preferisce giocare i “3 senza” piuttosto che tentare un difficilissimo “5 quadri”.

Seme	Nord	Sud	Nord	Sud
♠ P	A - 8 - 3	K - Q - 10 - 5	1 senza	2 fiori
♥ C	K - 10 - 9 - 7	A - 8 - 6	2 cuori	3 senza
♦ Q	A - Q - 5	10 - 9 - 8	passo	
♣ F	A - 10 - 7	Q - 6 - 4		

Sud, essendo positivo ed avendo belle picche, inizia la Stayman. Nord comunica di avere quattro carte a cuori. Allora Sud, non potendo pensare alla manche a picche, preferisce chiudere a senza.

Seme	Nord	Sud	Nord	Sud
♠ P	A - 8 - 3	K - J - 10 - 4	1 senza	2 fiori
♥ C	K - 10	A - 8 - 6 - 5	2 senza	3 senza
♦ Q	A - Q - 9 - 5	10 - 8	passo	
♣ F	A - 5 - 10 - 7	Q - 6 - 4		

Sud, essendo positivo ed avendo belle sia le cuori che le picche, inizia la Stayman. Nord comunica di avere il massimo dell'apertura, ma di non voler giocare a nessuno dei pali nobili. Sud chiude allora a senza.

Seme	Nord	Sud	Nord	Sud
♠ P	A - 8 - 3	K - J - 10 - 4	1 senza	2 fiori
♥ C	A - Q - 9 - 5	K - 8 - 7 - 6	2 cuori	4 cuori
♦ Q	K - 10	J - 9	passo	
♣ F	A - 5 - 10 - 7	K - 6 - 4		

Sud, essendo positivo ed avendo belle cuori e picche, inizia la Stayman. Nord gli comunica di avere in mano quattro carte a cuori. È ovvio allora che Sud chiuda a 4 cuori.

L'APERTURA DI "2 A COLORE"

Le aperture a livello due si fanno sempre con mani forti o, addirittura, fortissime. Cominciamo a considerare, per il momento, le aperture di due a colore, precisando però che non prenderemo ancora in esame l'apertura di "2 fiori". Tale apertura viene infatti da tutti considerata come la più forte che esista e quindi verrà trattata a parte. L'apertura di due a colore si fa soltanto quando si hanno in mano o quattro o cinque perdenti. Cioè siamo nel caso in cui la mano ha caratteristiche tali che il semplice conteggio dei punti-onore non ha molto significato e quindi conviene contare le perdenti. In pratica aprire, per esempio, di "2 cuori" equivale a questo discorso: "Io ho carte tali che se giochiamo avendo le atout come cuori mi impegno, con le mie sole tredici carte, a fare otto prese".
Ecco qualche esempio in cui conviene aprire di due a colore:

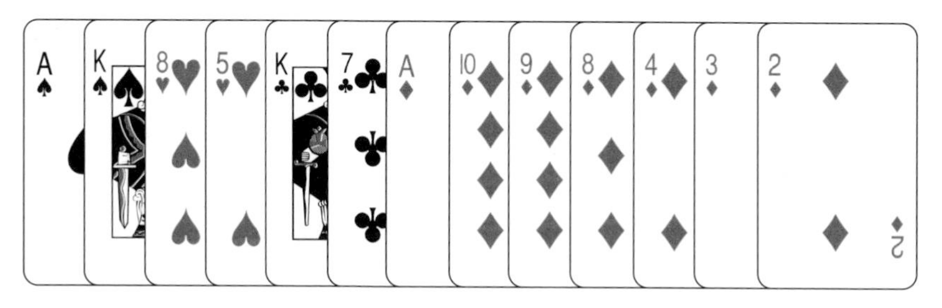

Si apre di due quadri.

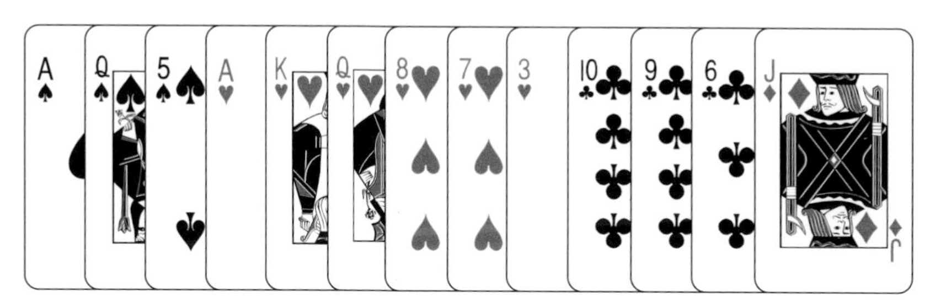

Si apre di due cuori.

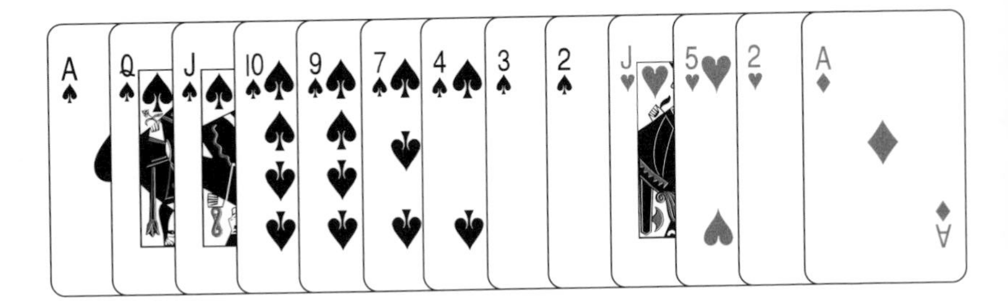

Si apre di due picche (in questo caso va notato che le perdenti sono solo quattro).
E se si hanno soltanto cinque perdenti, ma il palo più forte è quello di fiori? Se si è d'accordo col proprio compagno di riservare l'apertura di "2 fiori" al caso convenzionale che poi vedremo, occorre aggirare l'ostacolo. Si inizierà con "1 fiori" e quindi, facendo un salto, si indicherà la propria forza. È proprio per questa ragione che, se non si è veramente debolissimi, in genere non si passa mai quando il compagno ha aperto proprio di "1 fiori", in quanto ci si potrebbe anche trovare in presenza di una mano molto forte.
Come deve comportarsi il rispondente quando il suo compagno ha aperto di due a colori? Molti teorici dicono che il compagno è obbligato a parlare almeno due volte per debole che sia. Certo che è molto difficile parlare quando in mano non si ha alcun punto! Comunque il rispondente indicherà il suo palo più lungo, se non può appoggiare il palo dichiarato dal compagno e, se proprio non ha nemmeno un palo decente, dirà "2 senza"! Si tenga però conto del fatto che per aprire di due a colore in genere si ha un palo molto lungo e quindi il rispondente può appoggiare il compagno anche se ha meno di quattro carte in quel seme.
Il fatto che il rispondente sia obbligato a parlare porta come conseguenza che se non fa alcun salto è sempre da considerarsi molto debole. Quindi il rispondente, se si ritiene positivo, dovrà indicarlo al compagno facendo un salto nel palo prescelto (o, eventualmente, in quello indicato dal partner). Dopo la prima dichiarazione del rispondente, l'apertore, se ha un altro palo dichiarabile, lo potrà menzionare per indicare al compagno che lui potrebbe giocare anche in questo secondo seme. Al rispondente spetterà la scelta; deve però ricordare che il primo palo dichiarato è sempre il più lungo.

L'APERTURA DI "2 FIORI"

Ed eccoci finalmente all'apertura più forte: quella di "2 fiori", che si fa soltanto quando si hanno esclusivamente tre perdenti. Anche in questo caso le fiori non c'entrano assoluta mente niente. Cioè uno può non avere in mano neppure una sola carta a fiori e dire egualmente "2 fiori". Così dicendo, comunica al compagno: "Guarda che io, con le mie sole carte, mi impegno a fare ben 10 prese". Ovviamente è chiaro che il rispondente deve sempre parlare. Attenzione: qui si deve parlare anche se in mano si hanno tredici scartine (e quindi 0 punti); infatti l'apertore da solo può già andare a manche ma, soprattutto, le fiori non sono necessariamente il palo dell'apertore. Quest'ultimo potrà dire qual è il palo al quale intende giocare solamente nella seconda dichiarazione. Comunque i teorici dicono che il compagno di chi ha aperto di "2 fiori" è obbligato a parlare finché non è stata dichiarata la manche. D'altra parte va specificato che la debolezza del rispondente va vista in funzione del fatto che il compagno ha già detto che, da solo, può fare ben dieci prese. Quindi, tanto per fare un caso pratico, chi ha sette punti, su un'apertura di questo genere fatta dal compagno, dove considerarsi forte.
Se il rispondente è debole dovrà indicare il suo palo più lungo al livello più basso possibile oppure dire "2 senza" se proprio non ha alcun palo dichiarabile. La susseguente dichiarazione servirà a chiarire la situazione. Il caso più interessante è quello in cui il rispondente sia positivo e desideri dare le maggiori informazioni possibili al suo compagno. Tenendo conto del fatto che l'apertore, avendo soltanto tre perdenti, avrà soprattutto interesse a sapere dove sono gli assi che gli mancano, una convenzione molto diffusa, e che permette di dare tutte le indicazioni necessarie, è la seguente. Il rispondente dirà:

- *2 quadri* se non ha alcun asso e, complessivamente, ha meno di sette punti (con l'eccezione che vedremo sotto)
- *2 senza* se non ha alcun asso e complessivamente da sette punti in su, a meno che non abbia soltanto sei punti però formati da due re
- *2 cuori* se ha l'asso di cuori
- *2 picche* se ha l'asso di picche
- *3 fiori* se ha l'asso di fiori

- *3 quadri* se ha l'asso di quadri
- *3 cuori* se ha due assi dello stesso colore (o fiori-picche o cuori-quadri)
- *3 picche* se ha due assi dello stesso rango (o fiori-quadri o cuori-picche)
- *3 senza* se ha due assi di colore e rango diversi (o fiori-cuori o quadri-picche).

L'APERTURA DI "2 SENZA"

L'apertura di "2 senza" si fa con la mano bilanciata ed un punteggio compreso fra 21 e 23 punti. La risposta che darà il compagno è analoga a quella vista a proposito dell'apertura di "1 senza", tenendo però presente che adesso si sa che nella mano dell'apertore vi sono oltre 20 punti. Anche in questo caso si può fare la Stayman, che inizierà con un "3 fiori" del rispondente. Le risposte alla Stayman sono identiche a quelle viste in precedenza, solo che adesso, in ogni caso, bisogna aumentare di un'unità la dichiarazione.

L'APERTURA DI "3 SENZA"

Si tratta di un'apertura eccezionalmente rara che si può fare quando si ha mano bilanciata, onori belli a tutti i pali e almeno 24 punti. In questo caso, non potendo aprire di due fiori (perché può accadere che si abbiano più di tre perdenti) e temendo che il compagno, avendo al massimo due punti, possa passare, si preferisce dichiarare direttamente, già in sede di apertura, la manche.
Comunque si tratta di una dichiarazione talmente chiara che il rispondente, guardando le sue carte, capirà immediatamente se deve accontentarsi del 3 senza o se deve sperare in qualcosa di più riaprendo la dichiarazione.

LE APERTURE DI "3 A COLORE"

Le aperture di "3 a colore" sono sempre aperture deboli, anzi, per essere esatti, sono aperture di "barrage". Esse si fanno, cioè, nei casi in cui si abbia una distribuzione particolare e pochi punti.
Ritenendo che, in una situazione del genere, gli avversari possano avere molti punti e possano quindi giocare un buon contratto, si inizia già a livello tre. Se non altro, in questo modo, si costringono gli avversari a parlare a un livello molto alto, cosa che probabilmente impedirà loro di scambiarsi tutte le informazioni necessarie ad arrivare al migliore contratto. Per aprire di "3 a colore" bisogna avere al massimo dieci punti e una lunga tale da garantire almeno sei prese se si è in prima e sette se si è in seconda (il numero delle prese possibili lo si calcola contando quante sono le perdenti). Ecco qualche esempio in cui conviene aprire di "3 a colore".

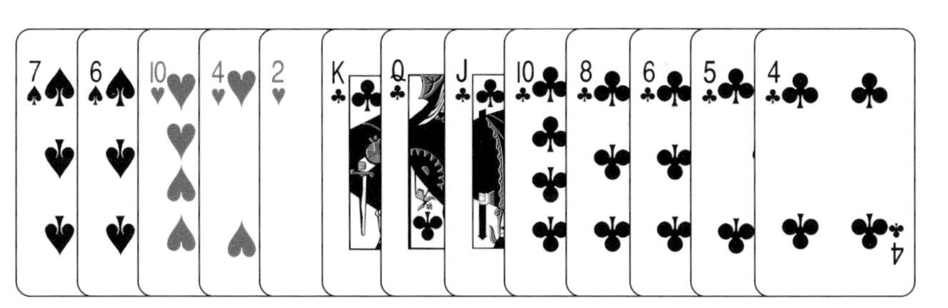

Si apre di "3 fiori"

Si apre di "3 cuori".

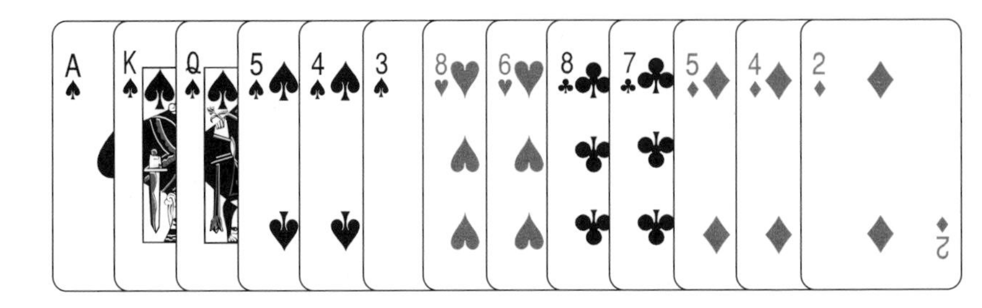

Si apre di 3 picche se si è in prima. Se invece si è in seconda non si apre, in quanto le prese sono soltanto sei e se il compagno non ha niente e si va sotto di tre prese contrate, si perde troppo.
Va osservato che di solito i grandi giocatori usano in larga misura di tale tipo di apertura. Però noi consigliamo coloro che sono alle prime armi di attenersi alle indicazioni date in precedenza.
Infatti sarà bene ricordarsi che, mentre è difficile avere il "coraggio" di contrare un campione affermato, è estremamente semplice contrare un principiante che, magari, giocando la carta commetterà qualche errore e riuscirà così a perdere anche qualche presa... sicura.
E vediamo ora come deve comportarsi il compagno di colui che ha aperto di 3 a colore.
Diciamo subito che in linea generale, se il rispondente non ha a sua volta una mano che gli avrebbe permesso di aprire, deve passare.
Solamente avendo più di 13 punti può riaprire la dichiarazione andando possibilmente a manche.
Se il rispondente ha almeno due carte nel palo dichiarato dal compagno e questo palo è nobile, può dichiarare i quattro nello stesso palo. Se invece il palo è di rango inferiore, allora il rispondente, solo se ha degli onori negli altri tre semi, può chiudere a 3 senza.
Quando l'apertore ha detto 3 a un colore di rango inferiore e il rispondente ha, a sua volta, una mano che gli avrebbe permesso una bella apertura a 3, però in un palo nobile, allora si può anche dichiarare questo palo, però a livello 3. Se l'apertore ha

almeno due carte nel palo dichiarato dal rispondente ed ha, a sua volta, una bella apertura di 3, può chiudere a 4 nel colore del compagno. In caso contrario deve passare.
La situazione peggiore si presenta quando il rispondente, che ha un bel punteggio ed ha anche fermi in tutti gli altri pali, è singleton o addirittura chicane nel palo dichiarato dal compagno. In questo caso egli dovrà dire "3 senza", però si tratta sempre di qualcosa di rischiato, in quanto potrà accadere che, non avendo l'apertore onori in nessun altro palo, non gli sarà possibile sfruttare il suo lungo palo dichiarato in partenza.

L'APERTURA DI "4 A COLORE"

Si tratta, anche in questo caso, di aperture di sbarramento che possono essere fatte quando si hanno sette prese sicure e una probabile. Alcuni autori dicono che la si può fare anche con otto prese sicure, ma in questo caso, allora, la mano è da considerarsi forte e conviene aprire di due nello stesso colore.
Il compagno di colui che apre di 4 a colore, di norma, se non è particolarmente forte, deve passare.

LA RICERCA DELLO SLAM

Fino ad ora abbiamo seguito i due dichiaranti fino alla manche. Quando però i due partners hanno scoperto di essere, complessivamente, tanto forti da poter pensare alla realizzazione di uno slam (per il quale occorrono oltre 30 punti salvo distribuzioni eccezionali), devono cercare di avere altre informazioni reciproche. Generalmente tali informazioni riguardano gli assi e i re posseduti. Ecco due convenzioni che permettono di scambiarsi queste notizie.
Supponiamo che l'apertore, avendo 20 punti, ma più di cinque perdenti, abbia detto "1 cuori" e si senta rispondere dal com-

pagno "3 cuori". Che cosa vuol dire? Evidentemente che oramai i due compagni hanno trovato il palo al quale giocare ed hanno, complessivamente, da 30 punti in su. Probabilmente c'è lo slam.
L'apertore, per sapere quanti assi ha il compagno, dirà "4 senza". A questo punto il rispondente fornirà il numero degli assi posseduti con la seguente dichiarazione:
- *5 fiori*: nessun asso oppure quattro assi
- *5 quadri*: un asso
- *5 cuori*: due assi
- *5 picche*: tre assi

Sarà bene fare due considerazioni. La prima riguarda la dichiarazione di "4 senza". Chi usa questa convenzione non dirà mai "4 senza" con l'intenzione di giocarli effettivamente, in quanto tale licitazione è riservata esclusivamente alla richiesta degli assi.
Una seconda avvertenza riguarda l'eventuale presenza di chicane. Alcuni, quando forniscono la risposta relativa al numero degli assi, contano come asso anche l'eventuale chicane. Infatti, se in un palo non si ha alcuna carta, si può neutralizzare l'eventuale asso degli avversari col taglio. Comunque riteniamo che due giocatori farebbero bene a mettersi inizialmente d'accordo sul contare o meno le chicane nella precedente risposta.
Quando sono stati chiesti gli assi, può essere talvolta interessante anche sapere quanti re ha il compagno. La richiesta (e la risposta) si fa nello stesso modo precedente, salendo però di un gradino. Cioè la richiesta del numero dei re si fa dicendo "5 senza" e le risposte possibili sono le seguenti:
- *6 fiori*: nessun re o quattro re
- *6 quadri*: un re
- *6 cuori*: due re
- *6 picche*: tre re

Le precedenti convenzioni permettono di sapere quanti assi (o re) ha il compagno, però non permettono di sapere quali siano tali assi (o tali re).
A questo problema si può ovviare introducendo un'altra con-

venzione che, anche se a prima vista può sembrare complicata, con un po' di esercizio si rivela abbastanza semplice.
Il principio è il seguente: quando due compagni hanno già trovato il palo e nominano un palo diverso, danno allora delle informazioni relative agli assi e ai re. Cioè, nominando per la prima volta possibile un seme, si dice di avere l'asso in quel seme (o eventualmente uno chicane). Nominando invece per la seconda volta possibile un seme, si dice di avere il re (o un singleton). In questa dichiarazione si salta sempre il palo di atout. Cioè, quando si nomina il palo nel quale si è già raggiunto l'accordo, non si comunica di possederne l'asso o il re, ma si annuncia semplicemente che non si ha nient'altro da dire.
Vediamo adesso un esempio partendo dalla dichiarazione "1 cuori", "3 cuori" di prima. Se dopo il "3 cuori" viene detto "3 picche", vuol dire che si possiede l'asso di picche (o si è chicane a picche). Se invece di dire "3 picche" si dice "4 fiori", si danno, in effetti, due informazioni differenti. Cioè si dice che si ha l'asso di fiori (o il solito chicane, che per semplicità d'ora in poi non ripeteremo più) e, contemporaneamente, si dice anche che non si ha l'asso di picche. Infatti, se si fosseposseduto tale asso, si sarebbe dovuto dire "3 picche" prima di "4 fiori".
Esauriti gli assi, con lo stesso criterio si nominano i pali in cui si ha il re o un singleton.
Ecco un esempio di una possibile dichiarazione con la relativa spiegazione:

- 1 cuori
- 3 cuori
- 3 picche (ho l'asso di picche)
- 4 quadri (ho l'asso di quadri ma non ho quello di fiori se no avrei detto 4 fiori)
- 5 quadri (ho il re di quadri ma non ho il re di picche, altrimenti avrei detto 4 picche, né l'asso di fiori altrimenti avrei detto 5 fiori)
- 5 picche (ho il re di picche)
- 6 fiori (ho il re di fiori)
- 6 cuori (non ho nient'altro da dichiarare e quindi sono tornato al nostro palo)

LE MANI STRANE

I lettori inesperti del bridge che ci hanno seguito fino ad ora molto probabilmente si saranno spaventati di fronte a tante possibili dichiarazioni e avranno pensato che noi abbiamo esaminato tutti i casi possibili. La realtà è ben diversa. Infatti giocando ci si troverà talvolta in presenza di mani talmente strane che, pur conoscendo non solo la teoria esposta in queste pagine, ma anche quella che si trova nei testi specializzati, non si sa che cosa fare. Una volta all'autore di questo libro è capitata questa mano eccezionale (che, probabilmente, non gli si presenterà più in tutta la sua vita):

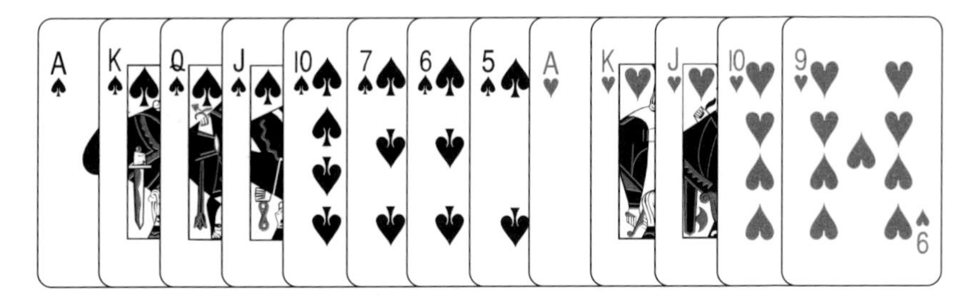

Come l'avreste dichiarata? Qui c'è poco da fare: bisogna lanciare la monetina in aria e dire o 6 picche o 7 picche. Infatti vi sono otto prese matematicamente sicure a picche e quindi 5 prese a cuori se si riesce a catturare la donna di questo seme. In tale caso si farebbe il grande slam. Se invece non si cattura la donna di cuori, le prese a cuori sono solamente quattro e si fa il piccolo slam. Delle carte del compagno la sola cosa che potrebbe servire è la fatidica donna di cuori. Che il compagno abbia gli altri assi e re o che tali carte siano in mano agli avversari non ha alcuna importanza. Serve solo la donna di cuori! Malgrado la fantasia dei teorici, riteniamo che non esista alcun sistema licitativo che possa permettere di scoprire se il compagno ha proprio quella carta. Come è facile vedere quindi ci si potrà sempre trovare in presenza di situazioni impreviste. L'interessante è ricordarsi sempre che si gioca in due e che nelle mani normali si deve dichiarare normalmente. Nei casi eccezionali starà poi al partner, ammesso che vi conosca bene e che abbia fiducia in voi, interpretare in modo corretto l'eventuale dichiarazione "strana" che le vostre "strane" carte vi hanno costretto a fare.

L'INTERVENTO

Fino ad ora abbiamo considerato soltanto la conversazione di due dei quattro giocatori. Però può benissimo accadere che anche la coppia avversaria abbia qualcosa da dire e quindi interferisca. Quando un giocatore ha aperto e un avversario, invece di passare, dichiara a sua volta qualcosa, si dice che vi è stato un "intervento" o una "interferenza".
Generalmente, per intervenire, non occorre avere l'apertura. Basta avere un bel palo dichiarabile (che sia almeno quinto e che abbia degli onori) e almeno una decina di punti. È chiaro, poi, che per intervenire a livello due occorre avere qualcosa di più di quando si interviene a livello uno. Nell'intervento, poi, si deve anche tenere conto della situazione del rubber. Cioè, quando si è in prima si può ancora fare qualche dichiarazione azzardata, ma quando si è in seconda occorre stare molto attenti, perché si corre il rischio di un contre, che può costare molto caro. Vediamo come devono comportarsi gli altri giocatori quando c'è stato un intervento.
Il compagno dell'apertore parlerà soltanto se avrà una mano positiva. In questo caso egli ignorerà l'intervento e dichiarerà come se non vi fosse stata nessuna interferenza. Ma se avrà una mano negativa dovrà passare. Infatti, anche se la dichiarazione del suo compagno fosse stata per lui imperativa, col suo passo non rovina niente, in quanto la dichiarazione, grazie all'intervento, non è caduta e quindi l'apertore potrà riparlare. Comunemente si dice che il compagno dell'apertore che parla dopo un intervento "parla libero" (cioè senza essere costretto a farlo) e quindi deve avere qualcosa da dire (cioè deve essere positivo).
Il compagno di chi è intervenuto se non è positivo deve passare. Se invece ha una mano positiva e almeno tre carte nel palo del compagno, può appoggiare tale palo. La ragione dell'appoggio con tre sole carte è da ricercarsi nel fatto che chi è intervenuto deve possedere almeno cinque carte di quel seme. Come vedremo fra poco, un normale intervento (senza salto) dice chiaramente che chi ha interferito ha meno di quanto gli sarebbe servito per aprire, quindi il suo compagno per parlare deve proprio essere positivo.

È veramente assurdo, per esempio, vedere partite in cui il primo giocatore apre (quindi ha perlomeno tredici punti), il secondo interviene (quindi ha una decina di punti), il terzo parla a sua volta (quindi ha anche lui almeno dieci punti) e anche il quarto (che non può avere più di 6-7 punti) osa parlare. Ovviamente, anche in questo caso, possono esistere situazioni strane determinate da distribuzioni eccezionali. Comunque resta il fatto che parlare in quattro è, di norma, eccessivo.
Altra regola da seguire è questa:
Il compagno di chi è intervenuto, a meno che non sia fortissimo e non abbia un palo veramente molto bello e lungo, non deve mai cambiare palo.
L'apertore, dopo che c'è stato un intervento e dopo aver sentito quanto ha dichiarato il suo compagno, è in grado di avere un'idea molto chiara della distribuzione delle carte e dei punti-onore. Quindi si comporterà di conseguenza. Comunque è bene ricordare che è sempre meglio far giocare un contratto parziale agli avversari piuttosto che andare sotto per aver voluto dichiarare a tutti i costi.
Un altro principio da tenere presente da parte dei dichiaranti, quando vi sia stata qualche interferenza degli avversari, riguarda i contratti a senza. Supponiamo che Nord abbia aperto di 1 picche ed Est sia intervenuto a 2 fiori. Sud ha carte che, senza l'interferenza, gli avrebbero permesso di dire 2 senza. Può dirlo egualmente? Soltanto se ha almeno una valida ferma (per esempio un onore terzo) a fiori (cioè nel palo dichiarato dagli avversari). E Nord, a sua volta, avendo mano bilanciata positiva, può chiudere a 3 senza? Anche lui deve avere una valida ferma nel palo licitato dagli altri. La ragione è molto semplice. Se si gioca ad atout, l'eventuale possesso da parte degli avversari di un palo forte e lungo può essere neutralizzato dai tagli. Ma, giocando a senza, i tagli non sono possibili e quindi, se non si ha la possibilità di bloccare lo sviluppo del palo avversario, si è costretti a cedere troppe prese.
Due casi di sbarramento si verificano quando chi interferisce ha l'apertura o quando si vuole fare azione di sbarramento nei riguardi degli avversari. Cominciamo dal primo caso.
Se un avversario dell'apertore ha a sua volta l'apertura, occorre prima di tutto informare della cosa il compagno. Ciò può

essere fatto in due modi a seconda che la mano abbia una distribuzione abbastanza bilanciata o contenga un solo palo lungo e giocabile. Se chi interferisce ha un palo decisamente bello e pochissime carte nei restanti pali allora l'intervento dovrà essere fatto citando quel palo con un salto. Cioè in pratica, dire "2 picche" dopo un'apertura di 1 fiori equivale a comunicare al compagno che si ha l'apertura, ma che la mano è tale che si può giocare solamente a picche. Gli altri giocatori, dopo un intervento di questo tipo, si comporteranno come abbiamo detto in precedenza. Solo che, in questo caso, il compagno di chi ha fatto l'interferenza sa che il suo partner ha carte che gli avrebbero permesso di aprire se, prima di lui, non lo avessero fatto gli avversari.
Quando invece la mano di chi vuole interferire, oltre ad avere un punteggio da apertura, è anche distribuita in modo tale che si possa pensare di giocare a uno qualsiasi dei pali (escluso ovviamente quello che è già stato dichiarato dall'avversario), allora occorre usare una speciale convenzione: il "contre informativo". Cioè, dopo l'apertore, l'avversario dirà "contre". Con ciò egli comunicherà al suo compagno: "Guarda che io ho l'apertura e posso giocare a uno qualsiasi degli altri pali; scegli tu il seme che preferisci". Quindi occorre fare molta attenzione: questo "contre" infatti non è punitivo, cioè non ha lo scopo di mandare sotto gli avversari. Serve soltanto a dare un'informazione al compagno.
Vediamo adesso come devono comportarsi gli altri giocatori dopo un contre informativo.
Il compagno dell'apertore deve passare se ha una mano debole e almeno tre o quattro carte nel palo dichiarato dal partner; dice due nel palo del compagno, se è debole o anche debolissimo ed ha quattro o più carte nel palo dichiarato; dice "1 senza" se è debole, ma non ha neppure tre scartine nel palo dichiarato e, infine, dice "surcontre" se ha più di dieci punti. Come si vede, quindi, l'unica dichiarazione di positività, in questo caso, è il surcontre; qualsiasi altra dichiarazione è sempre segno di debolezza.
Il compagno di colui che ha dato il contre informativo si comporta in modo diverso a seconda di come ha parlato, prima di lui, il suo avversario. Se quest'ultimo ha detto qualcosa, cioè

ha riaperto la licitazione, allora il compagno di chi ha contrato passa se è debole. Infatti qualsiasi sua dichiarazione, in questa situazione, sarebbe libera. Se invece la successione delle dichiarazioni è stata "apertura-contre-passo" allora il compagno di chi ha contrato è obbligato a parlare. Ciò porta come conseguenza che qualsiasi sua dichiarazione al minimo livello consentito, essendo obbligata, è sempre sintomo di debolezza. Egli cioè dirà 1 senza se proprio sarà debolissimo e non avrà neppure un palo decente, mentre nominerà, al più basso livello possibile, il suo palo più lungo. Se invece egli è positivo, allora dovrà dichiarare tale sua forza facendo un salto o nel colore più lungo o a senza (in questo caso però deve avere almeno una ferma valida nel palo dell'apertore).
L'apertore, quando la dichiarazione gli ritorna, è oramai perfettamente a conoscenza di quella che è la situazione e quindi può decidere di conseguenza. Particolare attenzione va riservata al caso in cui la dichiarazione sia stata "apertura-contre-surcontre-passo-passo". A questo punto tocca parlare al giocatore che ha contrato. Lo svolgimento della dichiarazione lascia capire che la coppia avversaria ha almeno 23 punti (13 dell'apertore e 10 del compagno che ha surcontrato). Chi ha contrato, quindi, deve togliere il surcontre e licitare il suo palo, in quanto, se passasse, farebbe un grande favore ai suoi avversari, che giocando un contratto molto modesto potrebbero sfruttare il surcontre, sia per fare la manche come anche per guadagnare molti punti-premio.
Un caso particolare si verifica quando l'avversario dell'apertore non solo ha l'apertura ma avrebbe addirittura la possibilità di aprire di "1 senza". In questo caso, allora, egli dirà proprio "1 senza" e il resto della dichiarazione si svolgerà come se avesse effettivamente aperto lui. Il suo compagno, per esempio, se è abbastanza forte, potrà iniziare la Stayman. L'unica avvertenza è che, in questo caso, per intervenire con "1 senza" occorre avere almeno una ferma nel palo dichiarato dall'apertore. E così il compagno di chi è intervenuto per ripetere i senza deve avere una ferma nel palo degli avversari.
La più forte dichiarazione di interferenza è la sopradichiarazione del colore licitato dagli avversari. Se per esempio Nord apre di 1 cuori ed Est dice "2 cuori", ciò vuol dire che Est ha

una mano fortissima (al limite, da apertura di due fiori) e che obbliga il compagno a parlare finché non sarà stata dichiarata la manche. Ovviamente dovrebbe essere chiaro che la sopradichiarazione non vuole assolutamente dire che si intendono giocare le cuori che sono il palo chiamato dagli avversari. Restano infine da esaminare gli interventi di sbarramento. Si tratta di dichiarazioni analoghe alle aperture di 3 a colore che hanno, cioè, soltanto lo scopo di impedire agli avversari di parlare e scambiarsi le informazioni necessarie a realizzare contratto. Un intervento di questo tipo si fa quando non si abbia l'apertura e si possieda un palo molto lungo che garantisca un certo numero di prese (sei o sette). Per interferire in questo modo occorre fare un doppio salto nel palo prescelto. Attenti al doppio salto. Se infatti di salto se ne facesse uno solo, si imbroglierebbe il compagno che penserebbe che noi abbiamo l'apertura. Col doppio salto, invece, nessun dubbio. Per esempio, volendo intervenire a picche in questo modo su un'apertura di i fiori (o 1 quadri o 1 cuori), si dovrà dire 3 picche. Invece, volendo intervenire con le fiori su un'apertura di 1 quadri (o 1 cuori o 1 picche), si dovrà dire 4 fiori.

IL GIOCO DELLA CARTA

Come abbiamo già detto, la dichiarazione termina quando si verificano tre successivi "passo". In questo caso la coppia che ha parlato per ultima vince la dichiarazione e l'ultima licitazione fatta costituisce il contratto. Nel caso in cui l'ultima dichiarazione (prima dei tre "passo") sia stata un contre o un surcontre, allora il contratto è quello relativo all'ultima dichiarazione diversa dal contre (o surcontre) fatta.
A questo punto inizia la seconda fase del gioco. Prima di tutto occorre stabilire chi è dei due vincitori della licitazione che deve giocare la mano. Tale compito spetta non a chi ha parlato per ultimo ma a chi ha citato per primo, fra i due compagni, il seme relativo al contratto che viene giocato. Lo stesso vale quando si gioca "a senza". La mano sarà giocata da colui che

per primo ha parlato "a senza". Supponiamo, per esempio, che Nord abbia aperto di un picche, Sud essendo debole abbia detto 1 senza e Nord, essendo invece forte, abbia chiuso a 3 senza. La mano non viene giocata da Nord che, evidentemente, è il più forte fra i due partners, ma da Sud che per primo ha parlato dei senza.

Chiarito questo punto vediamo come inizia il vero e proprio gioco. Colui che si trova alla sinistra di chi dovrà giocare la mano tira fuori la sua prima carta (tale operazione costituisce quello che, in gergo, viene chiamato "attacco"). Solo dopo che l'attacco è stato effettuato, vengono deposte sul tavolo le carte del compagno di colui che giocherà (il "morto"). A questo punto quindi la situazione si presenta nel seguente modo: sul tavolo ci sono la carta di attacco e le tredici carte del morto. Da questo momento sarà il "vivo" che dovrà muovere le carte, le sue e quelle del compagno "morto". Il vivo, osservata la carta di attacco, viste le sue carte e quelle del compagno, dà inizio al vero e proprio gioco.

Come vedremo, c'è una profonda differenza fra gioco a senza e gioco ad atout. Però una considerazione di carattere generale va fatta fin dall'inizio.

Di solito il giocatore inesperto si rivela immediatamente facendo subito tutte le prese sicure. In pratica, appena può, sbatte sul tavolo tutti i suoi assi e re. Ciò è senz'altro da evitarsi. Una regola generale da ricordare è la seguente: c'è sempre tempo a farsi le prese sicure; il vero giocatore di bridge deve prima di tutto cercare di strappare agli avversari qualche presa. Vedremo in seguito come sarà possibile compiere un'operazione di questo genere.

Una precisazione doverosa che si impone adesso riguarda i limiti di queste pagine. Abbiamo già detto che questo non vuole essere un trattato sul bridge e, difatti, a proposito della dichiarazione ci siamo tenuti il più possibile sulle generali. A maggior ragione dobbiamo evitare di scendere nei dettagli parlando del gioco della carta. Oltre tutto va tenuto presente che per imparare a giocare bene la carta non esiste altro metodo che quello di mettersi al tavolino con un mazzo di carte e tre amici volenterosi e continuare a praticare il gioco... fino alla nausea. Comunque ecco qualche consiglio.

IL GIOCO "A COLORE"

Il vivo, quando sta giocando un contratto a colore, deve osservare le carte proprie e quelle del compagno al fine di stabilire quante sono le carte perdenti. Questo calcolo va effettuato tenendo presente che, dato il contratto che si sta giocando, sarà possibile salvare qualche presa con un taglio. Prima di tutto occorre guardare le atout per sapere quante ne sono rimaste in mano agli avversari. Se per esempio noi abbiamo complessivamente otto atout, loro ne avranno cinque. Se noi ne abbiamo nove, loro ne avranno quattro e così via. Quindi occorre esaminare, uno per uno, gli altri semi. Supponiamo, per esempio, che si stia giocando un contratto di 4 picche e che la situazione sia la seguente:

Seme	Vivo	Morto
♠ P	A - J - 9 - 8 - 7	K - Q - 10 - 5
♥ C	8 - 7 - 4	Q - 5
♦ Q	A - K - 4	8 - 7 - 3 - 2
♣ F	A - 5	K - 6 - 4

Per mantenere il contratto di quattro picche occorre fare dieci prese e quindi cederne soltanto tre. Vediamo, allora, quali sono le perdenti. A picche abbiamo nove carte con tutti gli onori, quindi nessuna perdente. A cuori, considerando le carte del vivo, dovremmo dare tre prese. Infatti non è pensabile di sfruttare la donna del morto che è soltanto seconda. La ragione è molto semplice: gli avversari hanno sia il re che l'asso. Quindi, quando giocheremo la prima volta cuori, uno di loro calerà il re e, quando toccheremo il palo la seconda volta, verrà giocato l'asso, sul quale noi dovremo mettere la donna del morto, che sarà così catturata dagli avversari. Ma in effetti, proprio perché al morto ci sono solo due cuori, noi non dobbiamo considerare tre perdenti, ma soltanto due. Infatti, quando saranno passate le due prime mani a cuori, noi avremo ancora in mano una scartina (per esempio l'otto), ma al morto non vi sarà più nessuna carta di quel seme e quindi noi potremo tagliare la nostra perdente con uno dei suoi atout. Quindi a cuori abbiamo soltanto due perdenti. A quadri il conteggio è semplicissimo. Infatti avendo in mano sia il re che l'asso abbiamo due prese sicure. Sarà però altrettanto sicuramente perdente la terza carta. Quindi una perdente a quadri. A fiori, infine, non abbiamo nessuna perdente, perché il vivo ha soltanto due carte di cui una è l'asso. Il re, però, è al morto e perciò la scartina del vivo sarà presa dal morto col suo onore. In complesso perciò le perdenti sono proprio tre (due a cuori e una a quadri) e il contratto potrà essere facilmente mantenuto. Tutto starà a ricordarsi di tagliare la terza carta di cuori.

Per esempio il gioco potrebbe svolgersi in questo modo. Sull'ipotetico attacco a fiori il vivo prende di mano col suo asso. Adesso "batte" le atout, cioè gioca atout fino a quando gli avversari ne hanno ancora. Quando sono state tolte di mezzo le atout degli altri, il vivo giocherà cuori per dare la prima delle sue perdenti. Gli avversari presumibilmente cambieranno palo e rigiocheranno, per esempio, quadri (o fiori, tanto non cambia niente). Il vivo (o il morto) riprenderà e giocherà nuovamente cuori per dare la seconda perdente e, contemporaneamente, "asciugare" il morto. Dopo il nuovo gioco degli avversari il vivo tornerà di mano e metterà sul tavolo la sua terza cuori che taglierà con un atout del morto. Oramai non resta che fare tutte le prese e dare, in fondo, l'ultima perdente. Il contratto è stato mantenuto.

La precedente partita, anche se molto semplice, ci serve prima di tutto a una considerazione fondamentale. Il vivo, appena ha preso la carta di attacco, ha immediatamente "battuto" le atout. Perché lo ha fatto subito? La ragione è molto semplice: è bene togliere il più presto possibile agli avversari tutte le loro atout per impedire che siano essi a fare qualche taglio portandoci via qualche presa sicura. Talvolta, però, questo modo di giocare potrebbe non essere conveniente. Ciò si verifica quando dobbiamo salvare qualche nostra perdente tagliandola col morto e, data la distribuzione delle atout, pensiamo che per togliere anche tutte quelle degli avversari saremo costretti a togliere anche tutte quelle che ci sono al morto.

In pratica cioè, chi sta giocando la partita, dopo aver fatto il conto delle perdenti, deve porsi la seguente domanda: "Il mor-

to deve tagliare?" Se la risposta è negativa, allora nessun dubbio che si debba battere immediatamente. Se la risposta fosse positiva, va posta un'altra domanda: "Il morto è abbastanza lungo in atout da poter tagliare quando si è finito di battere?". Se la risposta a questa domanda è a sua volta positiva, si può senz'altro battere e aspettare a fare il taglio dopo. Se però questa seconda risposta fosse negativa, allora occorre prima di tutto cercare di far fare il taglio al morto e, subito dopo, battere le atout. Per giudicare se la lunghezza del morto è sufficiente o no basta una semplice considerazione matematica. La distribuzione più probabile delle carte restanti di un seme che sono in mano agli avversari è la seguente:
a) se gli altri hanno cinque carte la distribuzione sarà 3 e 2;
b) se gli altri hanno quattro carte la distribuzione sarà 3 e 1;
c) se gli altri hanno tre carte la distribuzione sarà 2 e 1.

Nel nostro caso precedente, avendo in totale nove atout e restandone soltanto quattro agli avversari, dovevano pensare di battere tre volte; al morto allora sarebbe rimasta ancora una atout per fare il suo taglio.
Un altro modo per salvare una perdente è quello di giocarla su una vincente del morto.
Consideriamo per esempio questa mano, quasi simile alla precedente, però molto diversa nel gioco. Supponiamo che si giochi ancora un contratto di quattro picche e che le carte siano queste:

Seme	Vivo	Morto
♠ P	A - J - 9 - 8 - 7	K - Q - 10
♥ C	8 - 7 - 4	9 - 5
♦ Q	A - K - 4	8 - 7 - 3 - 2
♣ F	A - 5	K - Q - 4 - 3

In questo caso è meglio non pensare al taglio della terza perdente a cuori, perché il morto ha soltanto tre atout e quindi, per fare un gioco del genere, dovremo aspettare a battere col rischio di ricevere qualche taglio da parte degli avversari. Sia-

mo perfettamente d'accordo sul fatto che, se non avessimo altre possibilità, dovremmo giocare proprio in questo modo. Però una possibilità c'è, ed *è* quella di sfruttare gli onori a fiori del morto.
Giocando l'asso di fiori, faremo sicuramente presa, quindi, giocando la scartina che è al vivo, prenderemo col re del morto. Ma a questo punto il morto avrà ancora la donna di fiori *buona* e il vivo non avrà più fiori. È ovvio allora che, al terzo giro in questo seme, il vivo scarterà la sua cuori perdente proprio sulla donna di fiori del morto. In questo modo la perdente sarà stata salvata e il contratto potrà essere mantenuto.
Un'osservazione importante da fare riguarda il conteggio delle perdenti che è stato effettuato in base alle carte del vivo e non a quelle del morto. La ragione è da ricercarsi nel fatto che occorre sempre prendere come riferimento le carte migliori e usare le altre soltanto in funzione delle prime. Proprio per questa ragione, mentre è sempre vantaggioso tagliare dal morto, non lo è mai tagliare di mano (a meno che non vi si sia qualche ragione specifica). Comunque va precisato che, in certi casi, è il morto a essere più forte del vivo e allora si gioca, come si suol dire, "a morto rovesciato", cioè bisogna prendere come riferimento le carte scoperte e non quelle che si hanno in mano. In questo caso, allora, sarà vantaggioso tagliare di mano e non viceversa.

IL GIOCO "A SENZA"

Il gioco a colore è tutto condizionato dall'esistenza di un seme privilegiato, seme nel quale i giocatori hanno il maggior numero di carte. Nel gioco "a senza" invece, manca tale seme privilegiato e quindi occorrerà maggiore prudenza e soprattutto si dovrà tenere presente la situazione di tutti e quattro i semi. In questo gioco, cioè, qualsiasi carta, per piccola che sia, può assumere un'importanza determinante. Infatti anche una semplice scartina, quando si è "affrancata" (cioè quando sono già state girate tutte le carte del suo seme a lei superiori) può fare tranquillamente presa. Proprio per questo motivo il gioco

"a senza" è quello più difficile e, ovviamente, quello preferito dai veri giocatori, ma temuto dai principianti.
Dopo che è stato effettuato l'attacco e che sono state scoperte le carte del morto, il vivo dovrà contare le sue vincenti (mentre, lo ricordiamo, nel gioco a colore occorre contare le perdenti). Effettuato tale calcolo bisognerà vedere quali sono le prese che vanno affrancate per poter arrivare a mantenere il contratto. Consideriamo, per esempio, questa mano in cui si sta giocando un 3 senza:

Seme	Vivo	Morto
♠ P	A - K - 10	Q - 6 - 4
♥ C	K - Q - 9	J - 10 - 8 - 6
♦ Q	10 - 8 - 7 - 5	A - 6 - 4
♣ F	A - 4 - 3 - 2	K - 9 - 8

Dovendo giocare 3 senza dobbiamo fare nove prese. Vediamo quali sono le vincenti. A picche, possedendo asso, re e donna, abbiamo tre prese sicure. A cuori, mancandoci l'asso, non abbiamo nessuna presa sicura (come vedremo, di prese in questo seme ne faremo parecchie ma, per il momento, diciamo pure che non ne abbiamo nessuna); a quadri abbiamo una sola presa sicura (l'asso) e, infine, a fiori abbiamo due prese sicure (asso e re). In complesso, abbiamo quindi già sei prese sicure. Per arrivare al contratto ne dobbiamo trovare altre tre. Vediamo in quali semi potremmo cercarle. Non certo a picche (dove abbiamo solo tre carte sia al vivo che al morto) e neppure a fiori o a quadri in cui, a parte gli onori sicuri, abbiamo soltanto scartine. Non ci resta che cercare le tre prese restanti proprio a cuori. In questo seme, d'accordo che ci manca l'asso, però poi abbiamo tutte le carte più alte: re, donna, fante, dieci, nove... È allora evidente che noi daremo agli avversari l'asso di cuori ma, a quel punto, avremo la possibilità di fare a cuori le tre restanti prese che ci servono. Attenzione, però, al modo in cui va giocata questa mano. Supponiamo che l'attacco sia stato a fiori. Noi allora pigliamo subito e immediatamente giochiamo cuori. Se gli avversari passano subito l'asso,

bene, perché, quando torneremo in presa, ci faremo tutte le nostre prese, essendosi ormai affrancate le cuori. Se gli avversari, invece, non passano subito l'asso, noi faremo presa a cuori e continueremo con lo stesso seme finché o cade l'asso o abbiamo realizzato le tre prese che ci servono a cuori.
Se noi, dopo la prima presa, per esempio di re di fiori, ci fossimo comportati come i principianti e avessimo giocato subito le nostre carte buone, cioè i re e gli assi, avremmo fatto le sei prese sicure, ma a questo punto saremmo stati costretti a passare la mano agli avversari i quali avrebbero preso tutto, perché oramai, essendo rimasti senza onori, non avremmo più avuto la possibilità di prendere le loro carte di picche o di quadri o di fiori.
Una situazione molto spiacevole per noi si sarebbe verificata anche se l'attacco fosse stato effettuato a quadri invece che a fiori. Infatti, in questo caso, per entrare in presa la prima volta avremmo dovuto sprecare la nostra unica ferma in quel palo (l'asso). Dando poi la mano a cuori per far cadere l'asso, gli avversari sarebbero sicuramente tornati a quadri facendo molte prese e, se uno di loro avesse avuto quel seme molto lungo, avremmo corso il rischio di andare sotto. Come vedete, quindi, specialmente a senza, vale questa regola aurea: *finché non si sono affrancate le carte necessarie a mantenere il contratto non bisogna giocare i propri onori.*
Esiste però un'altra possibilità per realizzare delle prese apparentemente impossibili: quella di affrancare pali lunghi o almeno pali in cui, complessivamente, fra vivo e morto si posseggono molte carte. Consideriamo questa mano, che apparentemente è simile alla precedente e che invece, deve essere giocata in un modo molto diverso. Supponiamo che, anche qui, si debba giocare un contratto di "3 senza". Ecco le carte:

Seme	Vivo	Morto
♠ P	A - K - 10	Q - 6 - 4
♥ C	K - Q - 9	J - 10 - 8
♦ Q	10 - 8 - 7 - 3	A - 6 - 5 - 4
♣ F	A - 4 - 3 - 2	K - 9 - 8

La situazione delle vincenti è perfettamente eguale a quelle di prima: sono sempre sei. Per quanto riguarda le tre prese mancanti adesso, però, non possiamo pensare di realizzarle tutte a cuori, in quanto in questo seme abbiamo soltanto tre carte da una parte e tre dall'altra e quindi, dovendo dare l'asso agli avversari, potremo fare solamente due prese. La nona presa che ci manca deve venire fuori da un altro seme. A questo punto allora dobbiamo vedere qual è il palo nel quale abbiamo il maggior numero di carte. Come si può osservare, si tratta di quadri in cui, complessivamente, possediamo otto carte. Supponendo che le restanti cinque carte siano distribuite nella maniera più probabile, ci sarà uno dei nostri avversari che avrà tre quadri e l'altro che ne avrà due. Se noi allora giocheremo quadri conquistando una presa con l'asso e dandone altre due ai nostri avversari, ci saremo affrancati una presa, cioè le due ultime carte di questo seme (una al vivo e una al morto) saranno franche. In questo caso, allora, il nostro primo obiettivo sarà proprio quello di continuare a giocare quadri finché non otteniamo l'affrancamento dell'ultima. Dopo aver raggiunto tale affrancamento, allora potremo puntare sulle cuori per far cadere l'asso e realizzare così le altre due prese che ci mancano per arrivare al nostro contratto.
Indubbiamente questo gioco è pericoloso, sia perché nessuno può garantirci che effettivamente le quadri siano distribuite nel modo più probabile, sia anche perché, dovendo dare parecchie volte la mano agli avversari, può accadere che questi ci smontino a qualche palo (cioè ci costringano a giocare i nostri onori) e dopo si facciano le carte franche che sono loro rimaste in mano in quei semi. Comunque c'è poco da dire: se vogliamo tentare di mantenere il contratto dobbiamo correre questi rischi.
Osservando la distribuzione precedente si può anche pensare che avremmo potuto tentare lo stesso ragionamento fatto a proposito delle quadri anche con le fiori. Infatti noi possediamo complessivamente sette fiori e gli avversari ne hanno sei. Se tali sei carte fossero distribuite in parti uguali, cioè tre all'uno e tre all'altro, allora noi avremmo potuto affrancare la quarta carta di fiori del vivo. Però, come abbiamo detto, la distribuzione più probabile, quando ci mancano sei carte, è la 4-2 e non la 3-3. Quindi, con questa mano, il gioco va tentato sulle quadri e non sulle fiori.

I RIENTRI

Abbiamo visto, nei due paragrafi precedenti, che molte volte, per poter realizzare il nostro contratto, dobbiamo o giocare delle carte affrancate o fare dei tagli. Affinché ciò sia possibile però occorre poter giocare dalla parte che interessa. Cioè se noi ci siamo affrancati una scartina del morto, ma non abbiamo più alcuna possibilità di "andare" al morto, allora quella carta, anche se affrancata, non ha alcun valore. Lo stesso discorso riguarda i tagli. Se in mano abbiamo una perdente che potrebbe essere tagliata dal morto, ma non abbiamo alcuna possibilità di prendere di mano per poter giocare proprio quella carta, non potremo più fare il taglio.
Per tutte queste ragioni è molto importante, quando si sviluppa un gioco, tenere conto degli eventuali rientri. Se, per esempio, abbiamo un morto particolarmente debole, ma con un palo lungo, e pensiamo di poter affrancare qualche carta di tale palo, dobbiamo cercare di risparmiare il più possibile gli onori del morto in modo da poterli usare come rientri quando il suddetto palo sarà stato affrancato.
A questo proposito un caso particolare è quello che riguarda il cosiddetto pericolo di "incartarsi". Ciò succede quando, avendo, fra vivo e morto, un palo particolarmente lungo ma distribuito in maniera irregolare fra le due mani, si resta, alla fine, con la presa dalla parte in cui non si ha alcuna carta di quel seme. Supponiamo, per esempio, di avere di un certo palo asso, re e scartina al vivo e donna, fante e tre scartine al morto. Supponiamo di giocare, la prima volta che tocchiamo quel palo, donna o fante del morto e di passare la scartina del vivo. A questo punto, ritoccando quel palo siamo costretti a prendere di mano (o con l'asso o col re), quindi possiamo ancora fare un'altra presa con l'onore che ci è rimasto in mano. Ma ora? Al morto vi sono due carte franche ma noi, non potendo giocarle, abbiamo perso due prese sicure. Se invece iniziamo giocando la scartina del morto per uno degli onori del vivo, continuiamo quindi con l'altro onore del vivo e quindi giochiamo la scartina di mano, allora il morto prenderà con la donna e col fante e, successivamente, potrà giocare le scartine che si sono affrancate. Tutto questo discorso può essere abbreviato con la seguente legge: *per non incartarsi, quando si hanno onori da entrambe le parti conviene giocare per primi gli onori dalla parte più corta.*

IL CONTROGIOCO

Fino ad ora ci siamo occupati del gioco di coloro che, avendo dichiarato un certo contratto, cercano di mantenere l'impegno. Non bisogna però dimenticare che al tavolo ci sono anche gli avversari che, ovviamente, cercano di fare in modo che gli altri non riescano a mantenere l'impegno assunto. Proprio per mettere in evidenza questo atteggiamento "negativo" il gioco degli avversari prende il nome di "controgioco".
Fare un buon controgioco è quanto mai difficile e, purtroppo, riteniamo che sia impossibile scrivere qualcosa di preciso e definitivo su questo argomento. Già la prima mossa, cioè l'attacco, che deve essere fatta al buio, cioè senza neppure vedere le carte del morto, può decidere, sia in senso positivo che negativo, tutto il successivo svolgimento della mano. Una statistica afferma che in media il 60% dei contratti di bridge dipende soltanto dalla carta che verrà scelta per attaccare. Rispetto al vivo, che può anche muovere le carte del morto, gli avversari hanno il grande svantaggio di non vedere le carte del compagno e, proprio per questo, vengono introdotte speciali convenzioni da usarsi durante il gioco della carta per indicare al partner che cosa si ha in mano.
Un abile giocatore di bridge, quando cerca di impedire agli avversari di realizzare il loro contratto, deve cercare di sfruttare al massimo tutto ciò che gli può servire: lo svolgimento della dichiarazione che gli permette di avere informazioni sulle carte del vivo, la visione delle carte del morto, gli scarti del compagno, gli eventuali interventi che il partner ha fatto durante la dichiarazione. Ma, soprattutto, chi fa il controgioco deve cercare di capire, dallo svolgimento del gioco da parte del vivo, quali sono le sue intenzioni. Due esempi dovrebbero servire a chiarire questo punto.
Abbiamo detto che, se si gioca a colore, conviene battere subito, a meno che il morto abbia la possibilità di tagliare. Se ci si accorge cioè che il vivo, invece di battere, gioca proprio le carte di un palo che è corto al morto, vuol proprio dire che l'altro avrà qualche perdente, in quel seme, da tagliare. In questo caso chi fa il controgioco ha tutto l'interesse a far cadere le atout per impedire il suddetto taglio. Quindi, ogni qualvolta un av-

versario del vivo andrà in mano, dovrà, se ne ha ancora, battere lui le atout.
Un altro esempio tipico è quello in cui ci si accorge che il vivo sta cercando di affrancare alcune carte di un palo lungo del morto. Se tale morto è debole ed ha, per esempio, un solo rientro, bisogna cercare di far cadere quel rientro prima che il palo si sia affrancato. Ecco allora che bisogna continuare a giocare nel seme in cui il morto è più forte.
Sarebbero possibili molti altri esempi, però per ragioni di spazio ci limitiamo a ripetere quanto abbiamo detto in precedenza: mettetevi al tavolino e giocate il più possibile. Vedrete che, con l'esercizio, diventerete abili non solo nel gioco ma anche nel controgioco.
Prima di finire questo paragrafo, vogliamo dire qualcosa sulla convenzione che viene usata di solito per dare qualche informazione al proprio compagno quando si fa il controgioco. Uscire con una carta piccola di un seme vuol dire che in quel palo si ha un onore, cioè in pratica è un invito al compagno a rigiocare proprio quel seme. Viceversa uscire con una carta alta vuol dire che in quel seme non si ha nulla. Quando invece è stato il compagno a giocare per primo (e quindi noi siamo terzi nel girare la nostra carta), la situazione si capovolge: la carta alta corrisponde a una situazione positiva mentre quella bassa equivale a un rifiuto del palo.
Qualche cenno ancora sul problema della carta con la quale si deve attaccare. Comunque, se a questo proposito vi capiterà di sbagliare non scoraggiatevi, in quanto molte volte anche i campioni, sbagliando attacco, regalano agli avversari un contratto che altrimenti questi ultimi non sarebbero mai riusciti a realizzare.
Se si gioca a senza e il proprio compagno non è intervenuto nella dichiarazione, conviene attaccare nella quarta carta del proprio palo più lungo (salvo che tale palo sia formato proprio da quattro scartine o sia stato precedentemente nominato dagli avversari). Se però si ha una sequenza di almeno tre carte alte (AKQ, KQJ, QJ10 ecc.), conviene attaccare nella più alta di queste carte. Quando invece, sempre giocando a senza, si ha un compagno che, nel corso della dichiarazione, ha nominato un suo palo, conviene attaccare con una carta di tale palo. Anche

in questo caso però ci possono essere delle eccezioni. Se, per esempio, dopo l'intervento del compagno gli avversari hanno più volte parlato di "senza", vuol dire che essi hanno molte ferme a quel palo e quindi l'attacco in quel seme potrebbe essere svantaggioso.
Giocando a colore, forse, l'attacco è ancora più difficile: se si ha una forte sequenza di onori, conviene attaccare con la carta più alta della sequenza; se il compagno ha licitato un palo, può convenire attaccare con una carta di quel seme; se si ha un singleton o un doubleton (e ovviamente qualche atout), può convenire attaccare in quel palo nella speranza di riuscire a fare qualche taglio; se il giocatore che morirà ha dimostrato durante la dichiarazione di non gradire molto la scelta di quel seme come atout, vuol dire che ne ha poche: in questo caso l'attacco ad atout può essere utile, perché può portare via al morto una carta che potrebbe servire per un taglio. Anche quando il vivo ha dimostrato, con la sua dichiarazione, di possedere due pali lunghi, può essere utile l'attacco in atout, perché probabilmente egli avrà bisogno di tagliare qualche perdente del palo lungo che non è stato scelto come atout. Un attacco che potremmo definire di attesa è quello che si fa in un palo in cui si possiede asso e re. In questo caso, giocando uno dei due onori, si farà sicuramente la presa, si terrà ancora una ferma in quel palo e si avrà il vantaggio di "vedere" il morto per decidere, al momento di giocare la seconda carta, che cosa converrà fare.
Prima di finire vogliamo ricordare quella che potrebbe essere considerata una regola aurea: quando il vivo sta facendo un certo gioco evidentemente avrà un certo interesse a farlo, quindi, anche se non si è capito a che cosa l'avversario stia mirando, bisogna egualmente evitare di fare il suo gioco.

ALCUNE SITUAZIONI CARATTERISTICHE

Alcuni schemi di gioco si ripetono con grande regolarità e quindi sarà bene esaminarli in particolare. Cominciamo con quello che in gergo prende il nome di "impasse". Supponiamo che le carte di Nord e Sud, a un certo seme, siano le seguenti:

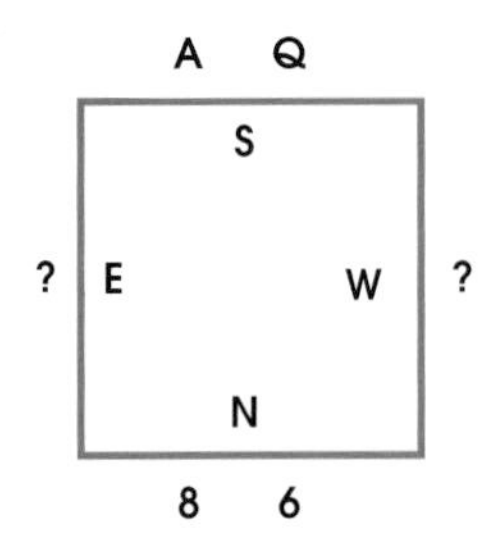

Supponiamo anche che si stia giocando a senza o che, non avendo gli avversari più alcuna atout, non ci sia pericolo di taglio. È abbastanza ovvio che nel seme precedente una presa è sicura (quella che si farà con l'asso). Qui il problema è semplicemente quello di riuscire a fare anche presa con la donna, cioè realizzare complessivamente a quel seme due prese invece di una.
Se Nord, che supponiamo sia il vivo, giocasse di mano una delle sue scartine e quindi passasse l'asso del morto, avrebbe fatto una presa, ma perderebbe sicuramente la seconda. Infatti l'avversario che ha il re, vedendo la donna, passerebbe il suo onore e quindi conquisterebbe la presa. La coppia Nord-Sud per il semplice fatto di aver giocato per primo l'asso farebbe una sola presa. Anche toccando le carte del morto la situazione non cambierebbe. Infatti giocando per primo l'asso si ritornerebbe al caso di prima e, viceversa, giocando per prima la donna, si verrebbe sicuramente superati dal re dell'avversario. Come si può allora, in una situazione del genere, fare tutte e due le prese? C'è una sola possibilità: sperare che il re si trovi in mano a Est. In questo caso allora bisogna agire così: si gioca una scartina dal vivo, se Est passa il re lo si supera, se invece il re non cade si passa la donna. A questo punto, non essendoci il re in Ovest, si è fatta la presa con la donna e quindi non resta che incassare l'asso. E se il re fosse stato in mano a Ovest? Evidentemente egli lo avrebbe passato sulla nostra donna e noi avremmo fatto una sola presa a questo palo. Ma, sia ben chiaro, giocare bene non vuol dire fare prese impossibili, vuol dire semplicemente cercare di fare tutte quelle che sono, in un modo o in un altro, possibili. In questo caso l'unica possibilità di fare due prese, cioè di salvare la donna, era quella di trovare il re avversario in Est e di giocare come abbiamo detto prima.

Questo particolare tipo di gioco serve a salvare un onore inferiore a uno posseduto dagli avversari. Lo si attua iniziando a giocare il seme sempre dalla parte opposta a quella in cui si trova l'onore da salvare.
Vediamo adesso l'"espasse". Consideriamo questa situazione:

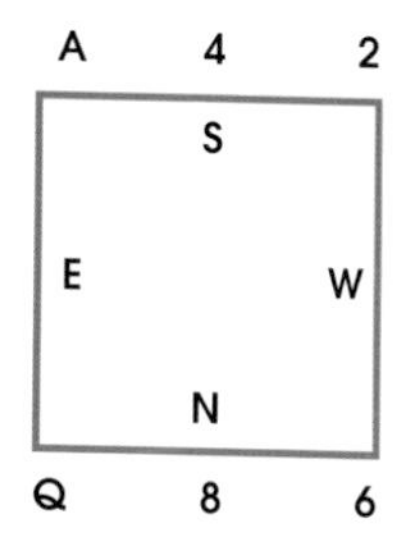

Come può Nord, che supponiamo sia il vivo, riuscire a fare due prese in questo seme? L'unica possibilità è quella di sperare che il re (che potrebbe conquistare la donna) sia in Ovest. Allora le carte vanno giocate così: si va al morto e si gioca una scartina; se Ovest passa il re, si gioca una scartina anche di mano ed allora si sono realizzate le due prese, in quanto, oltre all'asso sicuro, oramai è diventata buona anche la donna. Se invece Ovest non passa il re, allora si passa la donna di mano e si conquista la presa. Anche in questo caso, ovviamente, se il re fosse nel posto "sbagliato" (cioè in mano a Est), non si riuscirebbe a fare la presa di donna. Ma, lo ripetiamo, tutto quello che si può fare è conquistare una presa possibile e non fare quelle che nessuno riuscirebbe a togliere agli avversari.

I GIOCHI D'AZZARDO

♥ ♠ ♦ ♣

PREMESSA

Col generico termine di gioco d'azzardo si intendono tutti quei giochi nei quali la fortuna ha un peso preponderante e in cui l'aspetto più interessante è proprio rappresentato dal rischio che i contendenti corrono quando fanno le loro puntate senza avere quasi nessun elemento al quale riferirsi. Tanto per intenderci, secondo questa definizione, il classico gioco d'azzardo è quello di tirare una monetina in aria e di puntare o sulla testa o sulla croce. C'è però da aggiungere che, se in alcuni giochi con le carte si raggiunge, come vedremo, il pieno azzardo, in quanto non è assolutamente possibile fare alcuna previsione sullo svolgimento del gioco, in altri si deve seguire un certo ragionamento e quindi la fortuna, anche se conserva un peso determinante, non rappresenta però l'unico fattore. La prova evidente di questa situazione è data dal fatto che esistono per alcuni di questi giochi (per esempio il poker) dei veri e propri giocatori professionisti che in genere riescono sempre a battere chi non è alla loro altezza.
Un'altra considerazione da fare a proposito dei giochi d'azzardo riguarda quelli che si svolgono nelle case da gioco o che, anche se organizzati da privati, vengono svolti applicando alla lettera i procedimenti propri dei casinò. Il banco, per evidenti ragioni di carattere organizzativo, deve sempre disporre di un certo vantaggio sul giocatore. Tale vantaggio potrà essere più o meno alto a seconda che la legislazione sia più o meno pre-

vidente o che l'organizzatore del gioco sia più o meno onesto. Però resta sempre il fatto che il vantaggio c'è. Matematicamente ciò porta come conseguenza che in tutti i casi il singolo giocatore, alla lunga, è destinato a perdere. Questa non è una affermazione dettata dal desiderio di ostacolare la prosperità delle case da gioco. Si tratta di una rigorosa dimostrazione che può essere fatta in termini matematici usando quanto insegnano il calcolo delle probabilità e la statistica. Comunque, in questo libro, che è destinato semplicemente alla illustrazione delle modalità attraverso le quali si svolgono i vari giochi, non sarà trattato un argomento del genere. Per coloro che volessero approfondire questo discorso rimandiamo ad altre opere più specializzate.

IL POKER

Sembra doveroso iniziare a parlare, fra tutti i giochi d'azzardo, proprio del poker che è quello che viene giocato a ogni latitudine e che, fra tutti, è probabilmente quello che si presta alle considerazioni più interessanti.
Cominciamo subito col dire che, anche se tutti parlano semplicemente di poker, piccole o grandi differenze nelle regole seguite per giocarlo fanno sì che in pratica esistano molti tipi diversi di tale gioco. Inoltre esistono anche parecchie varianti. Iniziamo prima di tutto a vedere con quante carte si gioca il poker. Il cosiddetto poker americano si gioca sempre con un mazzo di 52 carte e a esso possono prendere parte quanti giocatori vogliono. In Italia però tale gioco è poco praticato e quindi noi ci occuperemo solo di quello che prevede che il numero di carte sia in funzione del numero dei giocatori. Volendo considerare i valori estremi possiamo dire che attorno al tavolo da poker possono sedersi da tre fino a sei giocatori. Va però precisato che il numero ideale è di quattro o cinque soltanto. Anzi, per essere esatti, i teorici affermano che il vero numero ideale, cioè quello in cui esiste un rapporto ottimale fra numero delle carte e numero di giocatori, è il quattro. Comunque, ripetiamo, se proprio volete giocare in tre o in sei lo pote-

te tranquillamente fare. Stabilito il numero dei giocatori (che non potrà più essere cambiato nel corso della partita), occorre stabilire quello delle carte. Esiste una regoletta molto semplice: dal numero 11 (che tutti i giocatori debbono ricordare a memoria molto bene) si sottrae il numero dei giocatori. Ciò che resta rappresenta la più piccola carta del mazzo che non deve essere eliminata. Le carte presenti nel mazzo, per ogni seme, sono (in ordine decrescente):

A K Q J 10 9 8 7 6 5 4 3 2

Tenendo presente questo, è possibile allora sapere, di volta in volta, quale sarà il numero di carte da usare. Giocando in 3, la carta più bassa è l'otto (infatti 11 - 3 = 8). Quindi di ogni seme resteranno 7 carte (A K Q J 10 9 8) e allora, in totale, si useranno 28 carte.
Giocando in quattro, la carta più bassa da tenere è il 7 (11 - 4 = 7). Quindi ci saranno, per ogni seme, 8 carte e in totale 32 carte. Giocando in 5, la carta più bassa è il 6 (11 - 5 = 6), per ogni seme vi saranno nove carte e in totale ne resteranno 36. Infine, giocando in sei, la carta più bassa sarà il 5 (11 - 6 = 5), vi saranno 10 carte per seme e 40 in totale. Talvolta, per non giocare con poche carte, un poker a tre può essere organizzato "con il morto". Cioè si usano 32 carte (come se si giocasse in quattro) e quando si distribuiscono, all'inizio di ogni mano, se ne distribuiscono cinque anche a questo ipotetico quarto giocatore (il morto). Ovviamente queste cinque carte resteranno inutilizzate nel corso di tutta la mano. Ogni giocatore, nel corso della partita e secondo modalità che vedremo, riceve cinque carte. Dopo aver effettuato le varie puntate occorre vedere chi è che ha vinto la mano (e che quindi avrà il diritto di ritirare tutto ciò che nel corso della mano stessa è stato puntato da sé e dagli altri). Scoprendo i differenti gruppi di cinque carte di ognuno dei giocatori rimasti in gioco per quella mano, si deve decidere chi è che ha realizzato la combinazione di maggior valore.
Vediamo allora quali sono le combinazioni che si possono ottenere con cinque carte e in che modo si può stabilire una ge-

rarchia fra di esse. Il valore delle singole carte è quello che abbiamo fissato nella sequenza data prima, cioè l'asso è la carta più elevata, segue il re, la donna e così via fino all'otto, sette, sei, cinque (a seconda del numero dei partecipanti). Esiste poi una gerarchia anche fra i semi. In ordine decrescente è la seguente: *Cuori - Quadri - Fiori - Picche*.
Cioè cuori è il seme di maggior pregio e picche è quello che vale meno. Ecco infine, in ordine crescente di valore, le differenti combinazioni che si possono effettuare con le cinque carte: *Coppia - Doppia Coppia - Tris - Scala - Full - Colore - Poker - Scala Reale*.
Vediamole una per una. La "coppia" è quella combinazione in cui fra le cinque carte ve ne sono due dello stesso valore, mentre le altre tre sono tutte di valore differente fra di loro. La coppia prende il nome dalle carte che la formano; così si parlerà di "coppia d'assi" se è formata da due assi, di "coppia di donne" se è formata da due donne e così via. Ecco alcuni esempi di coppia:

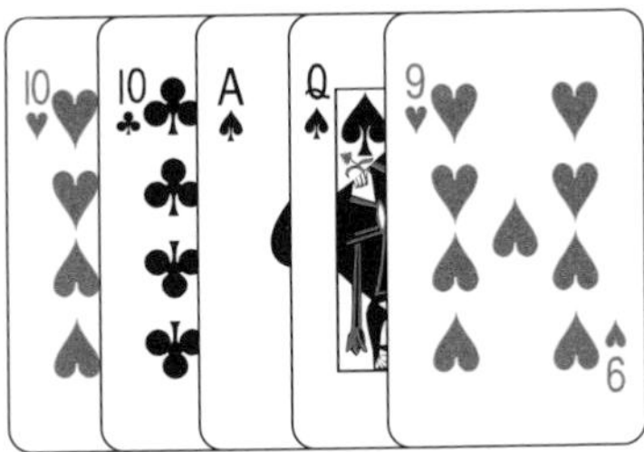

La "doppia coppia" è quella combinazione in cui vi sono quattro carte che formano due coppie (ovviamente diverse fra di loro), mentre la quinta carta è di valore diverso da tutte le altre. La coppia prende il nome dalla coppia più alta. Così per esempio si dirà "una doppia al re" quando vi sono due re, mentre l'altra coppia è di valore inferiore, oppure una "doppia al fante" quando vi sono due fanti, mentre le carte dell'altra coppia sono di valore inferiore. La più elevata fra tutte le doppie coppie, cioè quella formata da due assi e due re, prende il nome di "Titanic".

Ecco qualche esempio di doppia coppia:

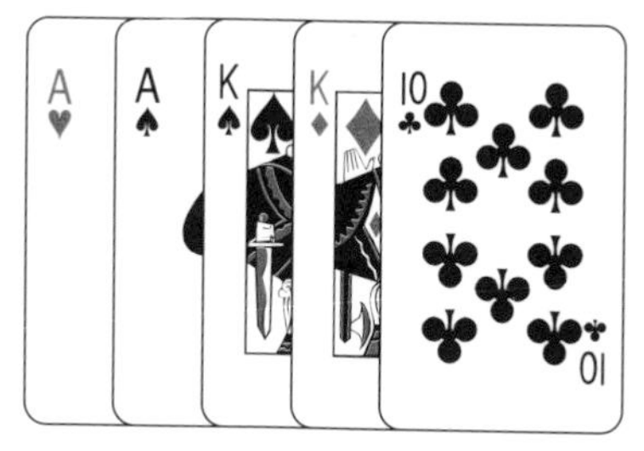

Il "tris" è quella combinazione in cui fra le cinque carte ve ne sono tre dello stesso valore, mentre le altre due sono di valore diverso.
Il tris prende il nome dalle carte che lo formano, così si parlerà di "tris di fanti" se è formato da tre fanti, "tris di sette" se è formato da tre sette e così via.
Ecco alcuni esempi di tris:

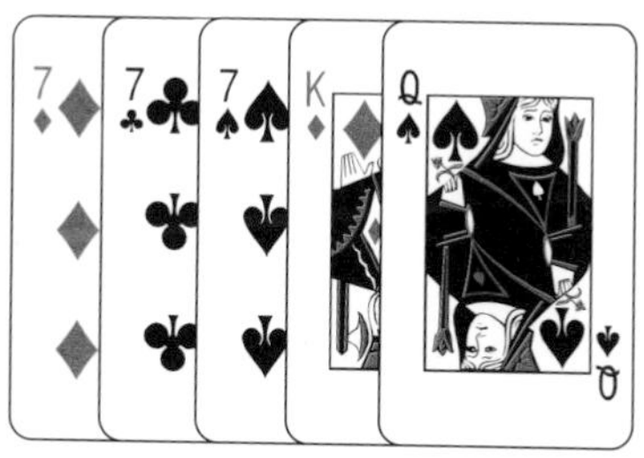

La "scala" è quella combinazione in cui le cinque carte sono tutte disposte in ordine crescente di valore (senza però essere dello stesso seme). Per esempio avendo queste cinque carte

si è realizzata una scala, in quanto 8 9 10 J Q sono tutti valori consecutivi.
Se invece della donna si fosse posseduto un K, cioè se le carte fossero state 8 9 10 J K, non si sarebbe realizzata una scala, in quanto la successione dei valori sarebbe stata interrotta (cioè ci sarebbe stato un "buco").
Unica eccezione alla successione dei valori può essere rappresentata dall'asso che può essere posto, al fine di costituire una scala, prima della carta più bassa che si trova nel mazzo con cui si sta giocando.
Attenzione a questo fatto: come abbiamo visto la carta più bassa varia al variare del numero dei giocatori, quindi la posizione dell'asso (considerato come carta più bassa) varia anch'essa al variare del numero dei giocatori. Per esempio questa successione di carte:

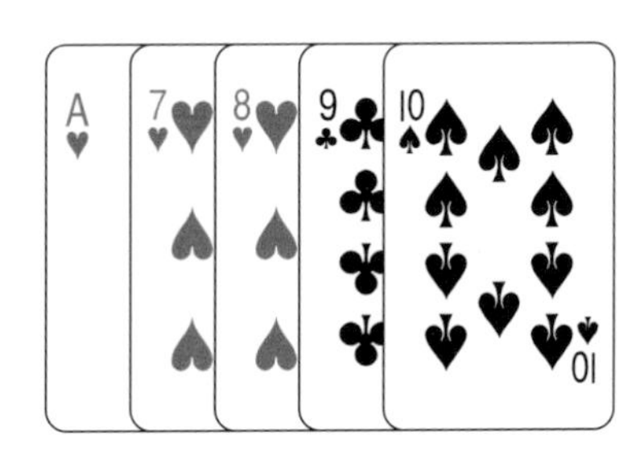

costituisce scala se si sta giocando in quattro. Infatti in questo caso la carta più bassa è proprio il sette. Se però si stesse giocando in cinque, la precedente combinazione non costituirebbe scala, in quanto, in questo caso, la carta più bassa sarebbe il sei e quindi la nostra successione presenterebbe un "buco". Per comodità ecco queste possibili scale con l'asso all'inizio:

- giocando in tre	A 8 9 10 J
- giocando in quattro	A 7 8 9 10
- giocando in cinque	A 6 7 8 9
- giocando in sei	A 5 6 7 8

Le varie scale prendono dei nomi particolari: si chiama "scala minima" quella che ha l'asso in prima posizione, "scala media" quella che non ha l'asso né in prima né in ultima posizione, "scala massima" quella che ha l'asso in ultima posizione (cioè la scala massima, qualunque sia il numero dei giocatori, è sempre formata da 10 J Q K A). Le scale medie, poi, prendono il nome dalla carta di valore più elevato. Così una scala formata da 8 9 10 J Q si dirà "scala alla donna", mentre una scala formata da 7 8 9 10 J si dirà "scala al fante". Ecco qualche altro esempio di scale:

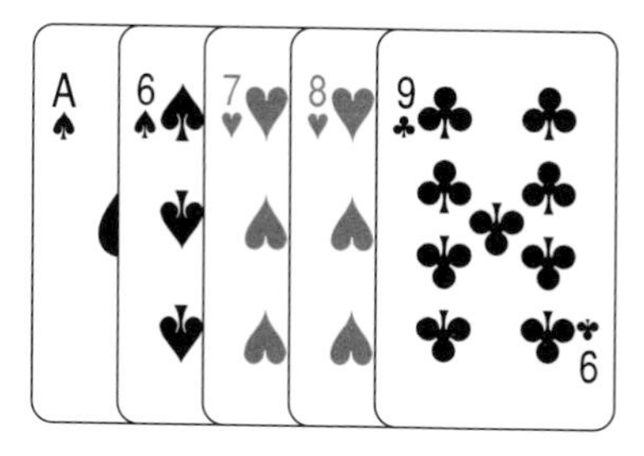

In alto a sinistra: scala minima;
a destra: scala al re;
a fianco: scala massima.

Il "full" è quella combinazione in cui tre carte formano un tris e le altre due una coppia. Il full prende il nome dal tris. Così si parlerà di "full di re" quando si ha un tris di re e qualunque sia la coppia che accompagna questi tre re. Un full di sei sarà formato da tre sei e da un'altra qualsiasi coppia e così via. Ecco qualche esempio di full:

Il "colore" è quella combinazione in cui tutte e cinque le carte (senza però essere in scala) appartengono allo stesso seme. Ovviamente il colore prende il nome dal seme. Così, per esempio, si parlerà di "colore a quadri" quando si avranno carte di quadri. Ecco, per esempio, un colore a quadri:

Il "poker" è quella combinazione in cui fra le cinque carte ve ne sono quattro di uno stesso valore. Il poker prende il nome dalle carte che lo formano. Così, per esempio, si parlerà di "poker d'assi" se si hanno quattro assi, di "poker di otto" se si hanno quattro otto e così via. Ecco un esempio di poker d'assi:

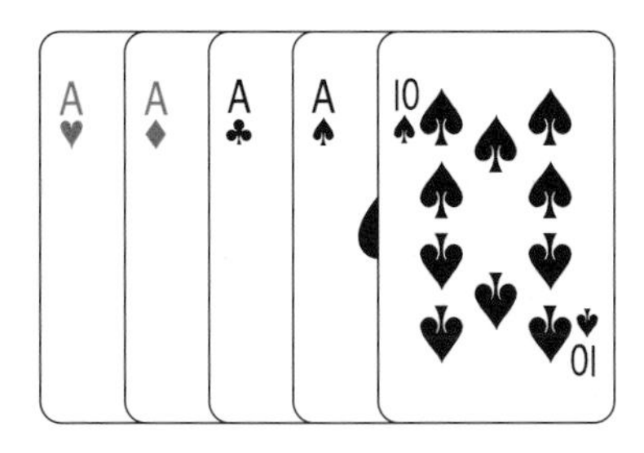

La "scala reale", la più rara fra tutte le combinazioni, è rappresentata da cinque carte che, contemporaneamente, formano scala e colore. Praticamente cioè si tratta di una scala in cui tutte le carte appartengono allo stesso seme. I nomi usati per le scale reali sono analoghi a quelli usati per le scale generiche con l'aggiunta, però, del nome del seme. Così una "scala reale massima di cuori" sarà una scala che si conclude con l'asso e che è formata da carte tutte di cuori. Ecco qualche esempio:

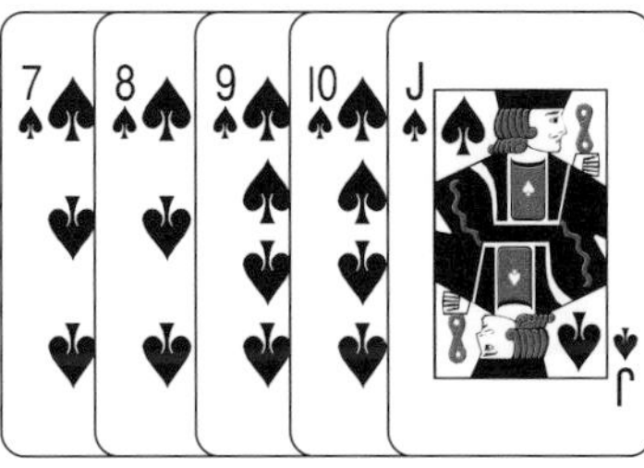

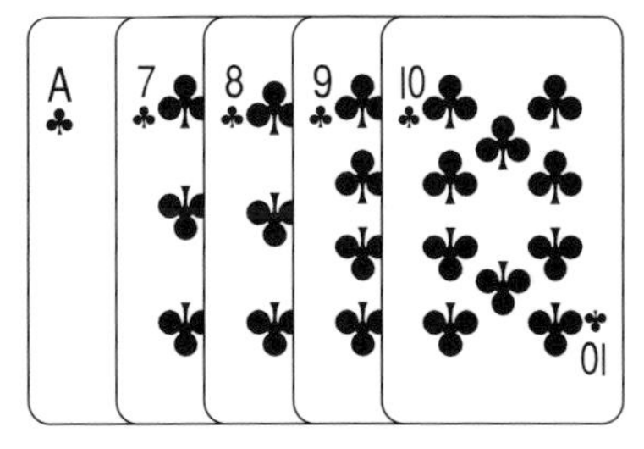

Va osservato che la possibilità di iniziare la scala con l'asso, anche in questo caso, è legata alla presenza della carta che, con quel dato numero di giocatori, è la minima in gioco. Nell'esempio raffigurato sopra, il fatto che si tratti di una scala ci dice che si sta giocando in quattro (e quindi il sette è la carta minima). Se invece si stesse giocando in cinque o in sei, allora la precedente combinazione non sarebbe più una scala reale (in quanto non vi sarebbe la scala), ma sarebbe soltanto un colore a fiori.
Ora che abbiamo chiarito quali sono tutte le possibili combinazioni, vediamo come si giudica il vincitore di una mano:

a) fra combinazioni diverse vince la combinazione che è superiore in base alla graduatoria data prima, quindi la doppia coppia batte la coppia, il tris batte coppia e doppia coppia, il full batte il tris, il poker batte tutte le altre combinazioni salvo la scala reale e così via;
b) fra due coppie di valore diverso vince la coppia di valore maggiore, quindi la coppia d'assi batte tutte le altre coppie, la coppia di 10 batte quella di 9 ecc.;
c) fra due coppie dello stesso valore vince quella mano in cui fra le tre restanti carte vi è la carta di valore superiore.

Consideriamo, per esempio, queste due mani che hanno realizzato entrambe una coppia di re:

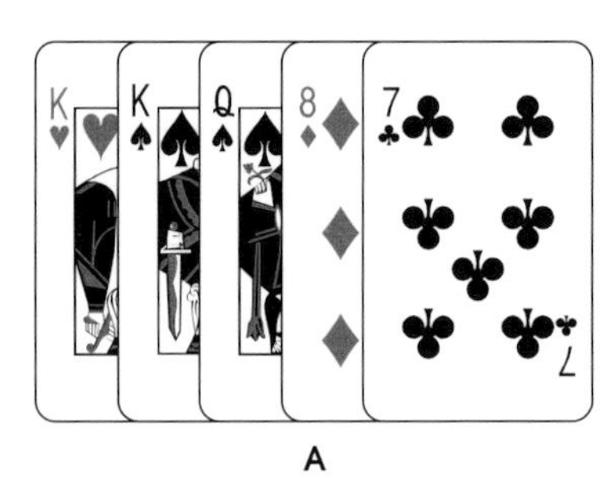

A

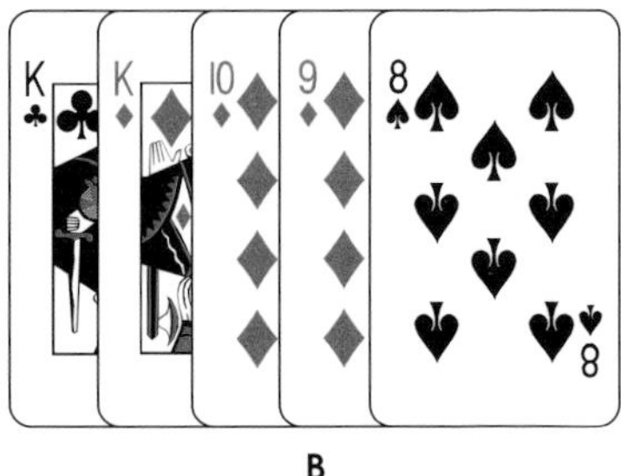

B

Nella prima, oltre ai due re, vi sono altre tre carte in cui quella di valore maggiore è una donna. Nella seconda invece la carta di valore maggiore (trascurando i due re) è un 10. Allora, siccome la donna è superiore al 10, vince il giocatore A. Supponiamo, invece, che la situazione fosse stata la seguente:

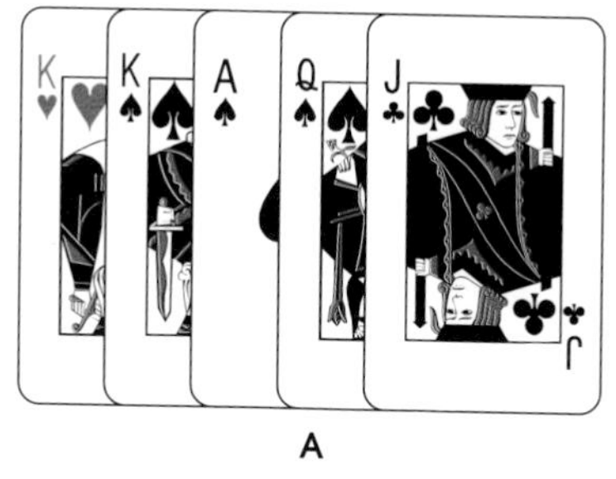

A

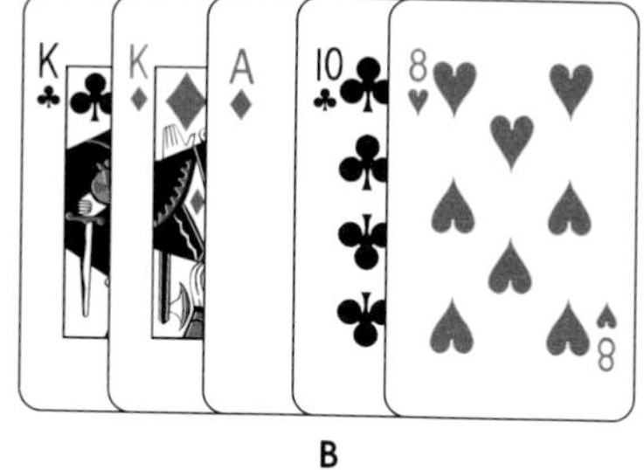

B

Adesso, in entrambi i casi, la carta isolata maggiore è un asso. Per sapere chi vincerà, allora, bisogna guardare i semi di tali assi e tenere conto del loro ordine. In A si trova l'asso di picche, mentre in B c'è l'asso di quadri. Siccome le quadri valgono più delle picche, allora in questo caso vince il giocatore B;

d) fra due doppie coppie diverse vince quella in cui la coppia di maggior valore è di valore più elevato. Cioè una doppia al re batte una doppia al fante, una doppia al dieci batte una doppia al nove e così via;

e) fra due doppie coppie in cui la maggiore sia eguale vince quella che ha la coppia minore di valore più elevato.

Ecco due esempi:

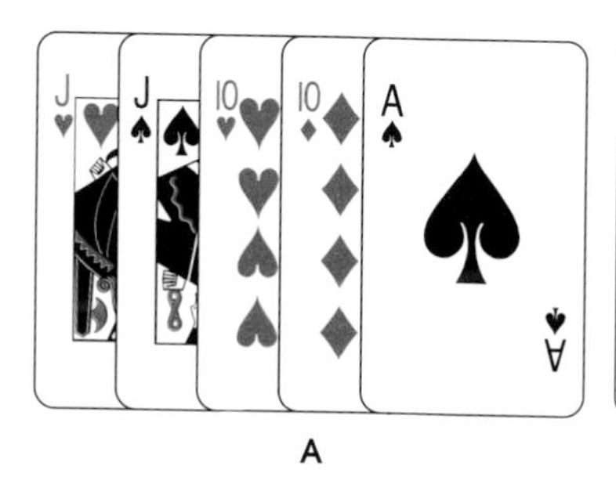

A

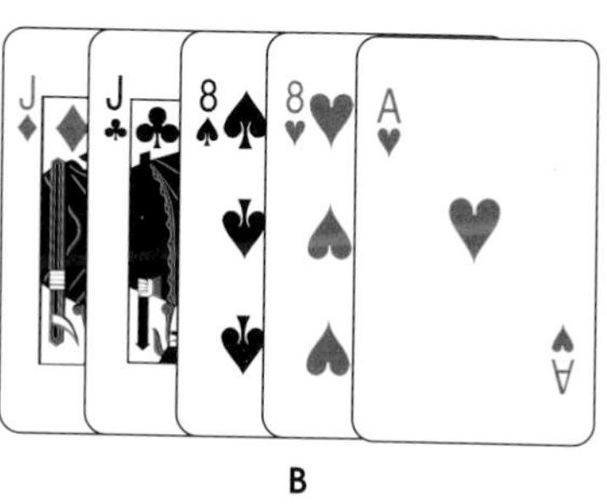

B

Sia A che B hanno una doppia al fante, però vince il giocatore A perché insieme ai due fanti ha due dieci, mentre B insieme ai fanti ha due otto (e il 10 vale più dell'8).

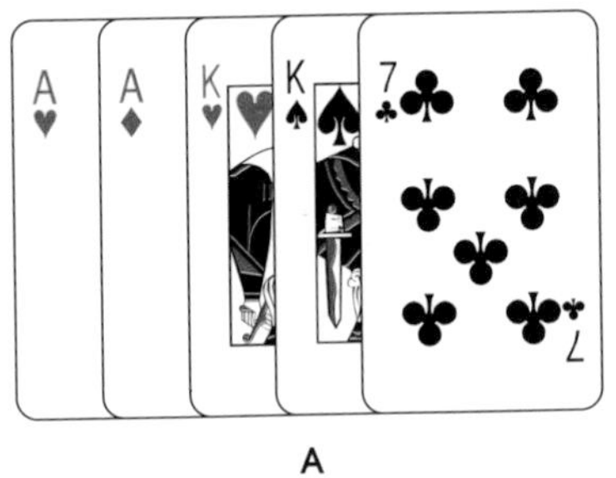

A

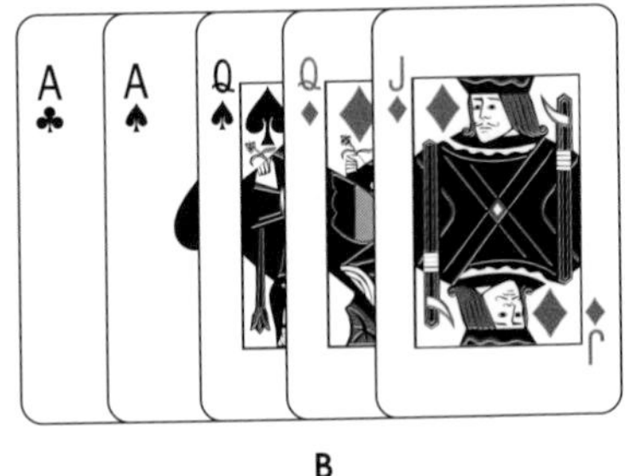

B

Vince il giocatore A che ha realizzato il titanic. Tale combinazione, infatti, batte qualsiasi altra doppia coppia;

f) fra due doppie coppie perfettamente eguali (nelle quali cioè entrambe le coppie siano dello stesso valore) vince il giocatore che ha la quinta carta (cioè quella isolata) di valore più elevato;
g) fra due tris vince quello formato da carte di valore più elevato. Quindi il tris d'assi batte tutti gli altri tris. Il tris di fante batte quello di dieci, di nove, di otto e così via;
h) fra due scale vince quella formata da carte di valore più elevato. In pratica, cioè, basta guardare la carta maggiore della scala. Quindi una scala massima batte le scale medie e la minima. Una scala al re batte la scala alla donna e così via;
i) fra due scale eguali vince quella in cui la carta di valore più elevato appartiene al seme di rango migliore. Consideriamo, per esempio, queste due scale medie:

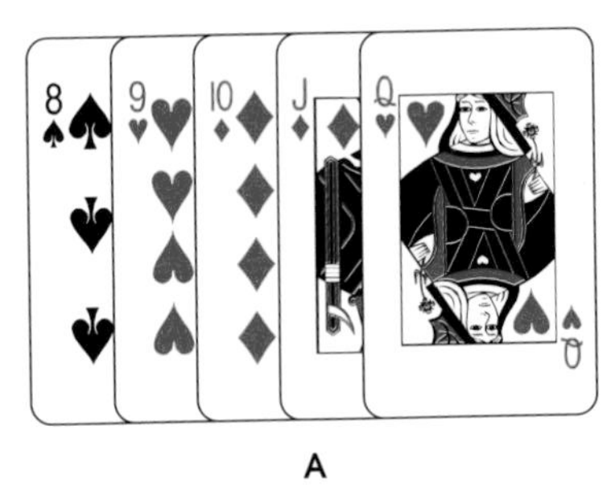

A

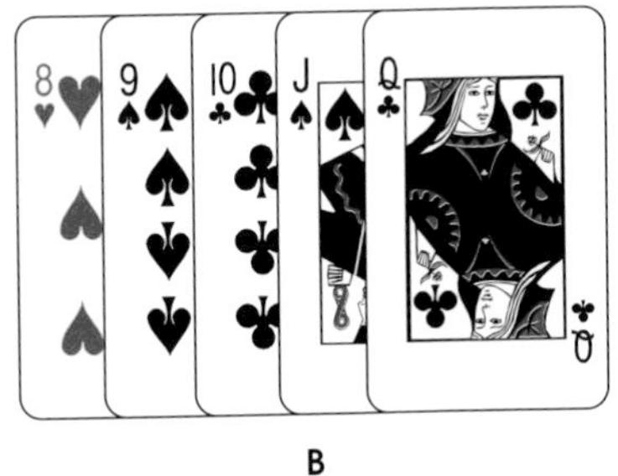

B

Sono entrambe due scale alla donna, quindi sono eguali. Però in A vi è la donna di cuori e in B quella di fiori. Siccome le cuori valgono più delle fiori allora vince la scala A;

l) fra due full vince quello di valore più elevato, cioè quello in cui il tris è formato da carte di maggior valore. Quindi il full d'assi batte tutti gli altri full, quello di nove batte il full d'otto e così via. Va notato, perciò, che nel decidere quale fra due full sia superiore si trascurano del tutto le carte che costituiscono la coppia;

m) fra due colori vince quello formato da carte del seme di maggior pregio. Quindi il colore a cuori batte tutti gli altri colori, il colore a quadri batte quello a fiori e a picche e, infine, il colore a fiori batte il colore a picche;

n) fra due colori eguali vince la mano in cui si trova l'asso. Va osservato che la possibilità di fare due colori eguali si ha soltanto giocando in sei, quando cioè, di ogni seme, vi sono dieci carte. In questo caso allora, necessariamente, in una delle due mani dovrà esservi l'asso;

o) fra due poker vince quello formato con le carte di valore maggiore. Quindi il poker d'assi batte tutti gli altri poker, il poker di donne batte quello di fanti e così via;

p) fra due scale reali vince il possessore della scala di valore maggiore. Cioè in questo caso si tiene conto prima di tutto del valore delle carte (come d'altronde si fa nelle scale normali) e non del seme. Così per esempio fra una scala reale alla donna di picche e una scala reale al fante di cuori vince la prima (perché è alla donna mentre l'altra è al fante). Si guarda al rango del seme soltanto quando le scale reali sono eguali. Così fra due scali reali, entrambe alla donna, l'una di picche e l'altra di cuori, vince la seconda, perché è formata da carte appartenenti a un seme di valore maggiore.

Consideriamo ora questa favolosa combinazione, che tutti i giocatori di poker avranno spesso sognato ma mai visto realizzarsi durante una partita:

Si tratta della scala reale massima a cuori. Stando a tutto ciò che abbiamo detto fino ad ora, dovrebbe essere la più elevata combinazione del poker. Infatti è una scala reale (e come tale batte qualsiasi altra combinazione), è massima (e come tale batte qualsiasi altra scala reale) ed è a cuori (e come tale batte qualsiasi altra scala reale massima). In altre parole il possessore di questa combinazione dovrebbe avere la sicurezza matematica di vincere la mano. In questo caso, allora, verrebbe a mancare l'elemento tipico del poker: cioè il rischio. È proprio per evitare questo fatto che, tradizionalmente, si esclude la possibilità che esista al poker una combinazione sicura. Come si può ottenere questo risultato? Semplicemente decidendo che anche una scala reale massima possa essere battuta. Il problema è risolto attribuendo alle scale reali un valore che potrebbe essere definito ciclico. Cioè:

- la scala reale massima batte tutte le medie
- la scala reale media batte la minima
- la scala reale minima batte la massima

Comunque l'eventualità che si presentino nel corso della stessa mano due scale reali è talmente esigua, che in alcuni tavoli si ha l'abitudine di evitare lo scontro fra due combinazioni del genere (proprio per far sì che non si corra il rischio di giocare cifre astronomiche). In questi casi cioè c'è la regola di dividere il piatto fra i due possessori delle scale reali. Praticamente è come se si stabilisse che due scale reali sono sempre combinazioni di eguale valore e quindi fra esse non può esserci alcuna vincitrice.

LO SVOLGIMENTO DELLA PARTITA DI POKER

Prima di dare inizio alla partita vera e propria i giocatori di poker debbono compiere alcune operazioni che sarà bene fare per evitare poi contestazioni o recriminazioni. Bisogna sorteggiare i posti e anche chi dovrà essere il primo mazziere, quindi occorrerà mettersi d'accordo su alcune cose (per esempio dura-

ta della partita, quantità di fiches da distribuire, come comportarsi nel caso di mani che abbiano combinazioni dello stesso valore e così via). Un altro elemento da fissare è quello relativo al "cip". Con tale termine si intende una puntata (o almeno una immissione nel piatto) di una fiche del minimo valore fra quelle distribuite. Talvolta però si fa il "cip nominale", cioè in pratica ci si comporta come se si mettesse tale fiche, ma in pratica non si esegue l'operazione. Anche su questo occorre raggiungere un preventivo accordo.
Stabilito chi dovrà fare per primo le carte, questi deve prima di tutto fare "l'invito", cioè mettere nel piatto una certa somma che rappresenta la prima puntata obbligatoria per tutti. Il mazziere in più dovrà anche mettere un cip (a meno che non si giochi a cip nominale). A questo punto il giocatore prescelto rimescolerà le carte, le farà alzare e quindi comincerà a distribuirle, una alla volta e coperte, a partire dal giocatore che siede alla sua sinistra e continuando in senso orario. La distribuzione, che deve avvenire con perfetta regolarità e quindi senza saltare mai alcun partecipante al gioco, terminerà quando tutti avranno ricevuto cinque carte. Le carte restanti verranno, temporaneamente, accantonate dal mazziere.
A questo punto la prima operazione da fare è l'"apertura". Per poter aprire occorre avere almeno una coppia "vestita", cioè una coppia formata da figure. In altre parole la minima combinazione possibile per aprire è la coppia di fanti. Però è chiaro che si può aprire con qualsiasi altra combinazione di valore superiore. L'unico caso in cui è ammessa l'apertura senza possedere una combinazione ben definita, è quando si ha un progetto di scala reale bilaterale. Col termine di progetto di scala si intendono quattro carte tali che basta un'opportuna quinta carta perché complessivamente si formi una scala. Il progetto di scala può essere tale che sia necessario trovare una ben determinata carta per realizzarla. Per esempio, se si ha 6 7 9 10, occorre proprio pescare un otto. Analogamente, giocando in cinque ed avendo A 6 7 8 occorre prendere un nove, oppure avendo J Q K A si deve necessariamente prendere un 10. In tutti questi casi cioè la scala può essere completata soltanto da un'unica carta ben determinata. Consideriamo invece questo insieme di quattro carte 10 J Q K: in questo caso la scala può essere chiusa con

due differenti carte. Infatti con un nove si otterrà una scala al re e con un asso si otterrà una scala massima. Una situazione di questo tipo origina quello che prende il nome, che oramai dovrebbe essere ovvio, di progetto di scala bilaterale (cioè aperto da due lati). Come dicevamo, quindi, per aprire occorre o una qualsiasi combinazione a partire dalla coppia di fanti o un progetto bilaterale di scala reale.
Il giocatore che siede alla sinistra del mazziere guarda le sue carte, se può e vuole aprire dirà *apro* e farà la puntata relativa (della quale parleremo fra poco). Se invece non può, o non vuole, aprire, dirà *passo*. In questo caso la parola passa al suo vicino di sinistra e così fino a tornare al mazziere. Se nessuno ha aperto, allora occorre rifare le carte, però adesso il mazziere sarà quello che siede alla sinistra del giocatore che aveva fatto le carte in precedenza. Prima di ridistribuire la nuova mano, occorre fare un altro invito che, unito alle fiches che già si trovavano al centro del tavolo, contribuirà a rendere il piatto sempre più consistente.
Vediamo invece che cosa succede se qualcuno dei giocatori apre. Costui oltre a dire "apro" dovrà anche fissare la puntata relativa, tenendo presente che tale puntata non può essere superiore a quanto c'è già sul piatto stesso. Il limite massimo si ha quando l'apertore dice "apro di piatto". Ciò vuol dire che la puntata corrisponderà esattamente alla somma già contenuta nel piatto. Quando qualcuno ha aperto, gli altri che dovranno parlare, ovviamente quando sarà il loro turno, avranno tre possibilità. Potranno cioè dire:

a) *passo* e in questo caso non metteranno nulla sul piatto, ma si escluderanno automaticamente da quella mano;
b) *gioco* e in questo caso dovranno mettere nel piatto una somma eguale a quella messa da chi ha aperto.

Una terza possibilità è quella di "rilanciare". Per far ciò occorrerà fare una puntata superiore a quella che è stata fatta dall'apertore o eventualmente da chi, in precedenza, ha già rilanciato. Il discorso procede nello stesso modo finché tutti i giocatori sono passati oppure hanno visto l'ultimo rilancio effettuato (e quindi hanno messo nel piatto la somma relativa). Va osservato che, pur avendo accettato l'apertura o uno o più rilanci, non è obbligatorio vedere tutti i rilanci. Cioè può benissimo accadere

che chi ha già messo nel piatto qualche fiches, a un certo momento vedendo che le puntate raggiungono livelli troppo elevati, decida di passare in seguito a qualche rilancio particolarmente forte. In questo caso egli si esclude dal gioco e, ovviamente, perde tutto ciò che ha già messo nel piatto.
Finita questa prima fase segue quella dello "scarto". Ognuno dei giocatori rimasti in gioco, cioè che non sia passato, ha il diritto di cambiare da una a quattro carte della sua mano. Ovviamente uno ha il diritto di dichiararsi "servito" e, in questo caso, tiene le cinque carte che aveva avuto fin dall'inizio senza cambiarne alcuna.
Vediamo come si svolge l'operazione. Il mazziere si rivolgerà, successivamente, al primo giocatore alla sua sinistra che sia rimasto in gioco e, successivamente, agli altri, seguendo sempre il verso orario. Ognuno dei giocatori dirà quante carte vuole cambiare, poserà i suoi scarti sul tavolo davanti a sé, e quindi riceverà dal mazziere il corrispondente gruppo di carte nuove. Se nel corso della ridistribuzione dovesse finire il mazzetto di carte rimasto inizialmente dopo la prima distribuzione, il mazziere, per continuare l'operazione, dovrà mescolare gli scarti, senza però prendere quelli del giocatore che ancora deve ricevere le nuove carte.
Terminata la ridistribuzione deve avvenire la seconda serie di puntate. Per primo deve parlare chi ha aperto e, nel caso in cui questi non fosse più in gioco, il primo giocatore alla sua sinistra ancora in gioco. Chi parla ha tre possibilità: dire "cip" (vuol dire che punta la più piccola somma possibile o, addirittura, nulla se il cip è nominale), rilanciare (cioè fare una puntata) oppure dire "parole" (vedremo dopo cosa vuol dire). Man mano che sarà il loro turno, gli altri giocatori potranno o "passare" (cioè non accettare le nuove puntate già fatte e quindi abbandonare il gioco) o "vedere" (cioè accettare le nuove puntate già fatte e quindi continuare il gioco mettendo nel piatto la somma relativa) o "rilanciare" (cioè aumentare la puntata già fatta in precedenza). Il gioco termina quando, dopo l'ultimo rilancio, tutti hanno detto o "passo" o "vedo". A questo punto si scoprono le carte di colui che ha rilanciato per ultimo e di coloro che lo hanno "visto" e si stabilisce chi è il vincitore. Quando sono state scoperte le carte del primo ancora in gioco, gli altri hanno il di-

ritto di non far vedere le loro se dichiarano di avere una combinazione inferiore (e quindi rinunciano al piatto).
Analogamente chi ha effettuato l'ultimo rilancio non è obbligato a far vedere le sue carte se nessuno lo ha "visto", cioè se nessuno ha accettato la sua puntata. In questo caso, ovviamente, il piatto è di colui che ha fatto l'ultimo rilancio.
Prima abbiamo detto che il primo che deve parlare, dopo la ridistribuzione delle carte, può dire "parole". Tale espressione in pratica è il riassunto della frase "Passo la parola agli altri". Così facendo si lascia aperto il discorso senza sbilanciarsi. I giocatori che dovranno parlare dopo di lui potranno a loro volta o dire "parole" o fare una puntata. In quest'ultimo caso il gioco riprende come prima e del "parole" non resta traccia (va osservato che anche coloro che hanno già detto in precedenza "parole" hanno diritto di riparlare e accettare la puntata o rilanciare o passare). Se invece tutti i giocatori dicono "parole" allora la mano ha termine e bisogna procedere a giocarne un'altra.
Tutte le puntate che sono state effettuate in precedenza restano nel piatto e inoltre tutti i giocatori che, a un certo momento, erano passati, e quindi avevano messo nel piatto stesso meno degli altri, devono versare la differenza. Cioè, in altre parole, il piatto deve essere portato a un livello tale che tutti abbiano messo una quota uguale. Altre caratteristiche della mano in cui si giocherà quel piatto (e che viene brevemente definita "piatto di parole") sono le seguenti: per aprire occorre avere almeno una coppia di re e, inoltre, si deve aprire di piatto, cioè di una cifra eguale a quella che già c'è sul piatto. Proprio per evitare aperture molto alte, quando vi sia un piatto troppo elevato è permesso, purché tutti siano d'accordo, di frazionare il piatto stesso in più parti che saranno giocate in mani successive. Per il resto, poi, il piatto di parole ha uno svolgimento identico a quello di qualsiasi altra mano.
Accanto all'apertura normale della quale abbiamo già parlato esiste anche un'altra possibilità: la cosiddetta "apertura al buio". Essa può essere effettuata soltanto dal giocatore che siede alla sinistra del mazziere e che deve dichiarare questa sua intenzione prima che vengano distribuite le carte. Inoltre per poter effettuare il cosiddetto "buio" occorre mettere nel piatto una somma eguale al doppio di ciò che già vi si trova. Chi fa il buio

ha alcuni vantaggi. Eccoli: solo lui può rilanciare sull'apertura (comunque tale rilancio dovrà essere eguale al buio o pari a un suo multiplo fino a tre volte); nel caso in cui gli altri giocatori, dopo aver guardato le loro carte, non "vedano" il buio (cioè non mettano la somma relativa sul piatto) vince il piatto; dopo che è avvenuta la ridistribuzione delle carte ha diritto di parlare per ultimo (cioè nell'ultima serie di rilanci in un piatto di buio il primo a parlare è chi siede alla sinistra di chi ha fatto il buio).
Tenendo conto di quanto detto, quindi, in un piatto di buio, i giocatori, dopo aver avuto la prima distribuzione, possono semplicemente dire "vedo il buio" (e pagare la posta relativa) o "non vedo il buio" (e ritirarsi dal gioco). Nel caso in cui chi ha fatto il buio rilanci, allora gli altri giocatori che non siano passati prima hanno il diritto di riparlare. Essi, ora, possono o vedere il rilancio, o passare, o aumentare a loro volta il piatto rilanciando nuovamente.
È ammesso anche il "controbuio". Cioè chi siede alla sinistra di colui che ha fatto il buio (e ovviamente sempre prima che le carte siano state distribuite) può a sua volta fare un altro buio, raddoppiando la somma messa in precedenza (quindi, in pratica, per fare il controbuio bisogna mettere nel piatto una somma pari a quattro volte di ciò che c'era all'inizio). In questo caso i diritti che prima erano di chi aveva fatto il buio ora passano a chi ha fatto il controbuio. Se però il primo dei due ha visto anche il controbuio, prima di guardare le carte, resta a lui il diritto di rilanciate per primo. Non è ammesso il buio nei piatti di parole.
A questo punto, volendo scrivere un trattato completo sul poker, dovremmo esaminare il problema dello scarto, studiare quando conviene aprire e quando no, analizzare il momento più opportuno in cui conviene fare i rilanci forti, ma, soprattutto, dovremmo parlare del "bluff". Bluffare vuol dire far credere agli altri di avere una combinazione molto forte e quindi costringerli a non vedere la nostra mano e vincere così il piatto. Il bluff, anche se è possibile in diversi giochi di carte, raggiunge i massimi livelli proprio nel poker. Tutti questi argomenti richiederebbero molte pagine ma, in un certo senso, esulano dai propositi di questo libro. Noi perciò preferiamo fermarci qui e invitare i lettori più interessati all'argomento a leggere qualche opera specializzata.

LA TERESINA

La teresina, o poker a carte scoperte, è probabilmente la più nota variante del poker. Le combinazioni che si possono fare, il loro valore e il numero di carte che si adoperano sono esattamente eguali a quelle del poker.
Il mazziere, dopo aver messo, se lo riterrà opportuno, un invito nel piatto (gesto che dovrà essere imitato da tutti), dà ad ogni giocatore una carta coperta. Come sempre la distribuzione inizia dal giocatore seduto alla propria sinistra e prosegue in senso orario.
Quando tutti hanno la loro carta coperta, il mazziere inizia il secondo giro di distribuzione, ma in questo caso dà a ognuno una carta scoperta. Le due carte (quella coperta e quella scoperta) dovranno essere poste davanti al rispettivo giocatore in posizione ben visibile. A questo punto il mazziere si ferma. Ogni giocatore (ovviamente dopo aver guardato la sua carta coperta) può allora procedere alla prima puntata. Il primo che ha il diritto di parlare è colui che possiede la carta scoperta di valore più elevato, tenendo presente che tale supremazia si determina sia osservando il valore delle carte che la gerarchia dei semi già vista a proposito del poker.
Il primo a parlare può dire "cip" e in questo caso vuol dire che non intende puntare nulla, oppure può fare una puntata. La parola passa allora al giocatore che siede alla sua sinistra. Se inizialmente è stato detto cip, anche il secondo può dire cip oppure può fare la sua puntata. Se invece inizialmente è già stata fatta la prima puntata, allora il secondo giocatore può passare (e quindi abbandona il gioco) oppure vedere (e quindi deve mettere nel piatto una somma eguale alla puntata fatta in precedenza) oppure rilanciare.
Gli altri giocatori, seguendo il solito ordine, parlano uno per volta e si prosegue così fino a quando, sull'ultimo rilancio, tutti gli altri o sono passati o hanno visto. A questo punto inizia la distribuzione della terza carta che, anch'essa, viene data scoperta. Ovviamente la terza carta viene data solamente a coloro che sono rimasti in gioco. Finita tale distribuzione c'è un nuovo giro di puntate e rilanci che inizia da chi, con le due carte scoperte, ha la più alta combinazione. Se nessuno avesse da-

vanti a sé una coppia visibile, dovrebbe parlare quello che ha la carta più alta. Le modalità di questo secondo giro di rilanci sono identiche a quelle del primo.
Oramai si procede nello stesso modo. Finiti i rilanci, il mazziere distribuisce la quarta carta (sempre scoperta). Nuovo giro di puntate ed eventuali rilanci. Infine la quinta distribuzione (sempre a carte scoperte) e i definitivi rilanci. Ovviamente il piatto sarà vinto da chi con le quattro carte scoperte e quella coperta avrà realizzato la maggior combinazione.
Una variante della teresina è quella che viene chiamata "teresina a carte coperte". Inizialmente ogni giocatore riceve due (e non una) carte entrambe coperte. Partendo dal giocatore che è alla sinistra del mazziere e procedendo nel solito ordine, ognuno scopre una delle due carte (decidendo personalmente quale scoprire). Quindi avviene il primo giro di puntate. Successivamente anche la terza carta viene data coperta e ogni giocatore scopre quella che vuole, scegliendo fra le due che ha coperte davanti a sé (l'ultima ricevuta e quella che era rimasta coperta prima). Dopo un nuovo giro di puntate e rilanci, viene distribuita la quarta carta con le stesse modalità di prima. Cioè la carta viene data coperta e il giocatore decide quale scoprire fra le due coperte. Nuove puntate e ultima distribuzione sempre con le stesse modalità.
Alla fine, quando ognuno avrà davanti a sé quattro carte scoperte e una coperta, si fa l'ultimo giro di rilanci e quindi si decide chi ha vinto il piatto. Praticamente, quindi, la variante rispetto alla teresina normale è rappresentata dal fatto che in questo caso è il giocatore che ha scelto quale fra le cinque carte ricevute doveva restare coperta.

IL CALATONE

Il calatone è una variante della teresina, e quindi del poker, che si presta sia a puntate molto elevate che a svariatissime combinazioni. Inizia come la teresina a carte coperte: ognuno dei contendenti riceve due carte e, a sua scelta, ne scopre una. Quindi avviene con le solite modalità la prima fase di puntate e rilanci. Terminata tale fase, il gioco procede come la teresina semplice. Cioè ogni volta il mazziere dà una carta scoperta e al termine di ogni distribuzione si fa il solito giro di puntate e rilanci. A differenza della teresina, però, in questo caso vengono date a ognuno, complessivamente, sette carte. Al termine, perciò, ogni giocatore rimasto ancora in gara avrà davanti a sé sei carte scoperte e una coperta. Terminata l'ultima serie di rilanci occorre decidere chi è che si aggiudica il piatto. Per fare ciò ogni giocatore deve "scartare" due carte: in pratica, ai fini dell'aggiudicazione del piatto, sono soltanto cinque le carte che interessano. Ovviamente vince colui che con le cinque carte prescelte ha realizzato la combinazione maggiore. Siccome potrebbe anche accadere che un giocatore, particolarmente distratto o inesperto, non riuscisse ad identificare, fra tutte e sette le carte possedute, la maggiore combinazione ottenuta con cinque di esse, è previsto che in questo gioco ognuno deve "dichiarare" la combinazione che ha fatto. In questo modo chi è distratto ci rimette.

IL BACCARÀ

Il baccarà è uno dei classici giochi da casinò e viene solo di rado organizzato in case private. Comunque in un libro nel quale si parla di giochi d'azzardo non può mancare la descrizione di quello che è uno dei grandi protagonisti delle case da gioco. Si tratta, come vedremo, di un gioco in cui non occorre praticamente alcuna abilità; infatti le uniche scelte che possono essere eseguite sono strettamente predeterminate da apposite tabelle che sono state calcolate applicando rigorosamente le leggi del calcolo delle probabilità. Un buon giocatore di baccarà non è colui che ragiona, ma semplicemente chi applica tali regole senza mai distrarsi né commettere errori.
Anche se coloro che puntano possono essere molti, in pratica i partecipanti attivi al gioco sono soltanto tre: il "banco" e le "punte".

Davanti a un apposito tavolo siedono quindi tre persone, il banchiere al centro e le punte ai lati. Il banchiere può essere sia un rappresentante della casa da gioco come anche un qualsiasi privato. Attorno a costoro possono prendere posto altri giocatori che però si devono limitare a eseguire delle puntate. Essi, infatti, non ricevono carte e quindi non possono prendere alcuna decisione. Tali giocatori passivi devono sempre puntare contro il banco scegliendo uno o l'altro lato. La punta che li rappresenta, proprio per il fatto che gioca non soltanto per sé ma anche per altri, deve rigorosamente attenersi alle regole.
Il baccarà si gioca con un insieme di sei mazzi di carte francesi (senza jolly) e quindi con un totale di 312 carte. Tali carte vengono inserite in un apposito distributore, dal quale verranno estratte una per volta.
Eseguite le puntate, il banchiere dà una carta coperta alla punta di destra, una a quella di sinistra e una a se stesso; quindi ripete l'operazione. Cioè ancora una carta a destra, una a sinistra e una al centro.
Tutte le carte vengono date coperte. Tenendo presente che ogni carta che non sia una figura vale un punteggio corrispondente al suo valore (il due vale due, il tre vale tre e così via) e che tutte le figure valgono 10, il gioco consiste nell'avvicinarsi il più possibile, con la somma delle due carte, al nove. Nel caso in cui si sia realizzata una somma eguale o superiore al dieci, occorre sottrarre da essa tale cifra.
Ecco qualche esempio:

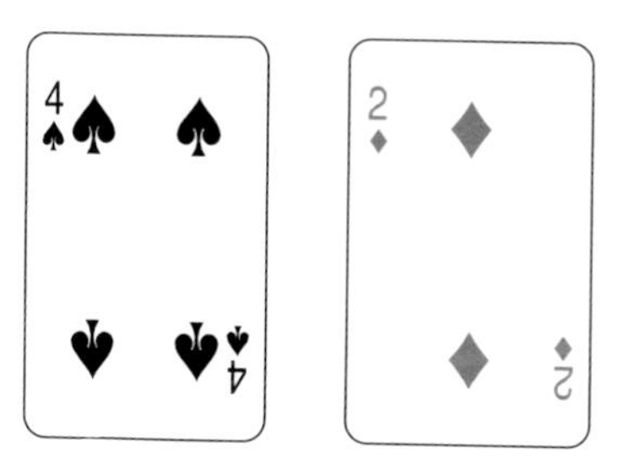

queste due carte realizzano in totale sei (4 + 2 = 6);

queste due carte realizzano in totale tre (perché 9 + 4 farebbe 13, ma a tale somma va tolto 10 e quindi rimane tre);

queste due carte realizzano 4 (perché 10 + 4 farebbe 14 ma, togliendo il solito 10, si ottiene 4).
Ricevute le carte, la punta di destra le guarda. Se ha fatto otto o nove dice "batto" e le scopre. Se ha fatto 7, 6 o 5 deve "stare", mentre se ha fatto un punteggio inferiore può chiedere un'altra carta. Anche il valore di questa terza carta va sommato a quello delle altre due e il punteggio definitivo si ottiene togliendo, se fosse necessario, il solito 10. Pigliando un'altra carta può accadere sia che si migliori la situazione, sia che la si peggiori. Per esempio consideriamo questa situazione supponendo che l'ultima carta ricevuta sia la terza:

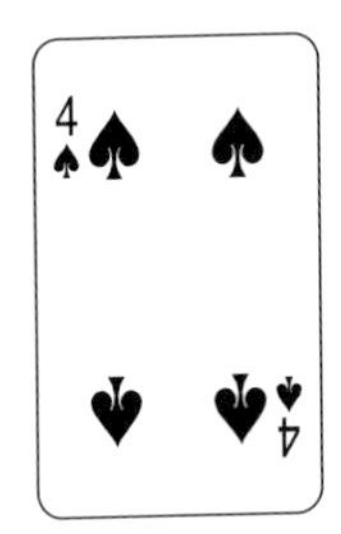

Con le prime due carte (6 + 5 = 11, 11 - 10 = 1) era stato realizzato soltanto uno. Con l'aggiunta del 4 si è arrivati al punteggio di 5. Quindi la situazione è migliorata.

In questo caso, invece, c'è stato un peggioramento. Infatti con le prime due carte si era realizzato 4 (9 + 5 = 14 e 14 - 10 = 4) e con l'aggiunta di un otto si è scesi a 2. Infatti 4 + 8 = 12 e 12 - 10 = 2. Ovviamente il calcolo con le tre carte potrebbe essere effettuato anche sommando tutti e tre i valori e poi togliendo o 10 o 20. In questo caso, per esempio: 9 + 5 + 8 = 22 e 22 - 20 = 2. Dopo aver chiesto la terza carta non è possibile chiederne altre.
Terminato il gioco da parte della punta di destra, tocca alla punta di sinistra che si comporterà nello stesso modo del suo collega. Ora tocca al banchiere che scoprirà le sue due carte (queste carte possono essere scoperte perché ormai le punte hanno terminato il loro gioco). Anche il banchiere potrà scegliere se stare o tirare. In questo caso girerà una terza carta e con ciò il gioco è terminato. Tutti scoprono le loro carte e si vede chi ha vinto. A parità di punteggio la mano è nulla. Ovviamente può accadere che il banco batta una delle due punte ma sia sconfitta dall'altra. Nel baccarà normale, all'inizio del gioco, il banco dichiara la somma che intende giocare e, se le puntate complessivamente fossero superiori a tale somma, allora il banco pagherebbe, cominciando dalle punte andando verso l'esterno, soltanto fino alla somma prestabilita. In questo caso va anche precisato che qualsiasi giocatore può "chiamare banco" e giocare da solo tutta la somma fissata dal banco. Se si verifica una circostanza del genere, tutti gli altri sono esclusi ed il gioco si svolge soltanto fra il banchiere e chi ha chiamato banco. Il "baccarà tout va", invece, è una variante di tale gioco, caratterizzata dal fatto che il banco non pone alcun limite e accetta quindi qualsiasi puntata.

LO CHEMIN DE FER

Lo chemin de fer è un altro caratteristico gioco da casinò che può essere considerato una diretta derivazione del baccarà.
Le due sostanziali differenze sono queste: il banco cambia continuamente e invece di due punte ce n'è una sola. Esattamente funge da punta chi chiama banco o chi esegue la puntata più elevata. Intorno al tavolo, che ha sempre forma ovoidale allungata, siedono dieci persone: il direttore del gioco (rappresentante della casa) e nove giocatori. Il direttore dà le carte a chi gli siede alla destra. Costui è il primo banco e deve dichiarare quanto intende puntare. Fatto ciò, il gioco si svolge come al baccarà con la sola differenza che riguarda l'unica puntata esistente.
Colui che tiene il banco è libero di lasciarlo in qualsiasi momento a meno che non *salti*, cioè non perda tutto ciò che aveva messo a disposizione all'inizio. In questo caso, oppure quando decide spontaneamente di cedere ad altri il banco, passa le carte a chi sta seduto alla sua destra. Quest'ultimo è libero di accettare di diventare il nuovo banchiere o di passare a sua volta la mano a chi è seduto alla sua destra e così via. Per tutto il resto lo chemin de fer è identico al baccarà visto precedentemente.

IL TRENTE ET QUARANTE

Il trente et quarante è svolto presso tutte le case da gioco e, anche in questo caso, si tratta di un puro gioco d'azzardo in cui tutto ciò che si può fare è puntare sperando nella buona sorte. Le carte vengono sempre distribuite dal mazziere che tiene anche il banco, mentre i giocatori possono fare le loro puntate scegliendo una delle seguenti combinazioni: "nero", "rosso", "colore", "inverso". Eseguite le puntate e detto il fatidico "rien ne va plus", l'impiegato addetto comincia la distribuzione delle carte. Egli cioè gira una prima carta che depone scoperta davanti a sé, quindi ne gira una seconda che pone di fianco alla prima, poi una terza e così via fino a quando la somma di tutte le carte della linea non raggiunge un valore superiore a trenta, cioè da trentuno in avanti. Per stabilire il valore della somma va tenuto presente che tutte le carte fino al nove valgono il relativo valore, mentre i dieci e le figure valgono dieci. Supponiamo che il mazziere abbia scoperto le seguenti carte:

Dovrebbe ancora continuare in quanto la somma è 10 + 5 + 4 + 6 = 25 e quindi è minore di 31. Se alla carta successiva il mazziere gira un 8, la somma diventerà di 33 e la fila di carte è così terminata. Sotto la prima fila il mazziere ne forma una seconda con le stesse modalità (cioè anche in questo caso deve continuare a girare delle carte fino a quando non supera la somma di 30). Terminata anche questa seconda fila, il gioco ha termine e si deve passare al pagamento dei vincitori e al ritiro delle puntate perdenti. Vediamo allora come vengono stabiliti i vincitori.
Si guarda qual è la fila che si è maggiormente avvicinata al 31, cioè in pratica che ha la somma minore. Tale fila è dichiarata vincitrice. Sapendo adesso che la prima fila vale per il colore nero e la seconda per il rosso, è facile sapere quale colore ha vinto. Infatti, se vince la prima fila, allora vince il nero (e quindi perde il rosso), se vince la seconda fila, vince il rosso (e quindi perde il nero).
Vediamo adesso gli altri due tipi di puntata che è possibile effettuare: il "colore" e l'"inverso". Per decidere quale di queste combinazioni ha vinto bisogna guardare la prima carta che è stata scoperta. Se tale prima carta è dello stesso colore che ha vinto allora vince il "colore" (e quindi perde l'"inverso"); se invece la prima carta scoperta è di colore diverso da quello che ha vinto, allora vince l'"inverso" (e perde il "colore"). Consideriamo per esempio questa situazione:

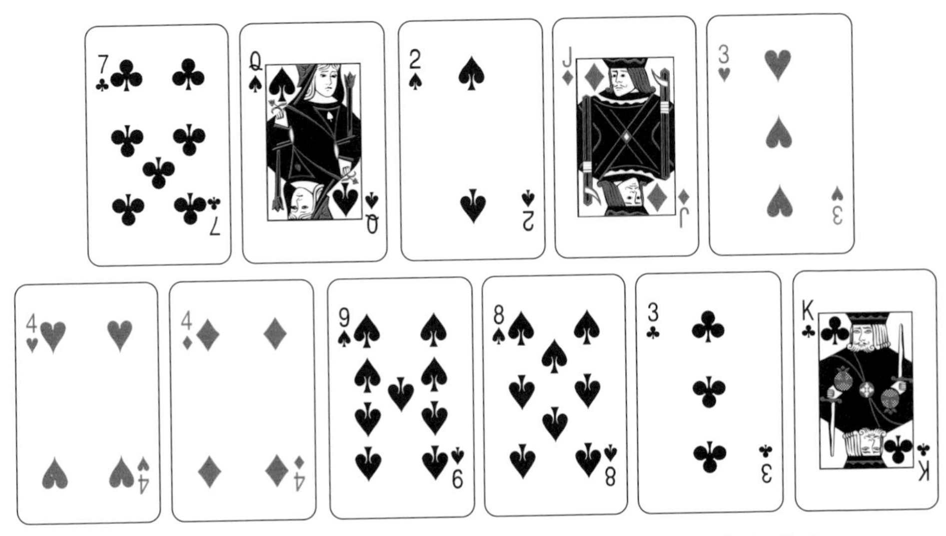

Nella prima fila la somma è 32 mentre nella seconda è 38. Quindi vince la prima fila e cioè il nero. La prima carta girata era un 7 di fiori, cioè una carta nera. Allora in questa mano vincono il nero e il colore.

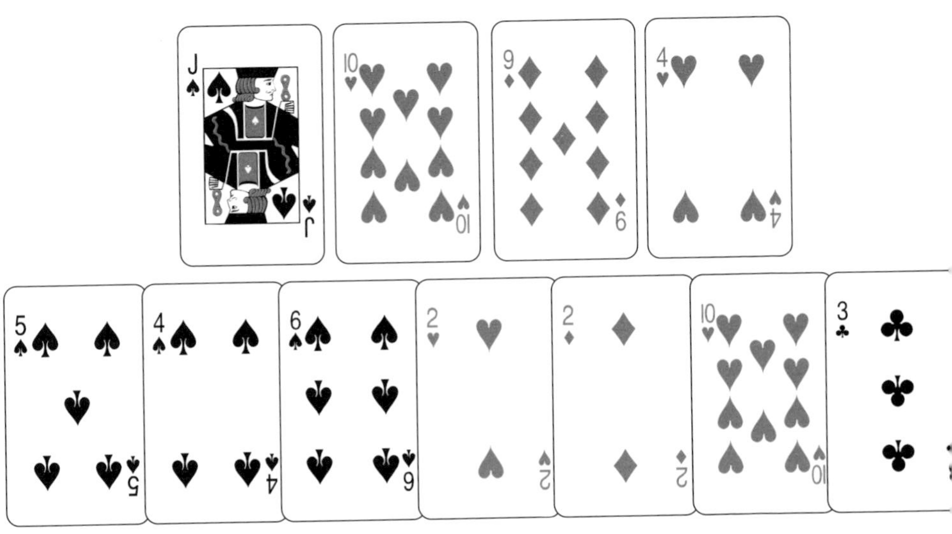

Nella prima fila la somma è 33 mentre nella seconda fila la somma è 32. Allora vince la seconda fila e quindi il rosso. D'altra par-

te la prima carta girata è un fante di picche e cioè è di colore nero. Allora, essendo la suddetta prima carta di colore diverso da quello che ha vinto, vince l'inverso. Quindi in questa mano vincono rosso e inverso.
Nel caso in cui in entrambe le file si raggiunga la stessa somma, allora la mano è da considerarsi pari e le puntate restano per la mano successiva. Chiunque però, se vuole, può ritirarle o cambiarle di posto. Nel caso particolare in cui in entrambe le file si raggiunga la somma di 31, allora il banchiere vince la metà di tutte le puntate che sono state effettuate. All'inizio di questo paragrafo non abbiamo detto con quante carte si gioca a trente et quarante, perché in pratica il fatto non ha alcuna importanza. Normalmente esso viene giocato con due o tre mazzi completi da 52 carte, ma potrebbe anche essere giocato con più mazzi.
All'inizio del gioco occorre mescolare bene le carte e quindi farle alzare. Talvolta, specialmente nelle case da gioco, vengono tolte alcune carte, dopo che sia stato effettuato il taglio, che restano coperte. La ragione è da ricercarsi nel fatto che così facendo non è possibile, quando si giungerà alla fine del mazzo, sapere esattamente quali carte ancora devono essere girate. Il mazzo verrà nuovamente mescolato e tagliato soltanto quando sarà stato distribuito tutto una prima volta.

IL SETTE E MEZZO

Vediamo adesso un gioco d'azzardo che può essere tranquillamente praticato in casa e che, rispetto ad altri, ha anche diversi vantaggi, in quanto non è un gioco di puro azzardo. Per esempio a sette e mezzo è possibile anche bluffare. Lo si gioca con un mazzo di quaranta carte: si parte da un mazzo francese di 52 carte e si tolgono gli otto, i nove e i dieci. Di conseguenza restano tutte le carte dall'uno al sette e le figure.
Le carte dall'uno al sette valgono ognuna il punteggio corrispondente, mentre tutte le figure valgono indistintamente mezzo punto. Una sola figura assume le funzioni di "matta": a essa può essere attribuito, dal suo possessore, qualsiasi valore

intero da uno fino a sette. Per alcuni, poi, la matta può eventualmente valere anche mezzo punto (come le altre figure), però non tutti sono d'accordo su tale consuetudine e giocano attribuendo sempre alla matta valore intero. Generalmente come matta si sceglie la donna di cuori, però si può anche far cadere la preferenza su qualsiasi altra figura (per esempio il re di quadri). Ciò che è fondamentale è che tutti i giocatori, fin dall'inizio della partita, siano d'accordo su quale carta sarà considerata come matta.

Il gioco consiste nel riunire più carte fino a formare, come somma, sette e mezzo o almeno un punteggio il più possibile vicino a tale valore. Però attenzione: chi dovesse superare il sette e mezzo, cioè chi fa otto o più "sballa" e, automaticamente, perde. Il sette e mezzo formato con due sole carte, quindi, un sette e una figura, oppure una figura e la matta (che in questo caso vien fatta valere come sette) prende il nome di "sette e mezzo reale".

E vediamo come si svolge il gioco. Stabilito con un metodo qualsiasi, per esempio alzando le carte e vedendo chi ha la più elevata di valore, chi dovrà essere il mazziere e distribuite le puglie, inizia il gioco vero e proprio. Il mazziere, che funge anche da banco, distribuisce a ogni partecipante, girando verso sinistra, una sola carta. Infine dà una carta coperta anche a se stesso. A questo punto iniziano le puntate. Il primo giocatore guarda la carta ricevuta (senza mostrarla agli altri) e quindi può scegliere fra due possibilità: "stare" o "chiedere carta". Nel primo caso vuol dire che, reputando abbastanza alta la carta ricevuta, non vuole rischiare di sballare. Nel secondo caso, invece, avendo ricevuto una carta bassa o una figura preferisce chiederne un altra. In entrambi i casi deve effettuare la sua puntata mettendo sulla carta già in suo possesso le fiches corrispondenti. Se ha chiesto carta, questa gli viene data dal mazziere scoperta. Il giocatore si ritrova nella stessa situazione di prima, cioè può stare o può chiedere una altra carta e così fino a quando lo riterrà opportuno. Ovviamente, tutte le carte che riceverà dopo la prima saranno scoperte e dovranno essere tenute in modo che tutti gli altri partecipanti al gioco le possano vedere. Quando si è ricevuto qualche carta (una o più) possono però verificarsi altri due casi: il giocatore sballa oppure fa sette e mezzo. In entrambi i casi deve dichiarare questa situazione e scoprire anche la carta che era ancora nascosta agli altri. Se sballa ha sicuramente perso e quindi deve pagare subito al banco la posta giocata. Se fa sette e mezzo, invece, deve aspettare il termine del gioco. La puntata deve restare sempre quella che era stata fatta inizialmente e nel corso del gioco non può più essere cambiata, anche se il giocatore continua a chiedere nuove carte. Esaurito il primo giocatore, la parola passa al secondo, che si comporterà nello stesso modo, quindi al terzo e così via finché si arriva a chi tiene il banco. Questi girerà la sua carta (ormai è inutile tenerla coperta, perché tanto tutti hanno già fatto il loro gioco) e a sua volta deciderà se stare o chiedere una o più carte. Terminata anche tale fase, si passa a esaminare la situazione. Tutti coloro che, senza essere sballati, hanno fatto più punti del banco vengono pagati da questo e ricevono una somma pari alla puntata effettuata. Tutti coloro, invece, che hanno fatto un punteggio eguale o inferiore a quello del banco perdono e devono dare a quest'ultimo la loro puntata. Nel caso in cui il banco sia sballato ci si comporta sostanzialmente nello stesso modo. I giocatori sballati hanno perso (e d'altronde hanno già pagato), mentre quelli che non sono sballati vincono tutti, qualunque sia il loro punteggio. Il sette e mezzo reale ha diritto a essere pagato il doppio. Sia che a farlo sia un giocatore (in questo caso sarà il banco a dargli il doppio della somma che era stata puntata) sia che a farlo sia il banco. In questo caso saranno tutti gli altri giocatori a dare al banco una somma pari al doppio della loro puntata. Chi fa sette e mezzo reale ha diritto a prendere lui il banco.

Nel gioco possono essere introdotte alcune varianti. Eccone qualcuna. Si può considerare come combinazione particolarmente elevata (tanto da essere pagata tre volte la puntata) quella formata da due sette. Si può stabilire che il banco non paghi doppio un sette mezzo reale se non tira la carta, ma resta con quella ricevuta all'inizio. Si può stabilire che il giocatore che è sballato, e che quindi ha già pagato il banco, non deve pagare un'altra somma eguale alla puntata, se il banco fa sette e mezzo reale.
Un discorso a parte merita la questione relativa alla possibilità per la matta di valere o no mezzo punto. Per alcuni ciò non si verifica mai e quindi il giocatore che avesse all'inizio una matta e ricevesse un sette verrebbe considerato sballato. Infatti, se la matta può valere, al minimo, un punto, la combinazione matta-sette vale al minimo otto. Per altri, invece, non solo la matta può anche valere mezzo punto, ma addirittura essa, da sola, può valere solamente mezzo punto. Quindi nel caso di un giocatore che, distraendosi, sbaglia e non chiede carta dopo aver ricevuto la matta, è come se avesse ottenuto il punteggio di mezzo. Ovviamente per costoro, potendo la matta valere mezzo punto, la combinazione matta-sette costituisce sette e mezzo. Anzi in certi tavoli tale combinazione viene considerata particolarmente elevata e quindi viene pagata anche più di un semplice sette e mezzo reale.
Un'ultima considerazione riguarda il momento in cui si devono mescolare nuovamente le carte. Ciò va fatto sia quando cambia il banchiere che quando è stata girata la matta.

IL MACAO

Il macao è un gioco che ha molte rassomiglianze con il baccarà. Viene giocato con due o tre mazzi di 52 carte francesi.
Le figure (dal fante al re) valgono ognuna dieci punti, il dieci vale zero e le altre carte hanno ognuna un valore equivalente al proprio punteggio. Anche in questo caso c'è un banchiere che gioca contro due settori che raccolgono le varie puntate e anche ora si tratta di totalizzare il punteggio più vicino al nove (senza però superarlo).

All'inizio il banchiere dà una carta a ognuno del settore e una la prende per sé. Ovviamente tutte queste carte restano coperte. Effettuate le puntate, si procede al gioco.
Chi ha ricevuto la prima carta la guarda e decide cosa fare. Se si trovasse in mano un sette o un otto o un nove, allora dovrebbe stare in quanto, molto probabilmente, avrebbe vinto. Infatti, se il banco non possiede la stessa carta o una carta superiore, il giocatore ha diritto a ricevere tre volte la posta se ha avuto un nove "secco" (cioè se ha fatto nove con la sola prima carta), due volte la posta se aveva un otto secco e una volta la posta se aveva un sette secco. Nel caso in cui, invece, la carta ricevuta fosse di valore inferiore, allora il giocatore ha diritto a chiederne un'altra. Va però detto che, se la somma delle due carte arriva a quota dieci o lo supera, il giocatore è sballato, cioè è *morto*, e quindi ha sicuramente perso.
Dopo il primo giocatore tocca al secondo e quindi al banchiere. Nel caso in cui non ci sia stato nessun nove, otto o sette secco, vince chi ha realizzato il punto superiore (cioè ci si comporta come al baccarà). Un'altra caratteristica è rappresentata dal fatto che, se è il banco a ricevere un nove o un otto o un sette "secco", non avviene nemmeno la distribuzione della seconda carta. I due giocatori debbono girare la carta ricevuta. Se hanno una carta inferiore a quella posseduta dal banchiere, allora devono pagargli tre volte la somma scommessa se questi ha un nove, due volte la posta se questi ha un otto e una volta la posta se questi ha un sette. Ovviamente, se uno dei giocatori ha la stessa carta del banchiere, allora c'è parità e se ce l'ha addirittura superiore è il banchiere che deve pagare.

LA ZECCHINETTA

La zecchinetta, della quale però esistono moltissime varianti, è un gioco d'azzardo che in un caso si riduce addirittura a dar la vittoria a chi riceve la carta più alta. Nella sua forma più semplice si gioca con uno o più mazzi completi di 52 carte. I partecipanti possono essere in numero variabile e uno di essi, con modalità decise di volta in volta, ha le funzioni del banchiere.

All'inizio del gioco il banchiere indica la somma che intende puntare. Se uno solo degli altri giocatori intende puntare tutta la somma relativa, allora dice "banco". In questo caso tutti gli altri giocatori sono tagliati fuori: il banchiere dà una carta al suo avversario e una la tiene per sé. Vince chi ha ricevuto la carta maggiore. In caso di parità, si prende una seconda carta e vince chi ha avuto adesso la carta maggiore. Così facendo il vincitore prende il banco che risulta raddoppiato rispetto alla somma preventivamente fissata.
Quando invece il gioco si svolge normalmente, cioè senza che vi sia un solo giocatore che sfida il banco, allora tutti i partecipanti possono fare la loro puntata, però la somma totale delle puntate deve essere eguale a quella fissata dal banco. Eseguite le puntate, il banchiere gira una carta e la depone alla propria sinistra in posizione ben visibile. Tale carta è quella del banchiere. Quindi lo stesso mazziere gira una seconda carta che depone, sempre ben visibile, alla propria destra. Questa sarà la carta di tutti gli altri giocatori. A questo punto il mazziere continua a scoprire successivamente le altre carte nell'ordine in cui si trovavano nel mazzo. Ciò continua fino a quando non viene scoperta una carta eguale in valore a una delle prime due scoperte. Cioè, in pratica, se le carte scoperte erano un otto e un fante, il banchiere continua a girare sempre, fino a quando non salta fuori o un altro otto o un altro fante. A questo punto il gioco ha termine. Se la nuova carta girata è eguale a quella di sinistra, vince il banchiere; se invece la nuova carta girata è eguale a quella di destra, allora vincono gli altri giocatori.

ALL'ULTIMO SEME

Anche questo è un puro gioco d'azzardo che, in un certo senso, ricorda la zecchinetta. Il mazziere scopre alcune carte fino a trovarne quattro appartenenti a tutti i semi diversi. A questo punto il mazziere dispone le quattro carte davanti a sé e si ferma. Adesso si fanno le puntate. Ognuno dei partecipanti può

puntare su una qualsiasi delle carte. Terminate le puntate, il mazziere riprende a girare le varie carte. La prima carta che scopre la mette sopra quella dello stesso seme, quindi, ogni qualvolta gira una carta appartenente a un seme la cui corrispondente carta (fra le quattro iniziali) non sia ancora stata coperta, la mette sopra quella avente lo stesso seme. Mette tutte da parte le carte che hanno semi già coperti. A un certo momento avverrà il ricoprimento della terza carta, quando fra le prime quattro carte ve ne saranno tre coperte e una no. A questo punto il gioco è terminato, nel senso che ha vinto il seme che non è stato ancora coperto.
Tutti coloro che hanno puntato proprio su quella carta vincono e ricevono, ognuno, il triplo di ciò che hanno puntato. Invece le puntate che erano state fatte sulle tre carte coperte vengono incamerate dal banco.

IL MERCANTE IN FIERA

Il Mercante in fiera è un gioco che dovrebbe essere svolto con carte speciali, ma che può anche essere realizzato con due comuni mazzi di 52 carte francesi. Tale gioco va senz'altro considerato come d'azzardo, anche se può essere fatto tra bambini usando come premio, per esempio, delle caramelle.
Al gioco possono partecipare quante persone vogliono e una di esse prenderà il posto di banditore. Tale banditore, comunque, non avrà alcun particolare vantaggio e anzi potrà addirittura restare estraneo al gioco o prendervi parte avendo esattamente le stesse probabilità di vittoria di tutti gli altri partecipanti.
Mescolate le carte, occorre procedere alla loro distribuzione dandone una a ogni giocatore e quindi, terminato il primo giro, un'altra e poi un'altra ancora e così fino a quando ci sono carte sufficienti per darne una a ognuno. Finita la distribuzione delle carte, la situazione sarà la seguente: ogni giocatore avrà un certo numero di carte (eguale per tutti) e, molto probabilmente, vi saranno ancora delle altre carte che non sono state distribuite (perché non era possibile darne una a ognuno

dei partecipanti). Il banditore, allora, dovrà cercare di "vendere" queste carte restanti al maggior offerente. Quindi, alla fine, non sarà rimasta nessuna carta non aggiudicata e i vari giocatori potranno avere un numero differente di carte in mano (a seconda che abbiano "acquistato" o no qualche carta durante l'asta).

Raccolto il complesso della somma (formata sia dalle puntate iniziali stabilite per poter partecipare al gioco come anche da ciò che è stato realizzato durante l'asta), bisogna dividere tutto questo montepremi in tre quote diverse fra loro. Ora viene preso il secondo mazzo e, con modalità da stabilirsi di volta in volta, vengono tolte da esso tre carte che devono restare ignote a tutti i partecipanti. Le tre carte verranno messe, ovviamente coperte, in un posto tale che tutti possano controllarle e quindi sulla prima di esse si metterà la parte maggiore in cui era stato diviso il montepremi, sulla seconda la quota intermedia e sulla terza la quota più piccola. Come è facile intuire, allora, la somma maggiore rappresenterà il primo premio, quella intermedia il secondo premio e quella più piccola il terzo premio.

A questo punto il mazziere prende il secondo mazzo (che, per quanto abbiamo detto, sarà privo delle tre carte scelte in precedenza) e, una per volta, le gira mostrandole a tutti. Chi ha in mano la carta eguale a quella girata deve scartarla, in quanto la carta stessa è stata messa fuori gioco. Ovviamente, a mano a mano che il gioco va avanti aumenta sempre più il numero di carte fuori gioco e, viceversa, chi ne ha ancora in mano spera sempre più che fra di esse vi siano quelle che vinceranno il premio. Il gioco può essere notevolmente vivacizzato da trattative private fra i giocatori che possono comperare carte, venderle o cambiarle. È anche permesso mettere una o più carte in comproprietà.

Ovviamente tutte queste trattative vanno fatte con le carte che ancora non sono state messe fuori gioco. Alla fine resteranno soltanto tre carte in mano ai giocatori. Tali carte coincidono con quelle che vincono i premi. Allora si gira quella che ha il premio più basso e il possessore della carta eguale ritira la somma, quindi si gira la seconda carta e viene consegnato il secondo premio e infine anche il primo.

L'OROLOGIO

Anche l'orologio è un gioco di puro azzardo. Lo si pratica con un mazzo di 52 carte francesi. Scelto con un metodo qualsiasi il mazziere, e decisa la posta per ogni partita, si rimescolano le carte e quindi si fa alzare. A questo punto il mazziere, che funge anche da banco, comincia a girare una alla volta le varie carte, disponendole davanti a sé scoperte come in un ipotetico orologio. Quando gira la prima dice le una, quando gira la seconda dice le due, la terza le tre e così via fino alle tredici. Se accade che durante questa operazione il banchiere scopra una carta il cui valore corrisponde con l'ora che è stata annunciata, allora è lui ad aver vinto e tutti gli altri devono pagargli la posta. Se, invece, giunto alla tredicesima ora, non si è mai verificata questa circostanza, allora sono gli altri ad aver vinto ed il banchiere li deve pagare. Ovviamente la carta che "segna" le undici è il fante, quella delle dodici la donna e quella delle tredici il re. Consideriamo, per esempio, la distribuzione nella figura che segue.

Dopo aver girato la prima carta, il mazziere ha dovuto continuare, perché quando erano le una non è uscito un asso ma un sette; lo stesso è successo alle due (quando è uscito un fante), alle tre (quando è uscito un asso) e alle quattro (quando è uscito un re). Con la quinta carta, invece, il gioco si è risolto a favore del banco. Infatti quando lui ha detto "sono le cinque" è proprio uscito un cinque.
Va osservato che questo gioco, organizzato così, è non solo di puro azzardo ma anche estremamente vantaggioso per il banco. Si potrebbe, infatti, dimostrare matematicamente che il banco ha all'incirca il doppio delle probabilità di vittoria dei suoi avversari. Per ridurre questo vantaggio, il gioco potrebbe essere organizzato diminuendo il numero massimo di carte da girare. Per esempio fermandosi "alle dieci" e limitandosi a girare al massimo dieci carte, la situazione diventa già più equilibrata.

I GIOCHI MENO NOTI

I TAROCCHI

I tarocchi sono uno dei più antichi giochi di carte. Anzi alcuni sostengono che esso fosse conosciuto, se non proprio come passatempo, anche agli antichi Egiziani. Ciò che è certo è che si tratta di un gioco molto diffuso, nel nostro paese come in molti altri, nei secoli scorsi. Attualmente la popolarità dei tarocchi è abbastanza diminuita; in Italia tale gioco viene tuttora praticato in Lombardia e, soprattutto, in Piemonte.
I tarocchi si giocano con un mazzo di carte speciali (di cui abbiamo già parlato nell'introduzione) formato da 78 carte così distribuite:

- 14 Danari	- 14 Spade	- 22 Tarocchi
- 14 Coppe	- 14 Bastoni	

Le carte dei quattro semi (danari, coppe, spade e bastoni) sono costituite sempre dalla sequenza: 1 - 2 - 3 - 4 - 5 - 6 - 7 - 8 - 9 - 10 - fante - cavallo - donna - re.
Le carte dei tarocchi sono invece numerate dallo zero al 21 e rappresentano figure caratteristiche di questo gioco. Esattamente va detto che, nel corso dei tempi e nelle differenti nazioni, i personaggi o le cose rappresentate hanno subito cambiamenti notevoli. Comunque, limitandoci a considerare le carte che più comunemente si trovano oggi, ecco l'elenco delle diverse figure con i

relativi numeri che scriviamo sia in cifre arabe che in cifre romane (infatti è quasi sempre in questo modo che i numeri sono riportati sulle carte stesse).
Vediamo adesso di chiarire qual è il valore relativo delle differenti carte, cioè, in altre parole, vediamo quale fra due carte è superiore (e quindi può conquistare la presa). Occorre fare, a questo proposito, molta attenzione perché la situazione è abbastanza complicata, in quanto abbiamo tre situazioni diverse. Cominciamo a esaminare i due semi.

0	0	Matto
1	I	Bagatto
2	II	Papessa
3	III	Imperatrice
4	IV	Imperatore
5	V	Papa
6	VI	Amore
7	VII	Carro
8	VIII	Giustizia
9	IX	Eremita
10	X	Fortuna
11	XI	Forza
12	XII	Appiccato
13	XIII	Morte
14	XIV	Temperanza
15	XV	Diavolo
16	XVI	Casa
17	XVII	Stelle
18	XVIII	Luna
19	XIX	Sole
20	XX	Angelo
21	XXI	Mondo

Spade e *bastoni*: le carte hanno valore decrescente partendo dal re che è seguito da donna, cavallo, fante, 10 e via via fino all'asso. Quindi in uno di questi due semi la carta maggiore prende sempre quella minore.

Danari e *coppe*: per quanto riguarda la situazione delle figure tutto resta come nel caso precedente. Cioè esse, in ordine decrescente, sono ancora: re - donna - cavallo - fante. Invece per le altre carte si ha l'inversione rispetto a prima. Cioè, in ordine decrescente, le carte sono: 1 - 2 - 3 - 4 - 5 - 6 - 7 - 8 - 9 - 10. Quindi a questo seme, giocando due figure, vince quella superiore secondo il solito ordine; giocando una figura e una carta che non sia figura, vince la figura; giocando due carte che non siano figure, vince la carta minore (attenzione, lo ripetiamo: vince la minore e non, per esempio, la maggiore come succede a spade e bastoni).

Tarocchi: fra più carte di tarocchi vince sempre quella che porta il numero maggiore. Per esempio l'Eremita (che ha il numero 9) batte l'Imperatore (che ha il numero 4), però lo stesso Eremita è sconfitto dalla Luna (che ha il numero 18). Una situazione tutta particolare si verifica per il Matto (numero 0) e l'Angelo (numero 20). Il Matto in pratica è una carta a sé che, in un certo senso, non andrebbe neppure definita un "tarocco" (tanto è vero che è stata numerata col numero zero). In pratica, quando si sta svolgendo la partita, chi ha in mano il Matto e lo vuole giocare, lo gira, lo fa vedere agli altri e poi lo ripone fra le sue carte. Così giocando in tre, per quella volta la mano sarà decisa soltanto da due giocatori, in quanto la terza carta (corrispondente al Matto) è stata messa direttamente fra le proprie carte da chi già la possedeva. Quindi, lo ripetiamo, il Matto non prende nessuna altra carta ma, d'altra parte, non può nemmeno essere presa: resta alla persona cui è capitata, inizialmente, durante la distribuzione. L'Angelo, invece, avendo il numero 20 dovrebbe essere il tarocco più alto di tutti, tranne che del Mondo (che ha il numero 21). Invece è come se si verificasse un'inversione fra gli ultimi due tarocchi: cioè l'Angelo vale più del Mondo. In altre parole i due ultimi tarocchi (quelli numerati col 20 e col 21) battono tutti gli altri; però se si trovano in uno scontro diretto fra di loro, allora vince quello che ha il numero più basso e cioè l'Angelo che conquista il Mondo.
Un caso particolare da considerare è quello in cui in una stessa mano venga giocata una carta di uno dei quattro semi ed un tarocco: in questo caso il tarocco svolge una funzione simile a quella della briscola. Cioè qualsiasi tarocco batte qualsiasi carta di uno dei quattro semi. Però va anche precisato che in questo gioco è obbligatorio rispondere al seme: se il primo di mano gioca una carta di spade, allora tutti gli altri debbono giocare una carta dello stesso seme. Nel caso in cui uno fosse sprovvisto di carte di quel seme, allora diventa obbligatorio il taglio, per cui chi non ha carte del seme giocato per primo deve necessariamente giocare tarocchi. Soltanto quando non si hanno carte del seme della prima e non si hanno (o si sono finiti) i tarocchi, allora si è liberi di scartare una carta di un seme qualsiasi.
Terminata la partita, secondo le modalità che vedremo fra poco, vanno contati i punti realizzati da ogni partecipante. Le carte che hanno diritto a punti sono le seguenti:

ogni Re	vale 5 punti
il Bagatto (I)	vale 5 punti
il Mondo (XXI)	vale 5 punti
ogni Donna	vale 4 punti
il Matto	vale 4 punti
ogni Cavallo	vale 3 punti
ogni Fante	vale 2 punti

Però va tenuto presente che, nel contare i punti, le carte vanno considerate tre a tre, cioè a ognuna delle carte che valgono qualcosa (quelle dell'elenco precedente) devono essere accoppiate due scartine.
Solo quando si sono finite le carte che valgono punti, allora si contano le scartine restanti, che valgono un punto per ogni gruppo di tre.
Adesso dovremmo esaminare in particolare il modo di svolgimento del gioco. Va subito detto che con i tarocchi è possibile eseguire tutta una lunghissima serie di giochi diversi che hanno regole quanto mai differenti; in certi casi si può riconoscere in alcuni di essi una derivazione comune, ma talvolta si tratta di giochi che hanno differenze sostanziali. Noi qui ci limiteremo a descrivere il gioco in tre, sia perché è fra i più semplici sia anche perché è uno dei pochi che viene tuttora praticato.
Come dice il nome, in questo caso i tarocchi vengono giocati da tre persone che giocheranno indipendentemente l'una dall'altra anche se, nel corso della partita, potranno verificarsi alleanze temporanee.
Il mazziere, dopo aver mescolato e fatto alzare, comincia a distribuire le carte dandone cinque per volta. La distribuzione continua fino a quando ognuno dei giocatori avrà venticinque carte. Siccome, come abbiamo detto, il mazzo completo è formato da 78 carte, a questo punto i giocatori avranno in mano 75 carte (cioè 25 x 3) e resteranno ancora tre carte. Tali carte sono messe dal mazziere insieme alle sue. In pratica cioè, al termine della distribuzione, chi ha fatto le carte ne avrà in mano 28, mentre i suoi due avversari ne avranno soltanto venticinque per uno.

A questo punto il mazziere deve scartare tre carte (in modo da avere complessivamente in mano tanti pezzi quanti ne hanno gli altri). L'operazione di solito viene eseguita in modo da accorciare i pali più deboli per poter poi effettuare le prese tagliando con i tarocchi. Comunque sul problema dello scarto sarebbero possibili lunghissime discussioni. In genere poi esistono regole quanto mai diverse. Per esempio, in genere non è permesso scartare né i re né i tarocchi. Eseguito lo scarto, ha inizio il gioco vero e proprio.
Il primo di mano gioca una carta e gli altri due giocano la loro tenendo presente quanto detto prima: è obbligatorio rispondere al seme, se non si può rispondere al seme è obbligatorio giocare tarocchi, solo non avendo né carte di quel seme, né tarocchi si può giocare una carta di un altro seme qualsiasi. Dopo ogni colpo si guarda fra le tre carte giocate qual è quella superiore (secondo le regole elencate prima) e quindi si attribuisce la presa relativa. Chi ha fatto la presa riprende a giocare per primo. Si va avanti così per tutte e 25 le mani e, giunti alla fine, si contano i punti fatti. Le figure che eventualmente fossero state messe dal mazziere negli scarti, per consuetudine, vanno assegnate al mazziere stesso. Però anche a questo proposito esistono regole diverse. Per esempio, sono in molti a seguire il principio che quelle figure non vanno considerate a suo vantaggio nel caso in cui gli altri giocatori lo abbiano smontato in tarocchi prima che qualcuno fosse uscito nel seme che è stato messo negli scarti.
Siccome i punti totali a disposizione sono 78, in media ognuno dei tre giocatori dovrebbe fare 26 punti. Quindi, al termine della mano ci si riferisce a questa quota e si segnano i punti in più o in meno che sono stati fatti rispetto ai ventisei teorici.
Affinché una partita possa terminare occorre aver fatto almeno tre mani (o eventualmente un multiplo di tre), in quanto tutti hanno il diritto di essere mazzieri.
Fra le più comuni varianti dei tarocchi, ricorderemo quella in cui si gioca in quattro (formando due coppie avversarie) e quella in cui si gioca con l'"accuso" (in cui è possibile all'inizio della partita segnare alcuni punti se si hanno dieci tarocchi oppure più carte di onori).

IL PICCHETTO

Il picchetto è uno fra i più antichi e noti giochi di carte, anche se non ha mai goduto grande popolarità nella nostra nazione. La sua patria è la Francia, dove sembra che sia stato uno dei passatempi preferiti anche dalle famiglie reali.
Il picchetto si gioca in due con un mazzo di 32 carte. In pratica cioè, usando carte francesi, si tolgono tutte quelle inferiori al sette. Quindi le carte che restano in gioco sono:

7 - 8 - 9 - 10 - J - Q - K - A

Si potrebbe giocare anche con carte napoletane, ma in questo caso occorre sostituire gli otto, nove e dieci con carte inferiori. Il valore delle carte è quello indicato nella sequenza precedente, in cui le carte stesse sono disposte secondo il loro valore crescente: in altri termini, il sette è la carta più bassa, mentre l'asso è la più alta. Ai fini di una dichiarazione, che va fatta all'inizio del gioco e della quale parleremo fra poco, occorre talvolta attribuire alle carte anche un particolare punteggio:

- un 7 vale 7 punti
- un 8 vale 8 punti
- un 9 vale 9 punti
- un 10 o qualsiasi figura fino al re vale 10 punti
- un asso vale 11 punti

All'inizio del gioco occorre stabilire chi è il mazziere. Va osservato che a picchetto, a differenza di quanto succede nella massima parte degli altri giochi, il mazziere è nettamente svantaggiato rispetto al suo avversario. È per questa ragione che generalmente, al momento di decidere chi è che dovrà dare le carte, il compito viene assegnato a chi ha girato la carta minore.
Il mazziere, mescolate le carte e fattele alzare, le distribuisce dandone dodici al suo avversario e prendendone dodici per sé. In questo modo restano altre otto carte che vengono messe sul tavolo coperte. Il primo di mano, dopo aver guardato le sue carte, ha la possibilità di cambiarne cinque: ne scarta altrettante e prende

le cinque superiori del mazzetto rimasto sul tavolo. Va comunque detto che cinque è il limite massimo, ma non è assolutamente necessario prendere tale numero di carte: il primo di mano può scegliere fra tenersi le carte che ha e cambiarne fino a un massimo di cinque. Il mazziere, invece, può cambiare le sue carte pigliando quelle del mazzo che non sono state toccate dall'avversario. Siccome succede che quasi sempre il primo di mano cambi tutte e cinque le carte permesse, ecco allora che il mazziere è svantaggiato, in quanto può cambiare solamente tre carte (il mazzetto posto al centro, come abbiamo detto, contiene soltanto otto carte).
Quando ogni giocatore ha effettuato le sostituzioni delle carte ricevute all'inizio, inizia la dichiarazione che va fatta, partendo dal primo di mano, nel seguente ordine: punto - sequenza - combinazioni.
Per quanto riguarda il "punto", il primo di mano deve dire qual è il più elevato numero di carte di uno stesso seme che ha in mano. Per esempio, se ha sei carte a quadri, dirà "Ho sei carte", se invece ha soltanto cinque carte di uno stesso seme (mentre degli altri ne ha ancora meno), dirà "Ho cinque carte". Il mazziere, sentita la dichiarazione dell'avversario, può rispondere in uno dei tre seguenti modi:

a) *non vale*: vuol dire che il numero di carte dell'avversario è inferiore al suo più alto numero di carte dello stesso seme e quindi i punti relativi andranno a lui che, in questo caso almeno, batte l'avversario;
b) *eguale*: vuol dire che anche lui ha in mano un palo in cui ha lo stesso numero di carte dichiarato dal suo avversario;
c) *buono*: vuol dire che l'avversario lo batte, cioè lui non ha in mano un seme in cui vi siano tante carte quante quelle dichiarate dall'avversario.

Nel caso in cui il mazziere dica "buono" (e quindi vinca il suo avversario), il primo di mano allora segnerà un numero di punti che è eguale al numero di carte del seme dichiarato. Nel caso in cui il mazziere abbia risposto "eguale", occorre decidere qual è l'insieme di carte che ha maggior valore. Ecco che in questo caso valgono i punteggi dati prima. Cioè ognuno dei due giocatori conta qual è la somma complessiva dei punti realizzati nel seme più

lungo. Vince chi raggiunge la somma maggiore. Nel caso di parità anche come somma, allora nessuno dei due vince e si passa alla dichiarazione successiva. Se il mazziere ha detto "non vale", allora il primo di mano non segna alcun punto per quanto riguarda la distribuzione dei semi. I punti relativi saranno segnati dal mazziere quando, al termine della dichiarazione dell'altro, prenderà la parola. Esaurita la parte relativa a questa prima dichiarazione si passa alle cosiddette "sequenze". Con tale termine si intende una successione di carte che siano tutte dello stesso seme, ma tutte in ordine successivo. Praticamente, per chi gioca a ramino, la sequenza è una scala. Il primo di mano indicherà, come seconda dichiarazione, la sequenza più lunga, specificando anche qual è la carta di maggior valore della sequenza. Se per esempio ha soltanto un insieme di tre carte del tipo 9 - 10 - J, dirà "terza al fante"; se ha un insieme di cinque carte che si concludono col re, dirà "quinta al re" e così via.
Sentita la dichiarazione del primo di mano, parla il mazziere che può, come prima, scegliere fra una delle stesse tre risposte: "non vale" (quando è lui ad avere in mano una sequenza di valore maggiore di quella dell'avversario), "eguale" (quando anche lui ha in mano una sequenza eguale), "buono" (quando la sequenza dichiarata dall'avversario è superiore alla sua migliore).
Ovviamente va tenuto presente che l'eguaglianza fra due sequenze va vista sia in funzione del numero complessivo di carte messe in ordine che in funzione delle carte componenti (o, il che è lo stesso, della carta massima). Fra sequenze formate da un numero differente di carte vince quella che ha più carte, mentre fra sequenze formate dallo stesso numero di carte vince quella che contiene le carte più elevate (cioè quella che termina con la carta più elevata).

Ecco una quinta al re:

Ecco una quarta all'asso:

Fra le due precedenti combinazioni vince la quinta al re in quanto è una sequenza di cinque carte (mentre l'altra ne contiene solamente quattro).

Ecco due quarte:

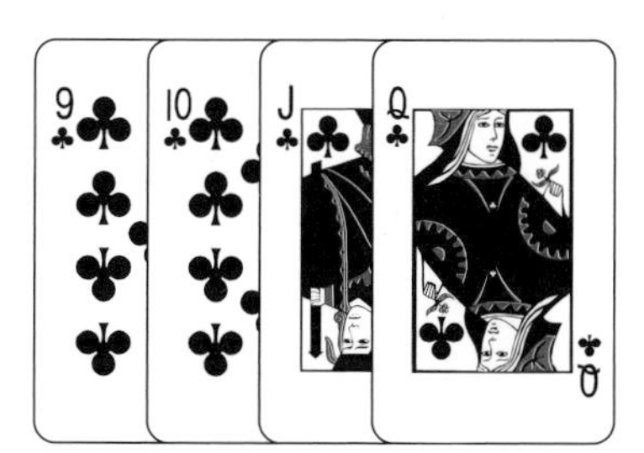
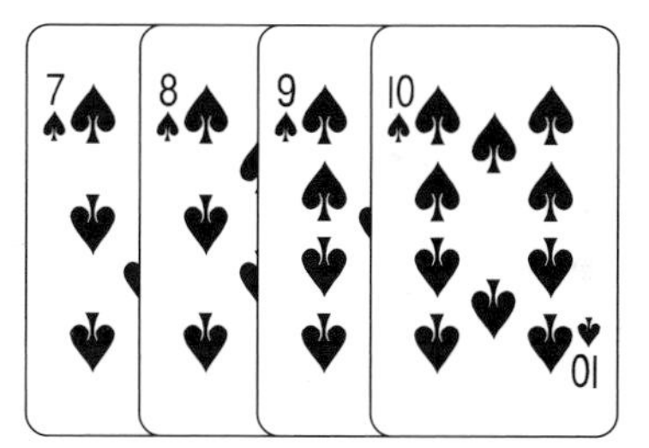

Vince la prima che è "alla donna" perché l'altra è solamente "al dieci".
Stabilito quale dei due giocatori ha la sequenza vincente, si attribuiscono i punti secondo la seguente tabella:

- una sequenza di tre carte vale tre punti
- una sequenza di quattro carte vale quattro punti
- una sequenza di cinque carte vale quindici punti
- una sequenza di sei carte vale sedici punti
- una sequenza di sette carte vale diciassette punti
- una sequenza di otto carte vale diciotto punti

Va però osservato che chi vince la sequenza non solo segna i punti relativi alla sequenza migliore, ma può anche segnare tutti i punti relativi alle altre eventuali sequenze da lui possedute.
Per esempio, se il primo di mano ha in mano una scala di cinque carte al re e una scala di tre carte al fante, le cose andranno in questo modo: il giocatore dirà, al momento della dichiarazione, "una quinta al re" (cioè nominerà solo la sequenza migliore); se il suo avversario dirà "buona" (cioè dichiarerà di non avere niente di meglio), allora il primo segnerà 15 punti per la sequenza quinta e altri tre punti per la sequenza terza, cioè in complesso segnerà 18 punti.
Nel caso in cui le due sequenze migliori degli avversari siano eguali, allora nessuno dei due si aggiudicherà i punti relativi.
Terminata questa fase, segue quella relativa alla dichiarazione delle "combinazioni".
Le combinazioni possono essere i tris e i poker (o insieme di quattro carte). Va però precisato che in tali combinazioni possono entrare solamente le carte dal dieci in su. Quindi, se qualcuno avesse in mano tre sette o quattro nove, non potrebbe dichiarare nulla.
Una combinazione di quattro carte è sempre superiore a una di tre; invece a parità di numero di carte è superiore la combinazione formata da carte di maggior valore. Se il primo di mano dichiara "tre re" e il mazziere ha in mano quattro fanti, allora vince il mazziere (che usando la solita terminologia vista in precedenza dirà "non vale").
Se invece il mazziere ha tre donne, la dichiarazione di "tre re", essendo superiore alla sua, lo batte (egli dovrà perciò dire "buona", lasciando i punti all'avversario). Ovviamente, tenendo conto del numero delle carte, è abbastanza facile comprendere che in questo caso non è possibile che i due giocatori abbiano una combinazione eguale.
Stabilito quale fra i due giocatori ha la combinazione maggiore, si procede ad assegnare i punti relativi che sono: tre punti per un tris e quattordici punti per una combinazione di quattro carte.
Consideriamo, per esempio, un giocatore che abbia le seguenti carte:

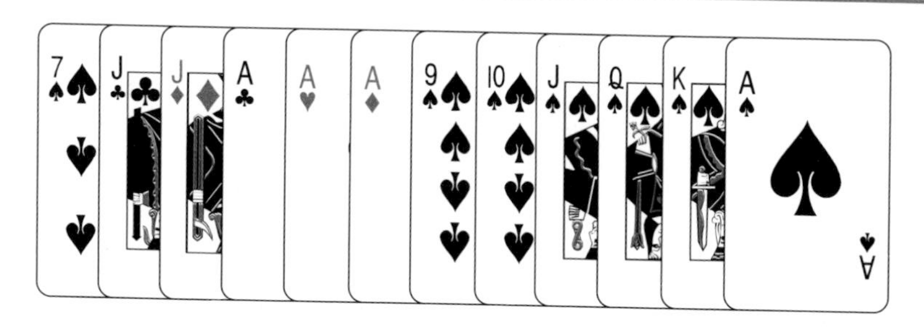

Nessun dubbio che si tratti di carte bellissime, proviamo adesso a vedere quali dichiarazioni dovrebbero essere fatte dal fortunato possessore.
Costui inizialmente direbbe "ho sette carte" (riferendosi alle sette carte di picche che ha complessivamente in mano). Supponendo (come nel seguito di tutta questa dichiarazione) che l'avversario non abbia nulla da dichiarare e sia sempre costretto a lasciare "buono" quanto dice l'altro, il primo comincerà segnando sette punti.
A questo punto verrà la dichiarazione della sequenza: "sesta all'asso". Cioè delle sette carte di picche in sequenza ce ne sono soltanto sei, in quanto la restante carta (il sette) non è in scala con le altre. Per la sequenza sesta il giocatore riceve altri 16 punti.
Eccoci ora alle combinazioni in cui il nostro fortunato ha realizzato la massima combinazione possibile, "quattro assi". Per questi quattro assi egli vince quattordici punti, ma poi può anche segnare i tre punti relativi ai tre fanti. In complesso, quindi, la situazione dovrebbe essere la seguente: 7 + 16 + 14 + 3 = 40.
In realtà, però, le cose vanno in modo diverso, in quanto il picchetto (che in definitiva è un gioco d'azzardo) è fatto in modo da premiare in misura notevole chi è stato particolarmente fortunato.
Ecco allora che le regole del gioco dicono che chi raggiunge, nel corso della dichiarazione, i 30 punti senza che l'avversario abbia potuto dichiarare niente salta direttamente a novanta. Cioè, invece di dire trenta, dice novanta e poi continua a contare i punti oltre il novanta.

Così nel nostro caso il conteggio sarebbe stato questo: sette; sette e sedici uguale ventitré; ventitré e quattordici uguale 97 (attenzione, avremmo dovuto dire 37, ma al 30 c'è stato il salto e poi il conteggio è continuato aggiungendo gli altri sette punti. In definitiva quindi siamo arrivati a 97); 97 e 3 uguale 100: come si vede in complesso, la mano precedente, invece di valere 40 punti, ne vale ben 100.
Una precisazione: alcuni giocatori usano una convenzione che ha lo scopo di favorire un po' i meno fortunati. Coloro che non avessero in mano alcuna figura sarebbero autorizzati a dire, all'inizio della dichiarazione, "carte bianche", ricevendo un premio di 10 punti.
Finita la dichiarazione, inizia il gioco vero e proprio. Il primo di mano gioca una carta e l'altro è obbligato a rispondere al seme.
Fra le due vince quella superiore, ricordando l'ordine in cui si susseguono le carte (dato all'inizio di questo paragrafo). Chi ha vinto la presa gioca nuovamente per primo e così via fino a quando terminano le carte.
Chi gioca per primo ha diritto a un punto (praticamente questi all'atto di giocare dice il punteggio complessivo che ha raggiunto, cioè, se prima di giocare quella carta aveva 24 punti, giocando la carta dirà a voce alta "venticinque"). L'ultima mano vale due punti. Terminato il gioco, si contano le mani vinte da ognuno.
Se entrambi i contendenti hanno fatto sei prese ciascuno, allora non viene aggiunto alcun punto ai punteggi già raggiunti in precedenza; se uno dei giocatori ha fatto da sette a undici prese, allora ha diritto a un premio di dieci punti (che ovviamente vanno aggiunti a quelli che ha già realizzato); infine a chi fa il "cappotto" (cioè conquista tutte le dodici prese) spetta un premio di quaranta punti.
Un'altra abitudine da tenere presente, nel conteggio dei punti, è quella di saltare da trenta a sessanta, quando al punteggio di 30 si arriva non con la sola dichiarazione (in questo caso, come abbiamo visto si salta a novanta), ma con dichiarazione e gioco della carta. Generalmente si gioca fino a raggiungere un punteggio complessivo prefissato che può essere di 150 o di 221.

L'ÉCARTÉ

Questo gioco abbastanza diffuso in altre nazioni e poco da noi, specialmente in questi ultimi anni, è molto divertente ed ha anche il pregio di avere, di norma, uno svolgimento molto veloce. Considerando anche che lo si gioca in due persone, si può facilmente concludere che l'écarté, molto probabilmente, è il gioco ideale per giocarsi l'aperitivo con un amico. Si gioca con 32 carte; supponendo di usare un mazzo francese, si tengono, di ogni seme, tutte le carte dall'asso fino al sette. Il valore delle carte è caratteristico di questo gioco. Cioè le carte di ogni seme, scritte in ordine decrescente, sono: re - donna - fante - asso - 10 - 9 - 8 - 7.

Lo ripetiamo, l'asso è superiore al dieci e a tutte le carte inferiori al 10, però lo stesso asso è inferiore a tutte le figure. Ovviamente, nel caso in cui si volesse giocare all'écarté con un mazzo di carte napoletane, occorrerebbe sostituire i 10, 9, 8, 7 rispettivamente con i 7, 6, 5, 4.

All'inizio del gioco, il mazziere, dopo aver eseguito le solite operazioni (rimescolamento del mazzo e invito all'avversario perché tagli), dà cinque carte all'altro e cinque le prende per sé (di solito la distribuzione avviene dando prima tre carte e successivamente due).

Eseguita tale distribuzione, viene girata l'undicesima carta che viene lasciata, scoperta, sul tavolo vicino al mazzo restante (che ovviamente sarà coperto). Nel caso particolarissimo in cui la carta girata fosse un re andrebbe immediatamente segnato un punto a chi ha fatto le carte.

Il primo di mano, guardando le sue carte, deve decidere se giocare con le cinque che ha ricevuto o effettuare qualche sostituzione. Nel primo caso, peraltro molto raro, dice "gioco", mentre nel secondo caso (se cioè vuole cambiare qualche carta) dice "propongo". Il mazziere, su richiesta dell'avversario di cambiare carte, può, a sua volta, concedere il cambio delle carte o negarlo. Se la sostituzione delle carte è concessa, allora il mazziere dirà "quante?"

L'avversario dirà quante carte intende cambiare (potrebbe cambiarle anche tutte e cinque) e il mazziere gliele darà mentre l'altro metterà sul tavolo, sempre coperti, i suoi scarti. Ovviamente anche il mazziere ha il diritto di sostituire alcune sue carte. Dopo che è stata effettuata questa sostituzione, però, è possibile continuare sulla stessa strada per cui al termine della sostituzione il primo di mano potrebbe ancora dire "propongo". Ciò vorrebbe dire che egli intende cambiare ancora qualche carta.

Tutto si svolge come prima: il mazziere può accettare o no la nuova sostituzione. Se l'accetta chiede "quante?". Anche il cartaro, dopo che l'altro ha effettuato la sua seconda sostituzione, può cambiare qualcuna delle sue carte.

Il mazziere, però, se ha belle carte in mano e non intende concedere all'avversario il cambio, al "propongo" dell'altro deve rispondere "gioca".

Tale risposta può essere data fin dall'inizio, dopo che è già stato effettuato un primo scambio di carte.

Gli scambi delle carte che si hanno in mano con quelle del mazzo possono durare fino a che nel mazzo vi sono ancora carte. Però, lo ripetiamo, per potere effettuare uno scambio di carte con il mazzo, occorre che vi sia il consenso di entrambi i giocatori.

D'altra parte il rifiuto del cambio, cioè il non accettare il "propongo" dell'altro, può costare caro. Infatti chi ha rifiutato il cambio delle carte è poi obbligato a fare un numero di prese superiore a quello dell'avversario; se ciò non accadesse, allora l'avversario prende un punto di premio (tale punto prende il nome di "punto di rifiuto"). Terminati gli scambi delle carte, inizia il gioco vero e proprio con il primo di mano che scopre, sul tavolo, una delle sue carte. L'avversario di chi ha giocato la prima carta deve seguire, in qualsiasi momento del gioco, le seguenti regole:

a) non solo è sempre obbligatorio rispondere nel seme della carta giocata per prima ma, se è possibile, bisogna anche "forzare". Cioè, se la si possiede, diventa obbligatorio giocare una carta dello stesso seme della prima, ma superiore ad essa di valore;

b) quando non si può rispondere al seme giocato per primo, allora diventa obbligatorio tagliare, cioè giocare le atout (che, per quanto detto prima, è il seme della carta che è stata scoperta e lasciata, in posizione ben visibile, sul tavolo).

Fra due carte dello stesso seme, vince la presa la carta maggiore. Fra due atout vale lo stesso discorso: vince l'atout maggiore. Fra una carta di un seme qualsiasi e un'atout, vince sempre l'atout.
Tornando ora al nostro gioco occorre vedere quale dei due contendenti vince la prima presa. Chi ha conquistato la presa gioca per primo e così via per le altre mani fino ad arrivare alla quinta.
Al termine si contano le mani vinte da ognuno dei contendenti. Chi ha conquistato tre o quattro mani (su un totale di cinque) vince un punto; chi riesce a fare tutte le cinque mani ("cappotto") vince due punti.
Un altro punto può essere conquistato grazie al re di atout: il giocatore che possiede tale carta segna un punto a suo vantaggio. Però il possesso del re va dichiarato subito. Se ce l'ha il primo di mano, occorrerà che dica "ho il re" prima ancora di giocare la prima carta. Se invece è il mazziere ad averlo, allora deve dichiarare il possesso della più alta carta di atout subito dopo che l'altro ha girato la sua prima carta.
Generalmente a écarté vince la partita chi per primo arriva a cinque punti.

IL WHIST

Il whist, gioco tipicamente inglese, può essere considerato il diretto antenato del bridge. Probabilmente la grande differenza con l'altro famosissimo gioco consiste nel fatto che a whist non esiste una dichiarazione come quella del bridge. Altre differenze sono date dalla mancanza del gioco a senza-atout, dalle modalità attraverso le quali viene fissata l'atout, dalla minore complicazione nel segnare i punti, dal fatto che non esiste una gerarchia fra i vari semi. Comunque il whist è oggi praticamente sconosciuto e, soprattutto nel nostro paese, sono ben pochi quelli che lo giocano. Noi preferiamo, invece, vedere un altro gioco che, sotto molti aspetti, può considerarsi una derivazione del whist e di conseguenza anch'esso un precursore del bridge.

IL BOSTON

Il boston è un gioco nato quasi sicuramente negli Stati Uniti d'America (addirittura c'è chi dice che il gioco sia originario di Boston, dalla quale avrebbe preso il nome).
Il boston si gioca in quattro persone, con un mazzo completo di 52 carte. Il valore delle carte, per ognuno dei quattro semi, è quello solito, per cui si attribuisce all'asso il massimo valore. Cioè le carte, in ordine decrescente, sono: A - K - Q - J - 10 - 9 - 8 - 7 - 6 - 5 - 4 - 3 - 2.
All'inizio, dopo aver svolto le solite operazioni, il mazziere dà tredici carte a ognuno degli altri giocatori e altrettante ne dà a sé. Così facendo le carte sono state tutte distribuite. Però il mazziere non ha ancora finito: deve scoprire la sua tredicesima carta. Il seme di questa carta (che dovrà rimanere scoperta sul tavolo fino a che il primo di mano non avrà giocato la sua prima carta) rappresenta, per tutta la mano, il seme di atout. Inoltre nel mazzo completo vi è anche una carta privilegiata: il fante di quadri che prende il nome di "boston" e che viene considerata come una carta di atout (qualunque sia l'effettivo seme di atout). Non solo: tale carta è anche la più forte di tutto il mazzo. Cioè il "boston" conquista anche l'asso di atout. In certi casi c'è la consuetudine di considerare come "boston" il fante di cuori (e non quello di quadri) nel caso in cui le quadri siano proprio le atout. La ragione di questa convenzione è semplicemente quella di fare in modo che all'inizio vi siano in circolazione quattordici atout: le tredici effettive più il fante di quadri.
Prima di iniziare a giocare, a ognuno dei quattro partecipanti vengono dati 120 gettoni (ovviamente sul valore di ogni gettone ci si metterà d'accordo prima).Per ogni mano il mazziere mette sul tavolo otto dei suoi gettoni e gli altri ne mettono quattro a testa. Dopo che sono state distribuite le carte, il primo di mano, guardando le tredici che ha ricevuto, deve iniziare la dichiarazione scegliendo una delle seguenti possibilità:

a) *passo*: ciò vuol dire che egli ritiene di avere carte brutte e di non poter fare nessun'altra dichiarazione. Dopo il passo del primo tocca parlare al secondo. Se anche questi dice "passo" tocca al terzo e così via. Se tutti passano occorre ridistribuire le carte (mettendo prima altri gettoni sul tavolo);

b) *chiedo*: ciò vuol dire che egli si dichiara disposto a fare almeno 5 prese sul totale di tredici. Se tutti gli altri giocatori passano, allora si comincia a giocare. Se chi ha "chiesto" fa almeno le cinque prese previste, allora vince il piatto; se fa più di cinque prese allora, oltre al piatto, deve ricevere un gettone per ogni presa in più da ognuno degli altri giocatori. Se non riesce a fare le cinque prese, allora deve raddoppiare il piatto e dare un gettone a ognuno degli avversari per ogni presa in meno;
c) *indipendenza*: ciò vuol dire che il giocatore (da solo) si sente in grado di fare almeno otto prese (sul totale di tredici). Se la cosa riesce, oltre al piatto riceve da ognuno degli altri giocatori 10 gettoni. Se invece la partita va male, allora tutto si capovolge, cioè chi ha chiesto "indipendenza" deve raddoppiare il piatto e pagare dieci gettoni a ognuno degli altri giocatori.

Dopo che un giocatore ha detto "chiedo", gli altri, o meglio uno degli altri ha la possibilità, invece di passare, di dire "accetto". Ciò equivale a dichiararsi disposti a giocare in coppia con colui che ha "chiesto". In questo caso però diventa obbligatorio, per i due che giocano, fare otto prese su tredici. Se si vince, allora si divide la somma vinta. Se si perde, si deve raddoppiare il piatto e occorre anche dare un gettone a ognuno dei due restanti giocatori per ogni presa in meno rispetto alle otto stabilite. Dopo che qualcuno ha "chiesto", anche se la cosa è abbastanza impossibile, un giocatore potrebbe dichiarare "indipendenza", cioè potrebbe pensare di andare da solo contro tutti. La cosa, però, come abbiamo detto, è abbastanza improbabile, in quanto, se qualcuno ha già chiesto, si presume che abbia belle carte e quindi che un altro possa pensare di fare, da solo, otto prese è molto azzardato.
Quando qualcuno fa tutte e tredici le prese in gioco, allora deve ricevere da ognuno degli avversari 16 gettoni.
Terminata la dichiarazione, inizia il gioco vero e proprio. Il primo di mano, cioè, scopre una carta; gli altri sono obbligati a rispondere al seme, nel caso in cui non abbiano carte di quel seme possono tagliare con una carta di atout (però va detto che in questo gioco, a differenza di altri, non è obbligatorio il taglio: chi ha atout e non può rispondere a un seme, se lo crede opportuno, può anche non giocare la carta di atout). Per stabilire chi

ha conquistato la presa, si tiene conto del valore delle carte (di cui si è detto all'inizio), ricordando che una carta di un dato seme può essere superata solo da una carta dello stesso seme di valore superiore oppure da una atout. Nel caso in cui siano state giocate più atout, ovviamente vince la presa chi ha giocato quella di valore maggiore. Il "boston", come già detto, vince qualsiasi altra carta.

LA CRAPETTE

Questo gioco, il cui nome ha un'origine ignota, è quasi un solitario in due. Si gioca con due mazzi di 52 carte: ognuno dei due contendenti ne riceve uno completo. All'inizio ciascuno dei giocatori gira le prime quattro carte, che vanno sistemate scoperte, in allineamento verticale, davanti a sé e costituiscono le "basi" del gioco.
Tenendo presente che in questo stesso modo si comportano entrambi i giocatori, si comprende come le basi, complessivamente, saranno otto. Le due file da esse formate devono essere disposte parallelamente e in modo che fra di loro vi sia lo spazio per altre due file, anch'esse parallele, su cui dovranno essere sistemate, nel modo che vedremo, altre carte durante il gioco stesso.
Formate le basi, ogni giocatore conta dieci carte del suo mazzo, tenendole coperte e le pone davanti a sé, sempre coperte; sopra tale mazzetto pone un'undicesima carta scoperta. Tale gruppetto di carte costituisce la crapette. Le carte restanti (in totale dovranno essere 37) costituiscono il tallone e vanno poste, coperte, davanti a sé di fianco alla crapette. Esaurita questa fase iniziale, il tavolo si presenta allora con la disposizione riportata nella pagina seguente.
Fra le caselle andranno disposte le *pile* di ogni seme formate partendo da un asso e da tutte le carte, in ordine crescente, dello stesso seme. Cioè, alla fine, su tali pile si dovranno avere, in ordine, tutte le carte disposte per seme dall'asso fino al re.
Il gioco viene iniziato da colui che ha girato, sulla sua crapette, la carta più alta (ricordarsi che l'ordine è quello che va dal-

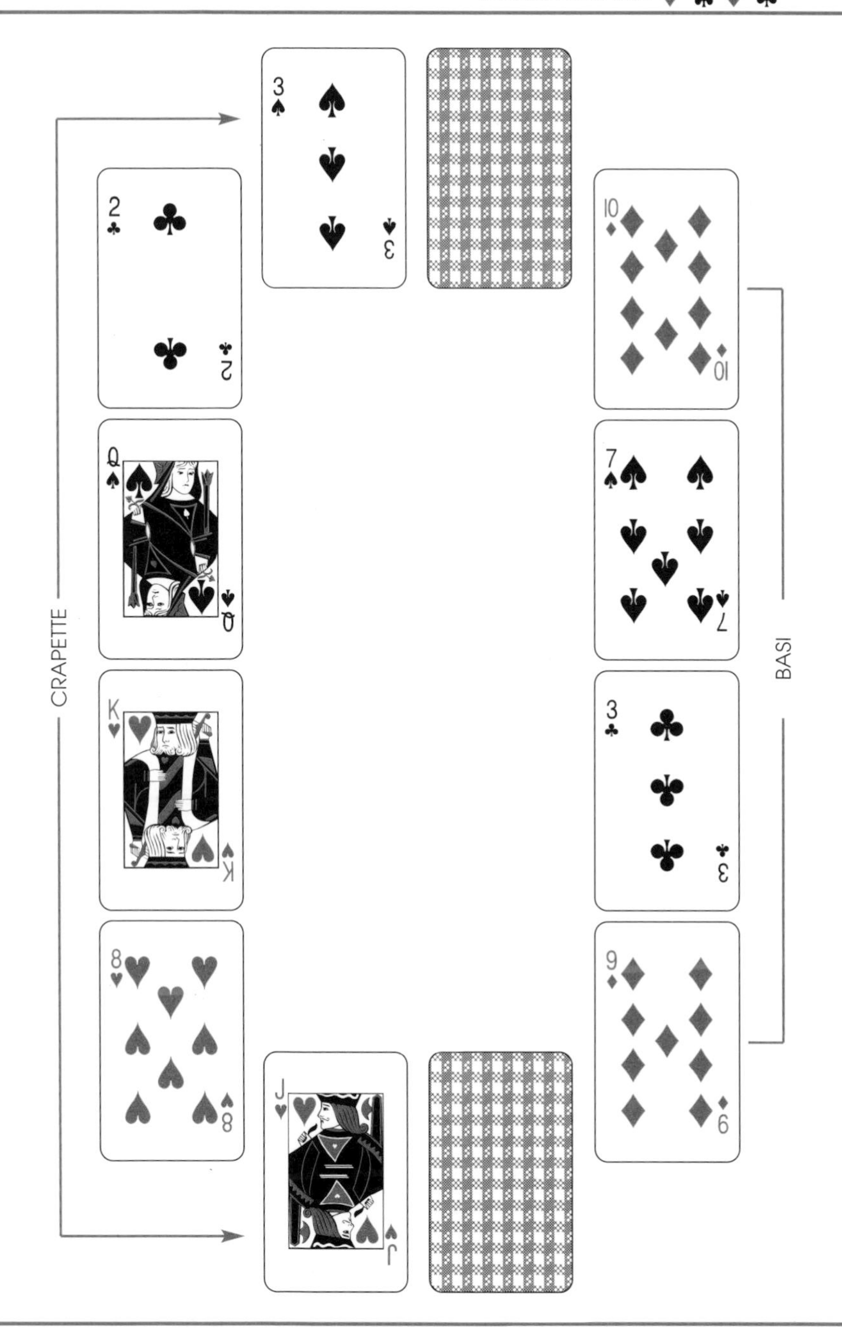
CRAPETTE
BASI

l'asso al re). Costui, usando la carta scoperta della crapette o quella immediatamente successiva nel caso in cui la prima sia già stata adoperata, la prima carta del tallone o quelle successive man mano che le altre vengono adoperate, deve cercare di mettere carte sulle pile iniziando dagli assi e proseguendo nell'ordine crescente, oppure di mettere carte sulle caselle ricordando che, a partire dalla prima carta di ogni casella, si possono formare sequenze decrescenti a colore alternato. Le carte del tallone che vengono girate e che non hanno trovato posto vengono disposte, scoperte, di fianco al tallone. Un giocatore, mentre sta muovendo, ha anche la possibilità di sistemare carte sulla crapette o sul pozzo dell'avversario, sempre formando sequenze dello stesso seme. Una delle maggiori difficoltà della crapette e che, come vedremo, può permettere l'intervento dell'avversario che può "stoppare" fermando il gioco, è rappresentata dal fatto che le varie operazioni di gioco vanno eseguite tutte in un ordine ben preciso. Cioè occorre sistemare tutte le carte che possono trovare un posto adeguato prima sulle pile centrali, poi sulla crapette dell'avversario, quindi sul pozzo dell'avversario e, solo in fondo, nelle caselle.
L'avversario deve stare molto attento, perché può dire "stop" se l'altro si dimentica di appoggiare una carta sulla pila, o sulla crapette o sul suo pozzo, di liberare una casella spostando la carta che si trovava su di essa (per metterla sulle pile o sui mazzetti dell'avversario), di sistemare su una casella una carta che ha in mano. In questo caso chi stava giocando deve fermarsi e il gioco viene ripreso dall'avversario. Un'altra precedenza riguarda il posto da cui vanno prese le carte che devono essere sistemate: prima quelle della propria crapette, poi quelle delle caselle e infine quelle del tallone. Anche commettendo un errore in questa successione si può essere stoppati dagli avversari. Quando non si verifica alcuno *stop*, il gioco passa all'altro seme e il primo non ha più mosse da fare. Chi esaurisce le carte del tallone può girare il pozzo, senza però rimescolarlo, e forma così il nuovo tallone. Ovviamente vince chi riesce a liberarsi di tutte le sue carte. Come si vede il gioco è abbastanza complicato e richiede un'attenzione costante, non soltanto quando si sta giocando ma anche quando sta giocando l'avversario. Molte volte, infatti, uno *stop* detto al momen-

to opportuno può capovolgere le sorti della partita. La crapette ha anche la caratteristica di essere un gioco lungo. Infatti non è raro il caso che una partita duri anche un'ora.

LA BAZZICA

La bazzica è un gioco di origine francese che ha goduto di molta popolarità nei secoli scorsi e che è ancora abbastanza praticato nella vicina nazione. Da noi non ha incontrato mai molta fortuna, probabilmente anche perché è abbastanza complicato o meglio, come vedremo, presuppone che si tengano a mente molte differenti combinazioni. Va anche precisato che, essendo un gioco molto diffuso, viene spesso giocato con regole diverse da zona a zona; inoltre [illegible] esistono moltissime varianti. Noi ci limiteremo a parlare [illegible] bazzica in due, giocata tenendo in mano sei carte.
Si usa un mazzo di 32 carte togliendo da un mazzo completo di carte francesi quelle inferiori al sette. Il mazziere dà sei carte all'avversario, sei a se stesso e quindi scopre la tredicesima carta. Il seme di tale carta costituisce, per tutta quella mano, l'atout. Una prima regola, seguita praticamente da tutti, è la seguente: se il mazziere come tredicesima car[illegible]opre proprio il sette, allora guadagna 10 punti; se invec[illegible]pre un'altra carta (diversa dal sette) non ha diritto ad alcun punto. Però, nel corso della partita, chi pigliasse il sette di atout avrebbe diritto a sostituirlo al posto della carta scoperta mettendo quest'ultima fra le sue; contemporaneamente guadagnerebbe lui i 10 punti.
Le combinazioni che si possono fare o direttamente con le carte ricevute all'atto della distribuzione o con quelle che via via si pescheranno sono le seguenti:

- *matrimonio* (formato da un re e da una donna dello stesso seme): dà diritto a 20 punti
- *matrimonio di briscola* (formato dal re e dalla donna di atout): dà diritto a 40 punti

- *bazzica* (formato dalla donna di picche e dal fante di quadri): dà diritto a 40 punti
- *quattro assi*: danno diritto a 100 punti
- *quattro re*: danno diritto a 80 punti
- *quattro donne*: danno diritto a 60 punti
- *quattro fanti*: danno diritto a 40 punti
- *quattro dieci*: danno diritto a 20 punti
- *quinta maggiore* (formata da asso, dieci, re, donna, fante di uno stesso seme che non sia atout): dà diritto a 150 punti
- *quinta maggiore* di atout (formata da asso, dieci, re, donna, fante di atout): dà diritto a 250 punti.

Come vedremo, però, le dichiarazioni delle combinazioni possedute in mano non vanno fatte all'inizio: occorre seguire una certa procedura che in seguito esporremo.
All'inizio del gioco il primo di mano scopre sul tavolo una carta (ovviamente quella che gli interessa meno ai fini delle suddette combinazioni). L'avversario non è obbligato né a rispondere al seme, né a tagliare; praticamente può giocare qualsiasi carta che abbia in mano.
Vediamo adesso come si stabilisce chi vince la presa. L'ordine delle carte è il seguente: asso - dieci - re - donna - fante - nove - otto - sette.
In pratica è il solito ordine che parte dall'asso con l'eccezione di considerare il dieci come seconda carta (e quindi di valore superiore a quello di tutte le figure).
Fra due carte di semi diversi (di cui, però, nessuno sia atout) vince quella di valore maggiore; in altri termini, fra un asso e un dieci vince sempre l'asso (indipendentemente dal seme delle due carte e, lo ripetiamo, purché il dieci non sia atout).
Fra due carte dello stesso valore vince quella che è stata giocata per prima (sempre però a patto che la seconda non sia atout). Fra due carte di cui una sia di atout vince sempre l'atout (indipendentemente dal valore).
Quando un giocatore ha fatto una presa, allora può dichiarare una sua combinazione, facendola vedere all'avversario e segnando i punti relativi. Attenzione, pero: se qualcuno ha in mano due o più combinazioni, nel momento in cui fa la prima presa può dichiararne una sola. Per poter dichiarare le altre

deve aspettare di fare altre prese. Cioè, in altre parole, per ogni dichiarazione occorre fare una presa. Va tenuto anche presente che la stessa carta può entrare in più combinazioni. Così, per esempio, un fante di quadri può servire a dichiarare la bazzica e un insieme di quattro fanti; un re qualsiasi può servire a dichiarare un matrimonio e un insieme di quattro re e così via.
Quando è stata fatta una presa, chi l'ha conquistata prende una carta dal mazzo e quindi anche l'altro prende una carta. Quindi, fino a quando non si è esaurito il mazzo, i giocatori restano sempre con sei carte in mano. Quando invece il mazzo è stato esaurito, allora la situazione del gioco cambia. Infatti adesso diventa obbligatorio rispondere al seme della prima giocata (e se si ha una carta di valore superiore, si deve anche "forzare", cioè occorre giocarla); se non si hanno carte del seme giocato, ma si posseggono atout, allora è obbligatorio tagliare (cioè si deve giocare una carta di atout); soltanto se non si può rispondere al seme giocato e non si posseggono atout si può giocare una carta qualsiasi.
Terminato il gioco, oltre ai punti che ognuno ha già segnato per eventuali dichiarazioni, si devono contare gli altri punti conquistati, tenendo presente che chi vince l'ultima mano guadagna dieci punti e che ogni asso e ogni dieci danno dieci punti.
In genere una partita a bazzica termina quando uno dei giocatori abbia raggiunto i 500 punti.
Una variante della bazzica è quella che si gioca con due mazzi di 32 carte e che termina a 1.000 o a 1.500 punti. Sostanzialmente non vi sono grandi differenze col gioco da noi descritto, salvo che all'inizio a ogni giocatore vengono distribuite dodici carte (e non sei) e che diventa possibile anche fare la cosiddetta "bazzica doppia" (due donne di picche e due fanti di quadri), che vale 40 punti.

I SOLITARI

♥ ♠ ♦ ♣

AMICIZIA

È un solitario che si gioca con un mazzo di 40 carte. Lo scopo è quello di raccogliere le carte in quattro mazzetti formati, ognuno, da tutte le carte dello stesso seme disposte in ordine crescente (cioè dall'uno al dieci o eventualmente dall'uno al re se si gioca con carte napoletane). Prima di iniziare, occorre togliere dal mazzo i quattro assi che vanno disposti sul tavolo, scoperti: essi costituiscono le "case" su cui bisognerà costruire le sequenze di cui si è detto.
Mescolate e alzate le carte, ha inizio il gioco. Si scoprono dal mazzo quattro carte che si dispongono, scoperte, sul tavolo. A questo punto sono possibili le seguenti operazioni: formare le sequenze ascendenti sulle "case" oppure formare colonne discendenti a colori alternati sulle quattro carte scoperte. Così, per esempio, se si è scoperto un due, questo andrà sul corrispondente asso, se poi si fosse scoperto anche il tre dello stesso seme, questo andrebbe, a sua volta, sul due e così via. Per quanto riguarda le sequenze discendenti, invece, se si è scoperto un cinque rosso e un quattro nero, allora il quattro può essere messo sopra il cinque. Man mano che si libera una casella occupata da una delle quattro carte, la si può rimpiazzare pigliando la carta superiore del mazzo. Quando si sono finite le operazioni e non c'è più niente da muovere, allora si possono scoprire altre quattro carte del mazzo. Con queste nuove quattro carte ricomincia la stessa serie di operazioni di prima. Quando sono finite tutte le possibili operazioni con questa nuo-

va serie di quattro carte che sono state scoperte, occorre mettere negli scarti quelle carte, fra queste ultime quattro, che non hanno trovato una sistemazione.
Il gioco prosegue nello stesso modo con una nuova serie di quattro carte calate. Però, terminata anche questa serie, non è più possibile farne un'altra. A questo punto, o si sono sistemate tutte le carte oppure si deve concludere che il solitario non è riuscito.

QUADRANTE

Si tratta di un solitario che si gioca con un mazzo di 52 carte. All'inizio si sceglie, a proprio piacimento, un seme qualsiasi. Di solito i trattati dicono di scegliere le cuori, però, se uno preferisce per esempio le picche, è liberissimo di fare il gioco su quest'altro seme. Come si vedrà fra poco, la scelta del seme non ha assolutamente alcuna importanza. Tutto ciò che interessa è che all'inizio si sappia esattamente qual è questo seme prescelto.
Si mescolano le carte e quindi, dopo averle alzate, si comincia a girarle una per volta. La prima operazione è quella di formare un orologio con le carte del seme prescelto, tenendo presente che ogni carta che non sia una figura indica l'ora corrispondente, mentre per le figure le ore sono le seguenti: fante = 11 e donna = 12. Il re, che è la tredicesima carta, va posto al centro dell'orologio. In altre parole l'orologio, quando sarà costruito, sarà disposto come nella figura seguente (abbiamo scelto come seme proprio le picche).
Torniamo dunque allo svolgimento del gioco. Man mano che si girano carte di picche si mettono nel posto corrispondente dell'orologio. Attenzione: non è assolutamente necessario che le "ore" siano disposte in ordine; se come prima carta di picche esce il sette, per esempio, lo si pone nel suo posto anche se tutte le altre caselle sono ancora vuote e così via per tutte le altre carte. Bisogna però fare attenzione anche alle carte degli altri semi. Se, quando si gira una carta che non sia di picche, l'ora corrispondente è già stata occupata, allora la carta suddetta può

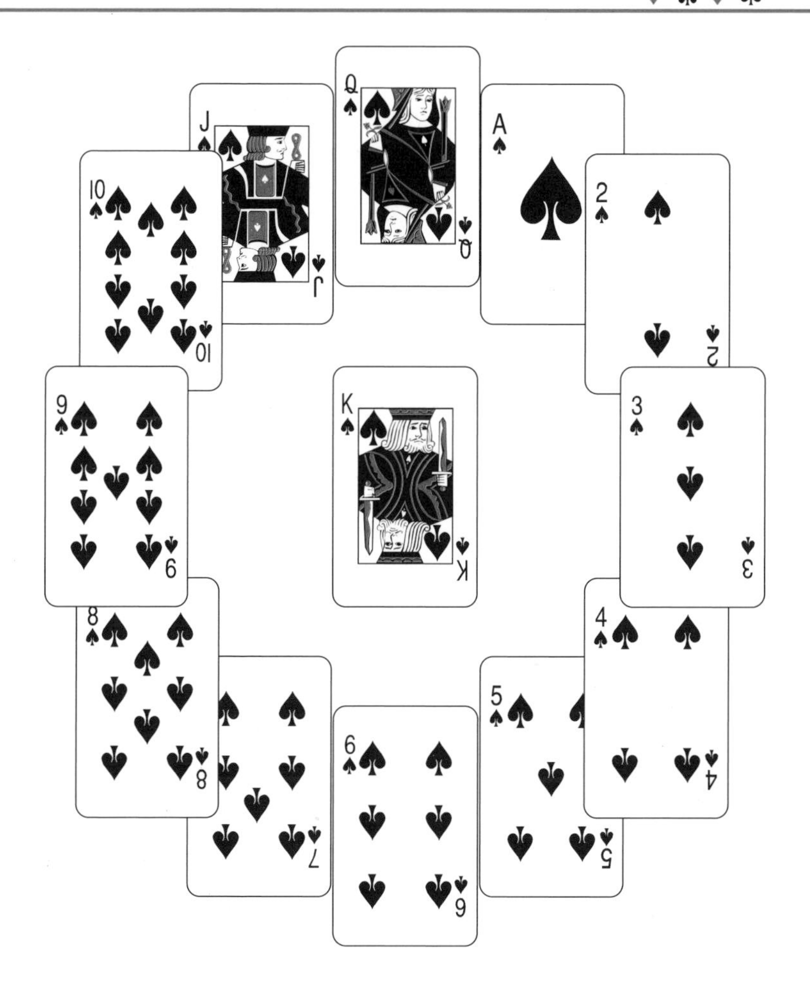

essere messa su quella di picche, a patto però che i mazzetti che così si formano siano a colori alternati. Cioè in altre parole, se a un certo momento si gira un quattro (non di picche) e il quattro di picche non è ancora stato sistemato, allora niente da fare: quel quattro va negli scarti. Se poi si gira un fante e il fante di picche è già stato sistemato, allora occorre vedere il colore del fante: se è rosso (quadri o cuori) può essere sistemato sul fante di picche. Se però, per colmo di sfortuna, quel fante fosse di fiori, allora non potrebbe essere sistemato sul fante di pic-

che (perché entrambi neri). Se però si è prima girato il fante di cuori (che è stato sistemato su quello di picche) e poi viene fuori anche il fante di fiori, allora questa carta può essere messa sul fante rosso (in quanto i colori sono alterni).
Come si comprenderà, lo scopo di questo solitario è quello di formare un orologio (più il gruppo dei re al centro) formato da tanti mazzetti di quattro carte, tutte dello stesso valore, ma disposte a colori alternati (e inizianti tutti con la carta del seme prestabilito).
È ammesso far passare il mazzo due volte, ma non tre. Al termine del secondo passaggio, tutti i mazzetti di quattro carte devono essere già sistemati, altrimenti bisogna concludere che il solitario non è riuscito.

I RAGGI

Questo solitario si gioca con un mazzo di 52 carte. Dopo aver rimescolato le carte e tagliato il mazzo, si cominciano a girare le prime carte sul tavolo, formando una raggiera come nella figura seguente.
Prima vanno sistemate le otto carte del cerchio interno e quindi le otto carte del cerchio esterno. Lo scopo del gioco è quello di eliminare le carte formando coppie con carte dello stesso valore (indipendentemente quindi dal seme). Vediamo come può avvenire l'eliminazione. Costruita la raggiera, si cominciano a girare, una per volta, le carte del mazzo. Quando si trova una carta che abbia la corrispondente in una delle carte scoperte, allora si procede alla eliminazione delle due carte (che vengono messe da parte). Il vuoto che è rimasto nello schieramento è riempito con la prima carta del mazzo.
Il gioco riesce se le carte del mazzo vengono girate tutte e sistemate in modo da formare delle coppie. Infatti, quando le carte del mazzo sono state girate tutte, si possono fare anche accoppiamenti fra le carte dello schieramento (all'inizio invece tali accoppiamenti non sono possibili).
Quando invece si gira una carta del mazzo che non ha la corrispondente nello schieramento, il solitario deve considerarsi non riuscito.

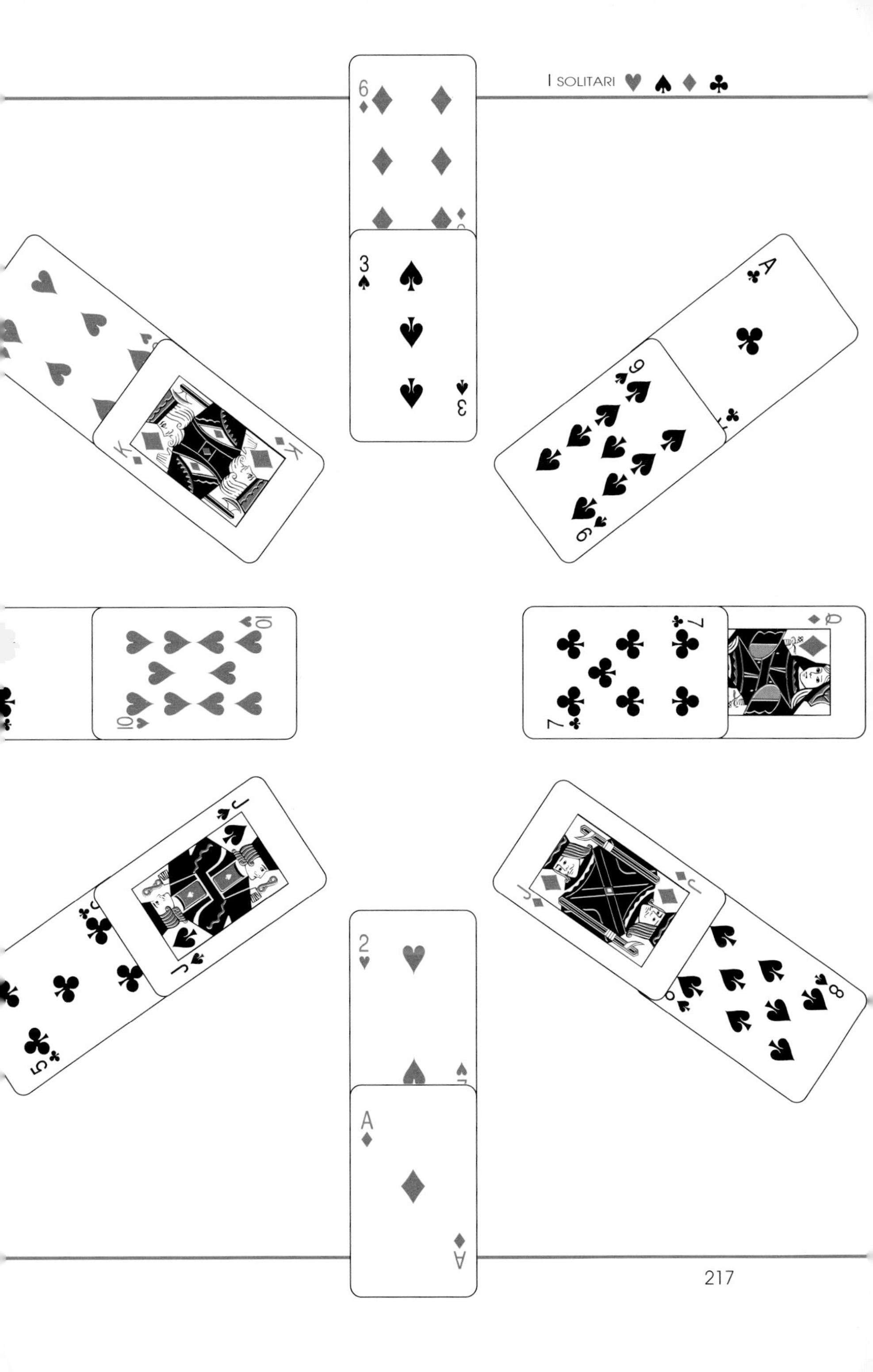

COPRISETTE

Si tratta di un solitario abbastanza difficile, per il quale occorre una certa memoria e che si gioca con un mazzo di quaranta carte. All'inizio si dispongono dodici carte scoperte in modo da formare tre righe di quattro carte ciascuna. Se per caso fra le carte scoperte vi fossero da quattro figure in su, allora si possono togliere le figure eccedenti le tre e metterle in fondo al mazzo. Praticamente, cioè, non si possono mai avere all'inizio più di tre figure scoperte. Finita questa prima distribuzione, si guarda se è possibile formare con due carte scoperte la somma di sette. Se per esempio vi fossero un cinque e un due, allora si può mettere il due sul cinque (o viceversa); analogamente si può mettere un sei su un asso (o, anche in questo caso, viceversa) e un quattro su un tre. Nel caso particolare in cui vi fossero due sette, allora si può mettere l'uno sull'altro. Ovviamente, se si è compiuta qualcuna di queste operazioni, si sono liberate delle caselle che vengono riempite con altre carte prese dal mazzo.
Quando con dodici carte scoperte non si può fare più niente altro, si cominciano a girare le carte del mazzo e, man mano che si presenta qualcuna delle possibilità indicate prima, si opera nello stesso modo, mettendo la carta su quella corrispondente che era sul tavolo. Ovviamente, se possibile, si fanno anche successivi spostamenti. Se, per esempio, fra le carte scoperte vi erano due tre e si gira un quattro, si opera allora nel seguente modo: il quattro lo si mette su uno dei due tre e quindi si prende l'altro tre e lo si mette sul quattro (infatti in entrambe le operazioni si sono ottenute combinazioni che valevano sempre sette). Va osservato che in questi casi non si sposta solo l'ultima carta che c'era sul tavolo, ma anche tutto il mazzetto che essa aveva eventualmente sotto di sé. Per esempio, nel nostro caso precedente, se sotto il secondo tre c'erano altre carte, sopra il quattro vanno messe tutte queste carte. Cioè, in altre parole, ogni spostamento libera sempre una casella.
Quando, invece, si gira una figura, bisogna necessariamente disporla allo scoperto: su una casella vuota (ammesso che ci sia), altrimenti su una carta scoperta (o su tutto il mazzetto che questa carta nasconde). Ovviamente, nel disporre la figura si è liberi di scegliere la posizione più comoda. Se, per esempio, tutti i cinque

sono già passati e c'è scoperto un due, ecco che converrà senz'altro mettere la figura su quel due che, oramai, non serve più. Purtroppo le figure, in questo gioco, sono carte scomode. Infatti un mazzetto che mostri, su di sé, proprio una figura resta bloccato e non può più essere spostato nel corso di tutto il gioco. Il solitario è da considerarsi concluso quando tutte e dodici le figure sono state girate e quindi, in pratica, le dodici caselle sono state bloccate. Se a questo punto sono finite anche le carte del mazzo, allora il solitario può considerarsi concluso positivamente, altrimenti si deve riconoscere che esso non è riuscito.

POKER

Questo solitario ha lo scopo di "consolare" l'incallito giocatore di poker che, rimasto senza amici, dovrebbe altrimenti rinunciare al suo gioco preferito. Si gioca con trentasei carte (cioè scartando le carte dal due al cinque). Dopo aver rimescolato e alzato, si dispongono le prime venticinque carte in cinque file formate, ognuna, da cinque carte. Praticamente si viene ad avere, sul tavolo, un quadrato di venticinque carte scoperte che formano cinque file e cinque colonne, ognuna formata da cinque carte. A questo punto si tratta soltanto di vedere quali combinazioni del poker sono state realizzate in ogni fila e in ogni colonna. Cioè si considera ogni insieme di cinque carte come se fosse una mano di poker e ad ogni combinazione si attribuisce un opportuno punteggio.
Per esempio:

Combinazione	Punti
Scala reale	80
Poker	50
Full	25
Colore	20
Scala	15
Tris	10
Doppia coppia	5
Coppia	2

Va comunque osservato che questo punteggio è molto arbitrario e infatti esistono giocatori di "poker solitario" che usano anche altri punteggi. Il motivo è da ricercarsi soprattutto nel fatto che il suddetto punteggio è realizzato tenendo conto del valore delle combinazioni nel poker vero. Però in quello giocato da soli (in cui non è permessa la sostituzione delle carte) le probabilità di realizzare certe combinazioni sono molto diverse. Per esempio, a voler essere esatti, la scala, che è difficile da realizzare, meriterebbe qualche punto di più. Il solitario deve considerarsi riuscito quando si raggiunge un punteggio minimo prefisso (per esempio 100 punti).

ROUGE ET NOIR

Si gioca con due mazzi formati, ognuno, da 52 carte. Prima di rimescolare bisogna togliere dai mazzi gli otto assi che vanno disposti, scoperti, su una fila. Il gioco consiste nel ricostruire, su questi assi, le sequenze ascendenti (cioè fino al re), tenendo però presente che tali sequenze vanno realizzate a colori alternati.
Sotto gli otto assi vanno poste altre otto carte scoperte, che formano le basi di altrettante sequenze discendenti, sempre in colore alternato. Dopo aver scoperto queste otto carte, occorre prima di tutto guardare se qualcuna di tali carte può essere sistemata in qualche altro posto. Essa potrebbe andare sopra un asso (se fosse un due) o sopra un due già sistemato a sua volta sull'asso (se fosse un tre) e così via. Oppure la carta si potrebbe anche spostare sotto un'altra carta della stessa fila per formare l'inizio della sequenza discendente. Cioè, se fra le carte scoperte ci sono un otto di picche e un sette di cuori, tanto per fare un esempio, si può mettere il sette di cuori sotto l'otto spostando una carta della fila delle otto; si libera una casella che può essere riempita con una nuova carta del mazzo. Quando non c'è altro da fare con le carte scoperte si guarda se è possibile sistemarla in qualche posto (seguendo quanto si è detto sopra). Terminata una prima distribuzione di tutto il mazzo, è ammesso, ma solo per un'altra volta, rigirare le car-

te scartate e farle nuovamente passare una per una. Se anche al termine di questo secondo passaggio tutte le carte non hanno trovato la loro sistemazione nelle sequenze formate sopra gli assi, il solitario non è riuscito.

APPELLO

Si tratta di un solitario, abbastanza facile, che può essere giocato sia con un mazzo di 52 carte che con uno di 40. Dopo aver mescolato e alzato, si girano le carte del mazzo, una per una; contemporaneamente si dicono i valori delle carte in ordine decrescente. Cioè, se si sta giocando con un mazzo di 52 carte, si dirà ad alta voce: asso, re, donna, fante e così via fino ad arrivare al due, quindi si riprenderà con asso, re ecc. Man mano che si parla si guarda se, per caso, la carta girata ha proprio il valore che è stato detto. Se ciò si verifica, allora si scarta la carta corrispondente. Per esempio, se nel momento in cui si è detto sette si è girato proprio un sette, allora questa carta va scartata; se invece la carta girata aveva qualsiasi altro valore allora la carta stessa rimane nel mazzo.
È ammesso far scorrere il mazzo più volte: i più cattivi dicono solamente tre volte ma, così facendo, le probabilità di riuscita sono praticamente nulle. Riteniamo che sia più giusto arrivare a cinque o sei passaggi del mazzo. Alla fine del numero di passaggio stabilito, il solitario è da considerarsi riuscito solo se tutte le carte sono state scartate. Va però precisato anche che, se per tutto un giro del mazzo non si è riusciti a scartare alcuna carta, allora il solitario va considerato irrimediabilmente sfumato.

IL SOLITARIO DI PAPÀ

Si può giocare con un mazzo di cinquanta carte o con uno di quaranta. Dopo aver mescolato e alzato, si cominciano a girare le carte, una per una, appoggiandole sul tavolo scoperte e una di fianco all'altra. Quando si vede che, saltando le due carte precedenti, si è girata una carta che ha lo stesso valore o che è dello stesso seme di quella che già si trovava sul tavolo, si scartano le due carte intermedie. Vediamo un esempio. Supponiamo che sul tavolo si trovino già queste carte:

Se adesso si gira un otto di quadri, non si può scartare nulla, in quanto, saltando le due carte precedenti, si ha un cinque di picche e queste carte (l'otto di quadri e il cinque di picche) differiscono sia per il valore che per il seme. Allora si pone l'otto di quadri sul tavolo di fianco alle altre ottenendo:

Supponiamo che adesso la nuova carta girata sia un fante di cuori. Siccome, saltando le ultime due carte, abbiamo un'altra carta di cuori, le possiamo allora eliminare (il fante di picche e l'otto di quadri), sistemando il fante di cuori accanto al tre di cuori. Avremmo effettuato la stessa operazione se, invece di pescare una carta di cuori, avessimo preso un qualsiasi tre.
Il solitario è da considerarsi riuscito se, al termine del mazzo, tutte le carte sono state scartate.

SOLITARIO FRANCESE

Si tratta probabilmente di uno dei più famosi e caratteristici solitari che, oltre a tutto, ha dato luogo a tutta una lunghissima serie di varianti.
Noi ci limiteremo a considerare quello che si gioca con trentadue carte di un mazzo francese (praticamente si scartano tutte le carte comprese fra il due e il sei: si gioca cioè con asso, sette, otto, nove, dieci, fante, donna e re).
All'inizio si dispongono sette carte, l'una di fianco all'altra, su una linea orizzontale; le prime sei carte restano coperte mentre l'ultima va scoperta.
Sotto queste carte ne vanno messe sei, appoggiate sulle prime sei precedenti, in modo da formare una nuova linea orizzontale.
Anche in questo caso si scopre soltanto l'ultima carta.
Adesso va formata una nuova linea orizzontale, appoggiata alle precedenti di cinque carte, con l'ultima scoperta.
Si procede così finché si arriva a girare una sola carta che concluderà la prima colonna, che sarà così formata da sette carte. In pratica le carte saranno disposte come nella figura della pagina seguente.
Va precisato che, se durante questa distribuzione si fosse scoperto un asso, questo sarebbe stato messo da parte.
A questo punto inizia il vero e proprio gioco che ha lo scopo di formare sequenze discendenti, a partire dall'asso e via via passando attraverso il re, donna, fante ecc., fino al sette, sulle case formate dagli assi che vengono messi da parte. Ovviamente tutte le carte di una stessa sequenza devono essere dello stesso seme. Sotto le colonne che si sono formate sul tavolo è possibile formare sequenze ascendenti a colori alternati.
Quando si sposta una carta scoperta in fondo a una colonna, si scopre quella immediatamente superiore, che così entra in gioco.
Quando non si può più giocare alcuna carta fra quelle scoperte nelle varie colonne, si ricorre alle restanti carte del mazzo.
Va anche osservato che, quando si libera del tutto una colonna, se ne può formare, al suo posto, un'altra, iniziando

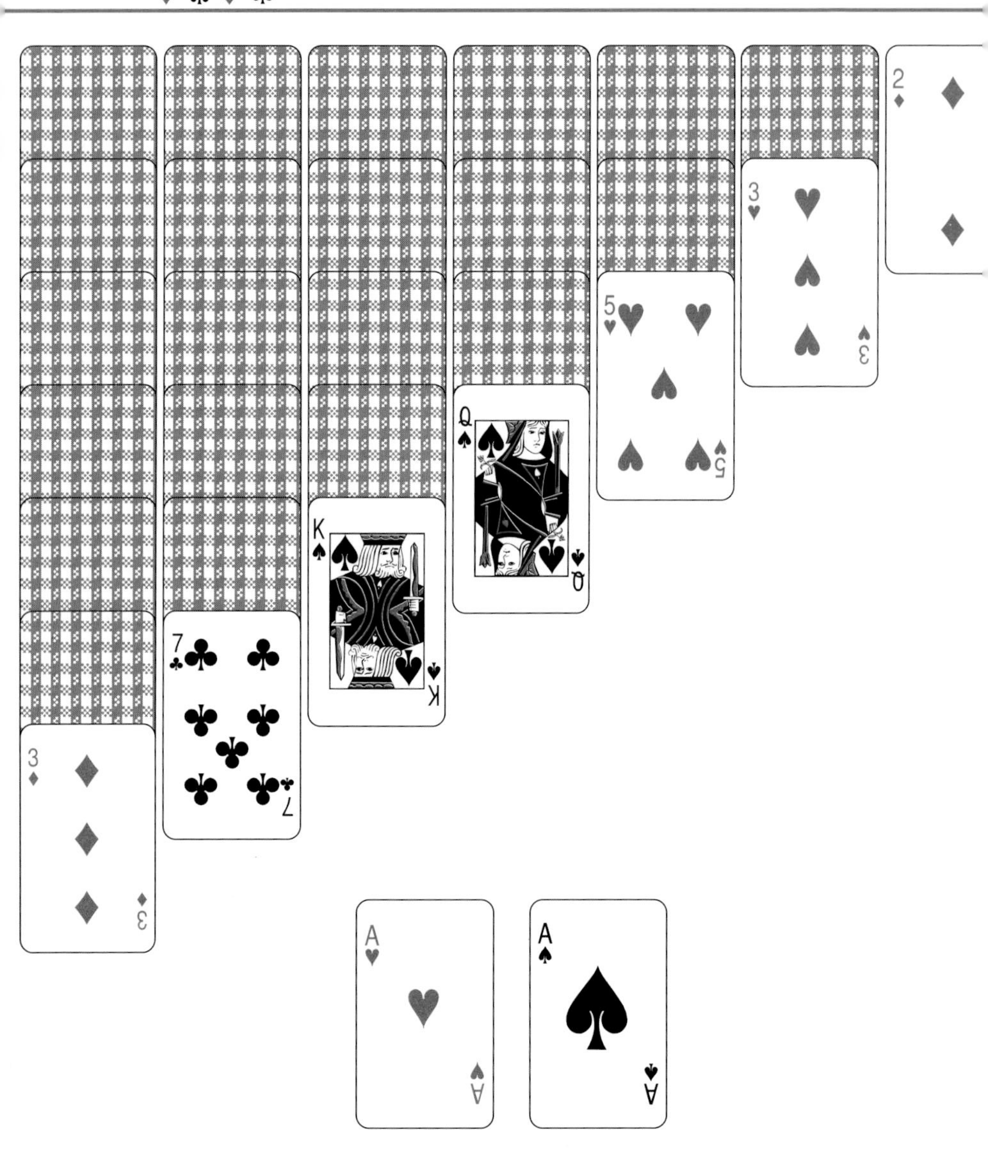

da qualsiasi carta si voglia (cioè la carta può essere presa dal mazzo o scelta fra quelle scoperte in fondo alle altre colonne).
Il solitario è da considerarsi riuscito quando si formano tutte e quattro le sequenze a partire dagli assi.

SOLITARIO DI MARIA ANTONIETTA

Come dice il nome, questo solitario era quello preferito dalla regina Maria Antonietta. Si gioca, come il precedente, con 32 carte scelte fra le 52 di un mazzo francese (al solito si scartano le carte comprese fra il due e il sei). Le carte vengono disposte, tutte, sul tavolo in modo da formare otto mazzetti ognuno costituito da quattro carte. In ogni mazzetto si gira soltanto la carta superiore.
A questo punto si guardano le carte scoperte e si eliminano le coppie formate da due carte aventi lo stesso valore. Quando si elimina una carta da un mazzetto, si gira la carta immediatamente inferiore.
Nel caso particolare in cui vi siano, fra quelle scoperte, tre carte dello stesso valore, si può scegliere liberamente la coppia da scartare.
Il solitario è da considerarsi riuscito se, così facendo, si possono scartare tutte le carte.

SOLITARIO DI NAPOLEONE

Si tratta di uno dei più famosi solitari. Probabilmente la sua fama è dovuta al fatto che, a quanto pare, esso rappresentava il passatempo preferito dell'imperatore durante gli ultimi anni della sua vita. Comunque va detto anche che, a parte queste ragioni... storiche, si tratta senza dubbio di uno dei più interessanti solitari, la cui soluzione dipende sì dalla fortuna ma anche dall'abilità del giocatore.
Si gioca con un mazzo di 52 carte che dopo essere state mescolate e alzate, vengono tutte scoperte sul tavolo in modo da formare quattro file orizzontali di dieci carte ciascuna e una quinta fila di otto carte. Gli assi, man mano che vengono girati, sono disposti al centro della tavola in modo da formare una colonna verticale.
Ecco come si potrebbe presentare la situazione all'inizio di un tale solitario (figura seguente).

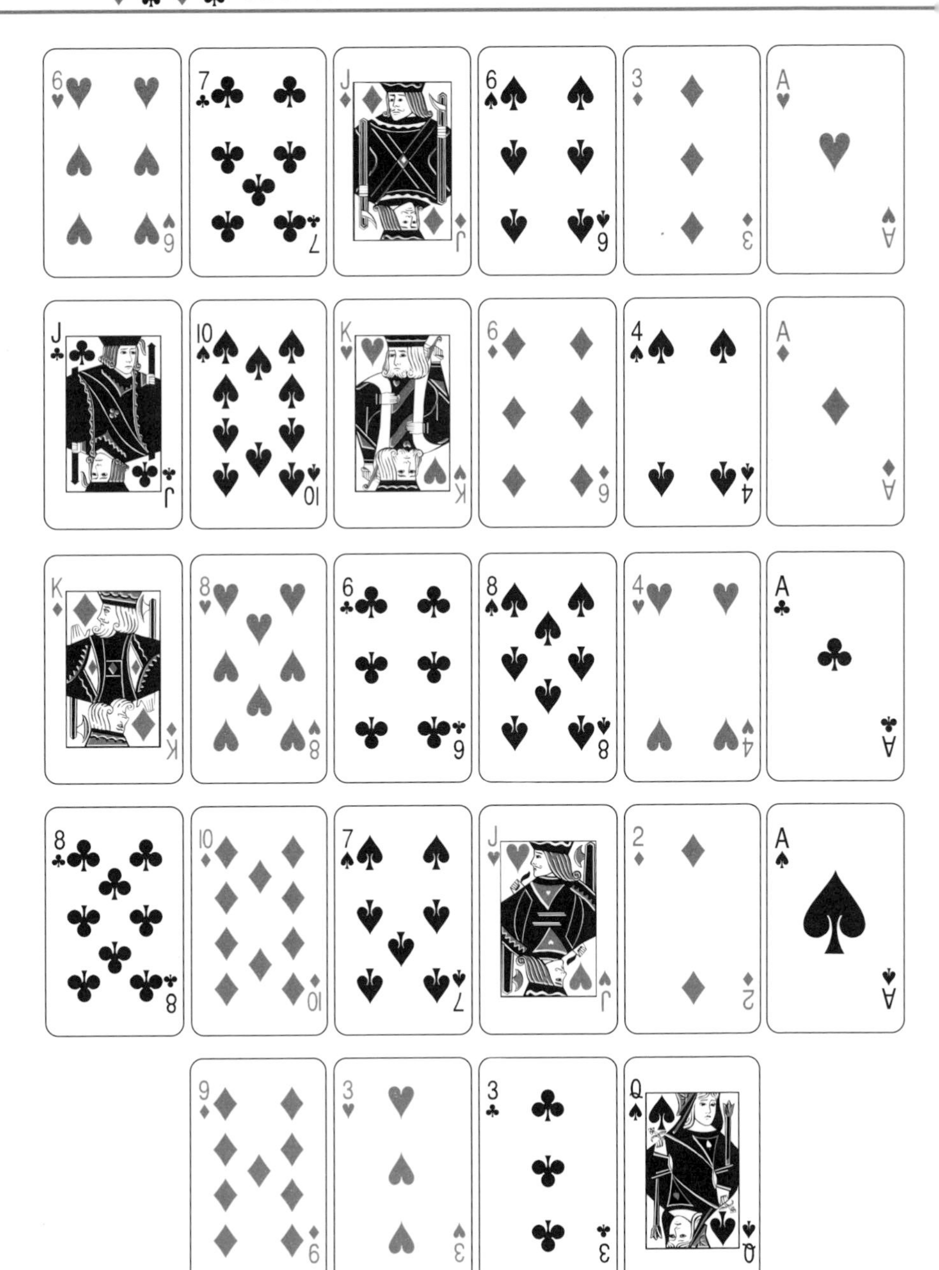

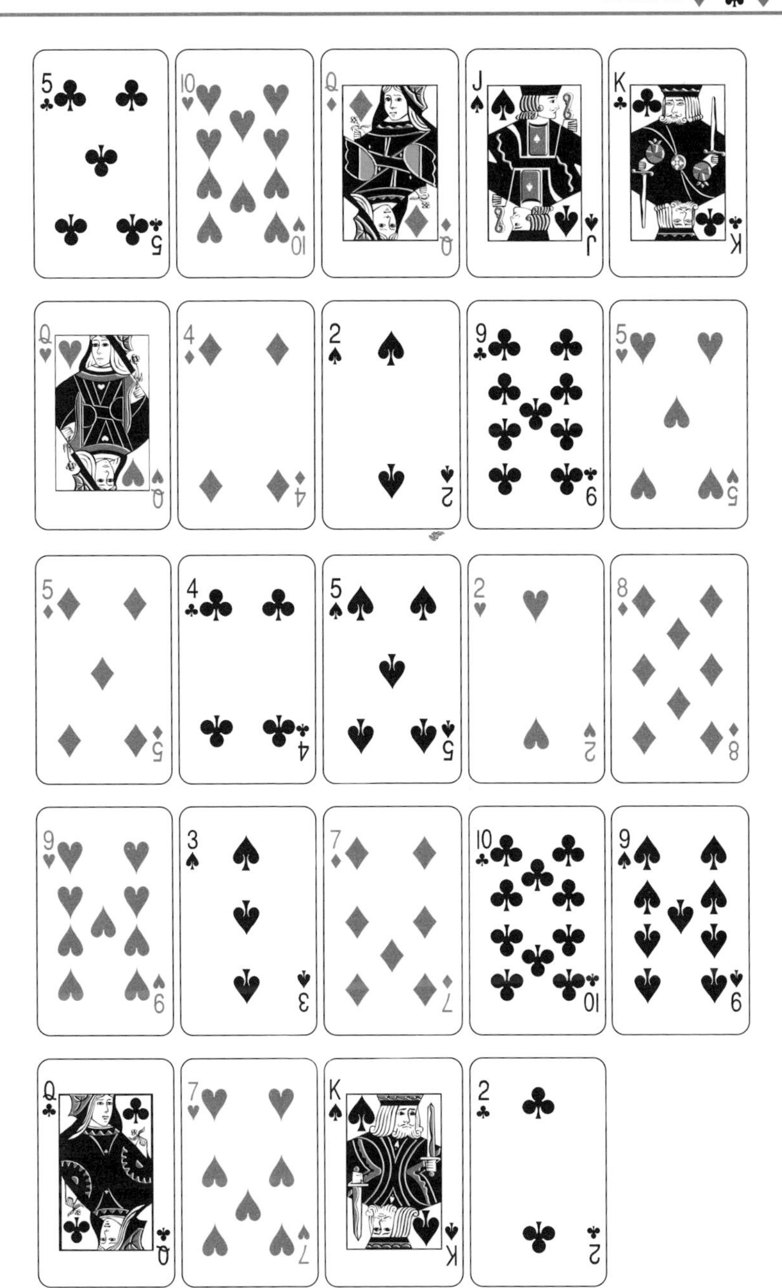

Il gioco consiste nel realizzare delle sequenze ascendenti, a partire dagli assi, formate da carte tutte dello stesso seme. Le uniche carte che possono essere spostate sono quelle più esterne di ogni riga orizzontale. Gli spostamenti sono possibili o quando si deve portare una carta sulla sua sequenza, al centro del gioco, o quando si può appoggiare la stessa carta su un'altra terminale di fila in modo da formare anche lì una sequenza, con carte dello stesso seme, o ascendente o discendente. Ad esempio, se in due diverse file, alle estremità, ci sono rispettivamente un fante e una donna di picche, allora è possibile sia mettere la donna di fianco al fante che il fante di fianco alla donna.
Quando, con uno spostamento, si libera una mezza riga orizzontale (praticamente cioè si tolgono tutte le carte che si trovano alla sinistra o alla destra di un asso o del relativo mazzetto), in quella casella rimasta vuota può essere messa qualsiasi carta. Ovviamente però la carta che va in quella casella va sempre scelta fra quelle che si trovano alle estremità delle varie righe.
Il gioco è da considerarsi riuscito quando si sono formate tutte le quattro sequenze sopra i relativi assi. Se invece si arriva al punto in cui non è più possibile spostare alcuna carta e le sequenze non sono state formate, allora il solitario è da considerarsi non riuscito.

I COVONI

Questo solitario si gioca con due mazzi formati, ognuno, da 52 carte. All'inizio si tirano fuori dai mazzi sia gli assi che i re, che vengono disposti sul tavolo, scoperti, in modo da formare due colonne verticali: la prima con quattro assi e l'altra con i quattro re. Di fianco a queste colonne vanno poi messe altre otto carte, scoperte, in modo da formare altre due colonne. Il gioco consiste nel formare sugli assi le sequenze ascendenti (con carte tutte dello stesso seme) fino al re; analogamente sui re si dovranno formare le sequenze discendenti (sempre con carte dello stesso seme) fino agli assi. Se fra le carte scoperte nelle due colonne ve n'è qualcuna che può già trovare posto o sugli assi o sui re, la si sistema subito e si riempie il vuoto così ottenuto con un'altra carta del mazzo. Un'altra possibilità di manovra è quella di formare se-

quenze orizzontali crescenti o decrescenti con le carte scoperte ai lati. Tali sequenze devono essere realizzate soltanto con carte dello stesso colore. Quando si sposta una carta da una delle colonne estreme, il suo posto può essere preso o da un'altra carta della colonna o da una carta del mazzo.
Quando non si può operare con le carte scoperte, si fanno passare, una per una, le carte del mazzo che, a loro volta, possono essere impiegate con le stesse modalità viste prima. Non è permesso rigirare il mazzo, quindi il solitario è da considerarsi riuscito soltanto se tutte le sequenze (sugli assi e sui re iniziali) sono state realizzate facendo passare il mazzo una sola volta.

IL QUINDICI

Si tratta di un solitario abbastanza semplice che potrebbe anche essere giocato da un bambino (soprattutto se si tratta di un bambino delle elementari, tale gioco gli permetterebbe anche di esercitarsi nell'addizione). Si gioca con un mazzo di cinquantadue carte che vanno mescolate e alzate. Quindi si girano le prime sedici carte del mazzo disponendole, scoperte, sul tavolo. Generalmente tali carte si dispongono in modo da formare un quadrato (con quattro righe di quattro carte ognuna), comunque, come vedremo, la cosa non ha alcuna importanza. Ciò che interessa è esclusivamente che le sedici carte possano essere tutte chiaramente visibili.
Fatto ciò si cominciano a scartare le carte dal dieci in su (cioè dieci, fanti, donne e re), soltanto però se vi sono, scoperte, tutte e quattro le carte di uno stesso valore. Cioè, se i quattro re sono tutti e quattro scoperti, allora si scartano. Se invece vi sono solamente tre fanti scoperti, allora non si può far nulla e tali carte vanno lasciate al loro posto.
Le carte inferiori al dieci, invece, vanno scartate formando combinazioni che abbiano come somma il quindici. Cioè un 6 e un 9 possono essere scartati, così un sette e un otto. Però gli scarti possono anche essere fatti con più di due carte: l'interessante è che si formi, con un numero qualsiasi di carte, proprio la somma di quindici. Così, in questo caso:

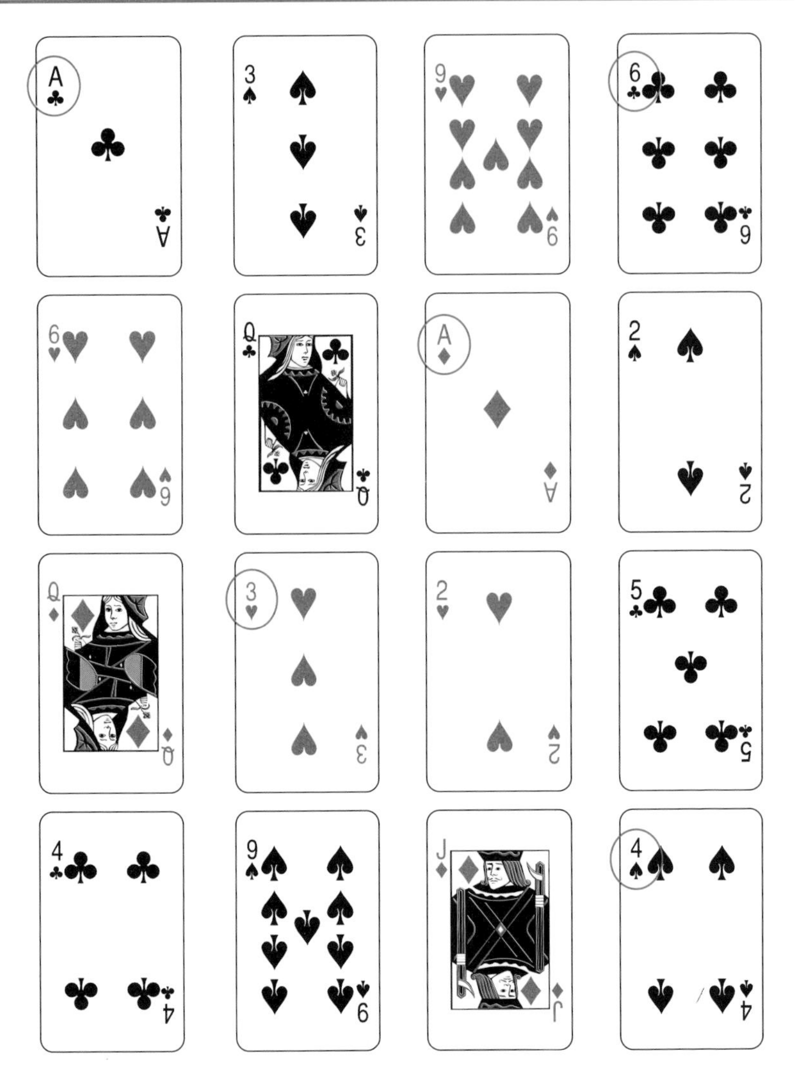

possono essere scartate tutte le carte cerchiate. Infatti 1 + 1 + 3 + 4 + 6 = 15. Quando si è terminata questa prima fase di scarti, si mettono, nei buchi lasciati dalle carte scartate, altre carte prese dal mazzo e si ricomincia la stessa operazione di prima. Il solitario può considerarsi riuscito se, facendo passare una sola volta il mazzo, tutte le carte possono essere scartate.

LE LACUNE

Questo solitario si gioca con un mazzo di cinquantadue carte. Le carte, dopo essere state rimescolate e alzate, vengono disposte, tutte scoperte e una a fianco dell'altra, sul tavolo in modo da formare quattro file orizzontali ognuna delle quali costituita da tredici carte.
Lo scopo del gioco è quello di spostare, secondo modalità che adesso vedremo, le carte fino a formare quattro file in cui le carte sono disposte in ordine crescente (a partire dall'asso e fino al re). Ovviamente in ogni fila devono esserci soltanto carte di uno stesso seme.
La prima operazione da fare è quella di togliere i quattro assi e di disporli all'inizio di ogni fila. Va osservato che ogni asso può essere messo davanti ad una fila qualsiasi. Quindi conviene sempre vedere se, per caso, ci fosse già qualche carta sistemata che potrebbe rendere più conveniente la scelta di una fila piuttosto che di un'altra. Tolti i quattro assi, restano nello schieramento generale quattro *lacune*. È proprio grazie a tali lacune che si possono effettuare gli spostamenti. Ognuno di tali "buchi" può essere riempito con una carta che formi, con quella che si trova alla sinistra, una sequenza crescente dello stesso seme. Cioè se alla sinistra di una delle lacune c'è, per esempio, il sette di fiori, allora nella lacuna si potrà mettere l'otto di fiori. Così facendo, si formerà un'altra lacuna che, a sua volta, potrà essere riempita con un'altra carta. Dovrebbe essere chiaro a questo punto che, giostrando opportunamente le carte, si deve cercare di formare le sequenze di cui si è detto all'inizio: bisogna fare in modo che il due di picche vada di fianco all'asso di picche, che dopo il due vada il tre e così via fino al re (analogamente, poi, nelle altre righe, per gli altri semi). Evidentemente la lacuna sarà inutilizzabile quando alla sua sinistra si troverà un re. Il gioco, in pratica, risulta bloccato quando tutte e quattro le lacune si trovano alla sinistra dei re.
Questo solitario, giocato esclusivamente con queste regole, è estremamente difficile ed ha una piccolissima probabilità di riuscita. Per questa ragione si preferiscono introdurre alcune varianti che hanno lo scopo di renderlo più semplice. Eccone qualcuna:

a) quando il gioco risulta bloccato la prima volta (cioè quando tutte le lacune sono alla sinistra di un re) si tolgono le carte che non sono ancora state sistemate e si rimescolano. Tali carte vengono rimesse scoperte sul tavolo in modo da lasciare sempre una lacuna di fianco all'ultima carta di ogni riga che sia già nella sua giusta posizione (ovviamente però tale ridistribuzione delle carte non sistemate si può fare soltanto una volta);

b) è possibile, quando la lacuna è alla sinistra del re, spostare questa figura di un posto verso destra (in pratica, cioè, è il re che va a occupare la lacuna precedente, mentre se ne forma una nuova);

c) la lacuna può essere riempita non soltanto con una carta che "leghi" alla sua sinistra, ma anche, con una carta che "leghi" alla sua destra (in modo però da formare una sequenza discendente). Cioè, se alla destra della lacuna c'è un sei di quadri, nella lacuna si può mettere il cinque di quadri.

Ovviamente ognuna di queste varianti rende il gioco più semplice e quindi sarebbe eccessivo volerne adottare, contemporaneamente, più di una.

CROCE

Questo solitario si gioca con due mazzi di 52 carte ognuno. Dopo aver mescolato e alzato, si toglie un asso qualsiasi e lo si mette al centro del tavolo. Attorno a questo asso, in modo, da formare una specie di croce, si mettono otto carte: due a sinistra e due a destra, formando una linea orizzontale; due in alto e due in basso a formare una linea verticale. Queste otto carte costituiscono la riserva, che può essere in ogni momento utilizzata. Se nello scoprire le carte della riserva si venisse a trovare un re, questo andrebbe posto agli angoli della croce.
Lo scopo del gioco è quello di formare un mazzetto di 52 carte al centro partendo dall'asso. In tale mazzo le carte vanno disposte in ordine crescente di valori senza però tenere alcun conto dei semi. Cioè sull'asso andrà messo un due, sul due un tre e

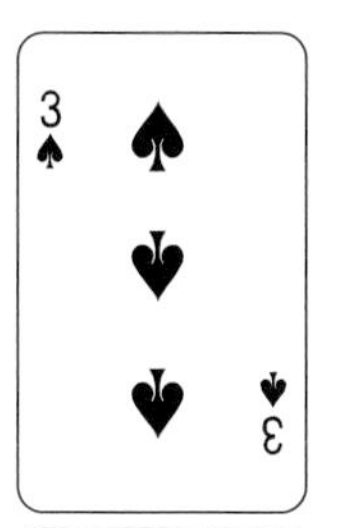

così via fino a un re; su tale re andrà un altro asso e così avanti fino ad aver sistemato 52 carte. Le restanti cinquantadue carte invece andranno sistemate sui quattro re che si trovano negli angoli della croce: tali carte dovranno formare quattro sequenze discendenti fino all'asso (anche in questo caso senza tenere conto dei semi).
Le carte della riserva (cioè le otto dei bracci della croce) possono essere adoperate in qualsiasi momento per formare una qualsiasi delle sequenze. Si può anche togliere una carta da una delle sequenze discendenti poste sopra un re per metterla sul mazzo centrale. Però non si può prendere, contemporaneamente, più di una carta da un mazzetto posto sopra un re. Quando non si può muovere nessuna carta della riserva, si fanno girare le carte del mazzo che possono essere messe secondo quanto è già stato detto. Quando si libera una casella nei bracci della croce, il suo posto viene preso da una carta del mazzo.
Come si vede nella figura precedente, nell'angolo superiore di destra il re non è stato messo. Evidentemente tale re si trova ancora nel mazzo. Non appena, girando le carte, lo si scoprirà, lo si sistemerà immediatamente al suo posto.
Non è ammesso far girare il mazzo più di una volta. Quindi, se al termine del giro delle carte del mazzo non sono ancora state realizzate tutte le sequenze, il solitario non è riuscito.

FERROVIA

Si tratta di un solitario che ha, generalmente, una durata molto breve; l'abilità del giocatore non ha alcuna importanza, in quanto tutto dipende dalla fortuna. Il grande inconveniente è rappresentato dal fatto che è un gioco che ha scarsissime probabilità di riuscita. Comunque vediamo qual è il suo svolgimento. Dopo aver bene mescolato le carte e alzato, si prendono le prime sei carte che si mettono, scoperte, sul tavolo una accanto all'altra, in modo di formare una linea orizzontale. Sistemate queste sei carte, occorre osservare se è possibile liberare qualche posto. Questa situazione si verifica se vi sono due carte vicine che siano o dello stesso seme o dello stesso valore. Nel caso in cui ciò si verifichi allora si deve mettere la carta che sta alla destra sopra quella che è posta alla sinistra. Supponiamo, per esempio, che le sei carte scoperte siano le seguenti:

Come si vede, le prime due carte sono dello stesso seme e la quarta e la quinta sono entrambe dei sette. Allora si prende il fante di picche e lo si mette sopra l'asso e nello stesso modo ci si comporta con le due carte che hanno lo stesso valore, cioè si mette il sette di fiori sopra quello di quadri. A questo punto la situazione è diventata la seguente:

Come si può vedere, si sono liberate due caselle che vanno riempite con altre due carte prese dal mazzo. Quando ci si trova nuovamente in presenza di sei carte, si ragiona esattamente come prima. L'umica differenza adesso è nel fatto che quando si sposta una carta va anche spostato l'eventuale mazzetto sottostante. Cioè ogni spostamento libera sempre una casa.

Il gioco procede nello stesso modo, però, quando ci si trova di fronte a sei carte scoperte che non permettono alcun movimento, allora lo si deve considerare interrotto e si deve concludere che il solitario non è riuscito.

HENRY

Anche questo solitario è estremamente semplice e dipende esclusivamente dalla fortuna. Si gioca con un mazzo di 52 carte. Prima di mescolare però occorre togliere tutti e quattro gli assi, che vanno disposti, uno vicino all'altro, scoperti sul tavolo. A questo punto, dopo aver mescolato e alzato, comincia il gioco vero e proprio. Poiché la situazione da raggiungere è quella di formare, sul quattro assi, quattro sequenze ascendenti dall'asso al re, senza però tener conto assolutamente dei semi, si tratta in pratica di girare le carte, una a una, sistemando quelle che via via si presentano e che hanno un valore immediatamente superiore a una delle quattro carte scoperte sul tavolo. Come abbiamo già chiarito, non occorre assolutamente mettere sempre carte dello stesso seme. Cioè su un asso di picche può andare il due di cuori, su questo il tre di fiori, poi il quattro di quadri e così via. Ovviamente, se capita, si possono anche mettere, l'una sull'altra, carte dello stesso seme.
Terminato il primo giro di carte, si rigirano gli scarti e si fanno passare nuovamente, uno per uno. È possibile far passare il mazzo tre volte. Se entro il terzo giro si sono formate le sequenze desiderate, allora il solitario è riuscito, altrimenti bisogna concludere che è fallito.

I GIOCHI PER BAMBINI

♥ ♠ ♦ ♣

QUARTETTO

Si può giocare sia con un mazzo di 40 carte che con un mazzo di 52 carte. I giocatori devono essere quattro. All'inizio si distribuiscono tutte le carte, una per una, ai quattro giocatori, che verranno così ad avere ognuno o dieci o tredici carte. Il gioco consiste nel formare dei poker, cioè degli insiemi di quattro carte eguali. Il primo di mano, dopo aver guardato le proprie carte, sceglie quella del cui valore ne ha il maggior numero e quindi chiede a uno degli altri giocatori, a scelta, la carta che gli manca.

Supponiamo, per esempio, che il primo giocatore abbia già in mano tre sette e che gli manchi quello di picche. Allora si rivolgerà a uno degli altri tre bambini e dirà per esempio: "Mauro, dammi il sette di picche". Chi è stato interpellato deve guardare fra le sue carte; se effettivamente possiede la carta richiesta, la deve passare a chi gliel'ha domandata. In questo caso chi ha ricevuto la carta deve "ringraziare" e quindi, se ha realizzato il poker, scoprirlo stendendo le carte sul tavolo.

È molto importante il fatto del ringraziare: chi non lo fa perde la carta e il diritto a parlare (se non altro questo è un gioco di carte che insegna ai bambini l'educazione).

Nel caso in cui la carta richiesta sia stata data, chi l'ha ricevuta ha diritto a parlare ancora.

Ovviamente, se con la carta richiesta non si è realizzato il poker, occorre tenere ancora in mano sia le carte di quel valo-

re che già si possedevano sia quella che si è appena ricevuta. Se però la carta richiesta non è in mano alla persona cui è stata richiesta, allora il richiedente perde il diritto di parola che passa a colui che non ha potuto dare la carta e che, a sua volta, chiederà una carta che interessa a lui.
È possibile chiedere anche una carta che sia già stata richiesta (e che ovviamente non sia stata scoperta sul tavolo), però non è permesso chiedere carte di cui non si possegga, in mano, almeno una equivalente.
Vince chi per primo resta senza carte.

DUBITO

Si può giocare con un qualsiasi mazzo di carte e con un qualsiasi numero di giocatori. L'unica avvertenza da prendere è che tutti devono, all'inizio, ricevere lo stesso numero di carte. Distribuite tutte le carte ai vari giocatori (eventualmente per far pareggiare i conti si può scartare qualche carta), si inizia il gioco nel modo seguente: il primo di mano mette una carta, coperta, al centro del tavolo e contemporaneamente dice ad alta voce "uno".
A questo punto il secondo giocatore mette una sua carta, sempre coperta, sulla precedente dicendo "due". Il terzo mette nello stesso modo la sua carta e dice "tre". Il gioco va avanti così. Chi vuole, in qualsiasi momento del gioco, però può "dubitare". Per far ciò occorre dire ad alta voce, subito dopo che un altro giocatore ha messo la sua carta dicendo il numero, "dubito". Allora il gioco si ferma e si va a vedere la carta che è stata messa per ultima. Se il suo valore corrisponde a quello dichiarato, allora chi ha dubitato deve prendere tutte le carte che si trovano sul tavolo. Se invece il valore della carta girata non corrisponde al valore dichiarato, allora tutte le carte vanno prese da chi ha "mentito" mettendo una carta diversa da quella che avrebbe dovuto mettere.
Vince il gioco chi per primo resta senza carte.

RUBAMAZZETTO

È forse il più classico gioco per bambini ed è una variante semplificata della scopa. Praticamente si gioca come la scopa (in due o in quattro, comunque i bambini non si formalizzano troppo e molte volte riescono anche a giocare in tre o cinque). Con le carte che si hanno in mano, si devono prendere quelle scoperte sul tavolo o accoppiando due carte eguali o pigliando più carte scoperte il cui valore complessivo sia eguale a quello della carta giocata. L'unica variante è questa: quando si fa una presa, si deve mettere la propria carta (cioè quella che si è giocata di mano e che ha fatto la presa), scoperta, sul mazzo delle carte che si sono conquistate in precedenza. Ovviamente è soltanto la carta dell'ultima presa che resta scoperta. Cioè, a ogni nuova presa che si fa, si copre la carta che era scoperta in precedenza e si lascia in posizione visibile soltanto l'ultima carta. E veniamo alla possibilità di "rubare" il mazzo. Chi ha in mano una carta eguale a quella scoperta su uno dei mazzi dei giocatori può, invece di prendere carte dal tavolo, prendere il mazzo dell'altro. In questo modo è avvenuto il... furto e chi ha conquistato le carte dell'avversario le unisce a quelle che già possedeva. Vince chi, alla fine, ha il maggior numero di carte.

UNO, DUE, TRE

Si gioca, fra due persone, con due mazzi di carte; comunque, volendolo rendere più veloce, lo si può anche giocare con un solo mazzo. All'inizio si dividono tutte le carte fra i due giocatori, che dispongono il mazzo ricevuto ognuno davanti a sé, con tutte le carte coperte. A questo punto il primo di mano gira la prima carta del suo mazzo e la mette, scoperta, sul tavolo. L'altro, di seguito, gira la sua prima carta e la mette, sempre scoperta, sulla carta girata in precedenza dall'avversario. Il gioco va avanti così: alternandosi l'un l'altro, i due contendenti girano sempre la carta che sta sopra il proprio mazzo di car-

te. Il gioco subisce una variante quando uno dei due gira o un asso o un due o un tre. Quando si verifica uno di questi casi, l'altro deve dargli tante carte, scoperte, quanto è il valore della carta girata dall'avversario. Cioè, se il primo gira un due l'altro deve dargliene due e analogamente se gira un tre deve dargliene tre. Ricevuto il "pagamento", chi aveva girato la carta che ha incassato prende tutte le carte che erano state girate al centro e le mette, coperte, in fondo al suo mazzo.
Il divertimento di questo gioco, però, è rappresentato dal fatto che si possono conquistare anche le carte interessanti (uno, due e tre) dell'avversario. Infatti, se durante il "pagamento" si gira un proprio asso o due o tre, allora la situazione si inverte. Vediamo un esempio pratico. Supponiamo che il primo giocatore, che chiameremo Luigino, abbia girato un due; allora il suo avversario (che chiameremo Pierino) deve "pagargli" due carte. Se però la seconda carta è un tre, Luigino non ha più il diritto di ritirare le carte che erano scoperte, ma deve, a sua volta, pagare tre carte a Pierino.
Se fra queste tre carte non ve n'è nessuna capace di capovolgere la situazione sarà allora Pierino che potrà prendere tutte le carte e che, così, avrà anche conquistato un due del suo avversario. In questo gioco vince chi a un certo punto si è impossessato di tutte le carte.

UOMO NERO

Si gioca con un mazzo di 40 carte e in tre giocatori. Però si può giocare anche con un mazzo di 52 carte o fra più persone. Soltanto occorre fare in modo che ognuno dei contendenti abbia, all'inizio, un eguale numero di carte. Inoltre le carte devono essere tutte accoppiate, due a due, meno una che non forma coppia perché l'altra carta che le andrebbe unita viene scartata. Con un po' di tentativi, si può allora riuscire a far partecipare a questo divertente gioco anche un numero di bambini diverso da tre. Comunque noi limitiamoci a vedere il caso classico, che è anche il più semplice. Supponiamo, cioè, di usa-

re un mazzo di 40 carte napoletane e supponiamo arche che i giocatori siano tre.
Occorre prima di tutto decidere quale carta dovrà rappresentare l'uomo nero. Da regione a regione si scelgono figure diverse, noi supponiamo di fissare che tale carta sia il fante di bastoni. Allora si deve togliere dal mazzo un fante (che però non deve assolutamente essere quello di bastoni). Fatto ciò restano 39 carte, che vanno distribuite in eguale misura fra tutti i giocatori. Ognuno di essi, quindi, all'inizio avrà 13 carte. Prima di iniziare gli scambi, ogni giocatore comincia a scartare tutte le coppie di carte dello stesso valore che si trova in mano: due assi, due due, due tre, due quattro e così via. Si possono anche scartare due fanti (se qualcuno li ha), però fra essi non deve trovarsi l'"uomo nero" (cioè il fante di bastoni), che non può mai essere scartato. Eliminate tutte le coppie, ogni giocatore, a cominciare dal primo di mano, pesca una carta a scelta (ovviamente senza guardare) fra quelle possedute dal giocatore che siede alla sua sinistra. Se con questa carta si forma una coppia, si procede al nuovo scarto, altrimenti la carta stessa va messa fra quelle che già si posseggono. Ovviamente l'operazione di pescare la carta va eseguita in ordine: comincia il primo di mano, quindi continua quello che sta alla sua destra e così via in circolo.
Alla fine degli scarti resterà un solo giocatore che avrà in mano l'uomo nero: costui è quello che perde e che, per esempio, dovrà pagare la penitenza.

TAPPO

A questo gioco possono partecipare quanti bambini si vogliono. Il numero delle carte deve essere eguale al numero dei bambini moltiplicato per quattro. Esattamente si devono mettere tanti insiemi di quattro carte dello stesso valore quanti sono i bambini. Se per esempio a giocare sono in cinque, allora si possono prendere tutti gli assi, due, tre, quattro e cinque di un qualsiasi mazzo di carte. Inoltre occorre mettere sul tavolo un

numero di tappi (o di altri piccoli oggetti) che sia eguale al numero dei partecipanti diminuito di una unità. Sempre nel caso che si giochi in cinque bisognerà mettere al centro del tavolo quattro tappi.
Prima di iniziare il gioco si devono rimescolare molto accuratamente le carte che poi vanno distribuite ai vari giocatori in modo che ognuno di essi ne abbia quattro. Il gioco consiste nel cercare di formare in mano un poker. Ciò può ottenersi nel modo seguente. Il primo di mano sceglie una delle sue carte e la passa al compagno di destra. Questo, vista la carta che ha ricevuto, ne sceglie una (fra le cinque che adesso ha in mano) e la passa a sua volta al giocatore di destra. Adesso è quest'ultimo che esegue la stessa operazione e si va avanti così a circolo. A un certo momento, uno dei giocatori riuscirà a formare il desiderato poker, cioè, riavuta la carta dal suo vicino, si troverà ad avere in mano quattro carte tutte dello stesso valore. Questi allora dovrà immediatamente gridare "tappo" e precipitarsi a prendere uno dei tappi. Anche gli altri, sentendo il grido, dovranno impossessarsi di un tappo ognuno. Però, siccome il loro numero è inferiore di una unità a quello dei giocatori, vi sarà un bambino che resterà senza tappo. Questi è quello che perde la partita e che deve pagare la penitenza.

INDICE

Prefazione .... pag. 5

Le carte da gioco .... » 7
– Storia delle carte da gioco .... » 7
– Le carte più comuni .... » 8
– La cartagiocofilia .... » 10
– Altri tipi di carte da gioco .... » 10
– I giochi con le carte .... » 11

I giochi tradizionali .... » 13
– La scopa .... » 13
– Le varianti della scopa .... » 21
– La briscola .... » 26
– Le varianti della briscola .... » 30
– Il tressette .... » 33
– Le varianti del tressette .... » 38

I giochi di società .... » 43
– Il ramino .... » 43
– Il ramino con rilancio .... » 50
– La scala quaranta .... » 51
– La canasta .... » 57
– La canasta con tre mazzi .... » 64

Il bridge .... » 69
– Lo spirito del gioco .... » 69
– Gioco ad "atout" e gioco a "senza" .... » 72

– La dichiarazione e il contratto finale ... pag. 78
– Contre e surcontre ... » 82
– Il punteggio ... » 83
– Come valutare la propria mano ... » 92
– L'apertura di "1 a colore" ... » 99
– La licitazione dopo l'apertura di "1 a colore" ... » 102
– L'apertura di "1 senza" ... » 116
– L'apertura di "2 a colore" ... » 121
– L'apertura di "2 fiori" ... » 123
– L'apertura di "2 senza" ... » 124
– L'apertura di "3 senza" ... » 124
– Le aperture di "3 a colore" ... » 125
– L'apertura di "4 a colore" ... » 127
– La ricerca dello slam ... » 127
– Le mani strane ... » 130
– L'intervento ... » 131
– Il gioco della carta ... » 135
– Il gioco "a colore" ... » 137
– Il gioco "a senza" ... » 140
– I rientri ... » 144
– Il controgioco ... » 145
– Alcune situazioni caratteristiche ... » 147

I giochi d'azzardo ... » 151
– Premessa ... » 151
– Il poker ... » 152
– Lo svolgimento della partita di poker ... » 164
– La teresina ... » 170
– Il calatone ... » 171
– Il baccarà ... » 172
– Lo chemin de fer ... » 176
– Il trente et quarante ... » 176
– Il sette e mezzo ... » 179
– Il macao ... » 182
– La zecchinetta ... » 183
– All'ultimo seme ... » 184
– Il Mercante in fiera ... » 185
– L'orologio ... » 187

I giochi meno noti .... pag. 189
– I tarocchi .... » 189
– Il picchetto .... » 194
– L'écarté .... » 201
– Il whist .... » 203
– Il boston .... » 204
– La crapette .... » 206
– La bazzica .... » 209

I solitari .... » 213
– Amicizia .... » 213
– Quadrante .... » 214
– I raggi .... » 216
– Coprisette .... » 218
– Poker .... » 219
– Rouge et noir .... » 220
– Appello .... » 221
– Il solitario di papà .... » 221
– Solitario francese .... » 223
– Solitario di Maria Antonietta .... » 225
– Solitario di Napoleone .... » 225
– I covoni .... » 228
– Il quindici .... » 229
– Le lacune .... » 231
– Croce .... » 232
– Ferrovia .... » 234
– Henry .... » 236

I giochi per bambini .... » 237
– Quartetto .... » 237
– Dubito .... » 238
– Rubamazzetto .... » 239
– Uno, due, tre .... » 239
– Uomo nero .... » 240
– Tappo .... » 241

Finito di stampare
nel mese di ottobre 2003
presso la INGRAF
Industria Grafica S.r.l. - Milano

per

DVE ITALIA S.p.A.
20124 Milano - Via Vittor Pisani, 16